Nouvelle
Grammaire
du Français

Cours de Civilisation Française
de la **SORBONNE**

Y. Delatour

D. Jennepin

M. Léon-Dufour

B. Teyssier

HACHETTE
Français langue étrangère

Couverture et conception graphique : Amarante

Réalisation : MÉDIAMAX

Corrections : Cécile Schwartz et Isabelle Yafil

ISBN : 978-2-01-155271-6

© HACHETTE LIVRE, 2004, 43, quai de Grenelle, 75905 PARIS Cedex 15.

www.hachette-education.com

www.hachettefle.fr

PRÉFACE

La Grammaire du Français, publiée en 1991, avait pour ambition de fournir aux apprenants de français langue étrangère un manuel qui leur donne des repères précis pour maîtriser l'expression écrite et orale. Cette grammaire a rencontré un accueil très favorable auprès des étudiants et des professeurs qui ont apprécié la rigueur de sa démarche et sa grande lisibilité. Depuis, notre expérience de l'enseignement s'est enrichie de la diversité linguistique et culturelle des apprenants rencontrés et de leur regard nouveau sur notre langue. Par ailleurs, nous avons reçu de la part de nos lecteurs – ce dont nous les remercions très vivement – des critiques judicieuses et des remarques utiles. Il nous a donc paru intéressant de refondre notre ancien ouvrage pour en présenter un autre qui, tout en gardant le même esprit, soit très largement rénové.

Cette nouvelle édition de la Grammaire du Français se présente comme un cours complet, où chaque point est étudié d'une manière progressive. Les éléments de la langue les plus simples ou les plus courants sont traités en priorité. Viennent ensuite les constructions plus complexes, plus nuancées et d'un maniement plus subtil. L'approche grammaticale reste largement traditionnelle parce que c'est celle qui est la mieux comprise de la majorité des étudiants.
Tout en nous efforçant de conserver la grande clarté de l'exposé, nous nous sommes fixé les objectifs suivants :
– développer les explications dans une langue simple ;
– donner des exemples dans un contexte de vie quotidienne ;
– insister sur les différences de sens : l'emploi, par exemple, de l'indicatif ou du conditionnel, de tel ou tel article, permet de nuancer sensiblement l'expression ;
– faciliter la compréhension et l'assimilation par des tableaux récapitulatifs qui font la synthèse sur un point particulier ou sur l'ensemble d'une question.

La maquette met en évidence le texte du cours, avec les règles, les explications et les exemples.
La marge permet d'introduire plusieurs rubriques :
– **Remarque** apporte un complément d'information ou indique une construction moins fréquente ou plus complexe ;
– **Attention** signale un risque d'erreur ou une confusion possible ;
– **Ne dites pas** aide l'étudiant à identifier ses fautes. **Ne dites pas… mais…** donne un exemple erroné et le corrige.
– **Renvoi** indique que le point de grammaire est développé sous un angle différent dans une autre partie du chapitre ou du livre.
Dans le texte ou dans la marge, l'expression **Langue soutenue** signale des emplois plus difficiles ou plus rares.

Enfin les annexes ont été largement développées. En plus des tableaux de conjugaison et de l'index, on trouvera à la fin de l'ouvrage :
– une liste des principaux verbes des deuxième et troisième groupes qui renvoie aux tableaux de conjugaison pour consultation des formes,
– une liste des **constructions verbales**, qui représentent une grande difficulté pour les non francophones,
– trois rubriques concernant l'élision, les accents et la ponctuation,
– un tableau de l'alphabet phonétique international.

Cette grammaire se veut donc essentiellement pratique et vise à dédramatiser l'apprentissage de notre langue réputée difficile. Elle s'adresse à tous ceux qui, pour leurs études, leur activité professionnelle ou leurs loisirs, s'intéressent au français. Puisse-t-elle aussi satisfaire les nombreux étudiants qui, à la question « Pourquoi apprenez-vous le français ? », nous répondent si souvent « parce que c'est une belle langue ! »

Les auteurs

À noter : De nouveaux exercices d'application sont disponibles séparément, sur 3 niveaux (A1/A2, B1, B2 du Cadre Européen Commun de Référence), avec des renvois aux points de grammaire ici traités. À ces trois niveaux s'ajoutent les 350 exercices niveaux Supérieur I et II de la collection « Exerçons-nous ».

SOMMAIRE

DEUXIÈME PARTIE : LE VERBE

TROISIÈME PARTIE : LES MOTS INVARIABLES

QUATRIÈME PARTIE : LES DIFFÉRENTS TYPES DE PHRASES

CINQUIÈME PARTIE : LA PHRASE COMPLEXE

INTRODUCTION

LA STRUCTURE DE LA PHRASE

Une phrase est un assemblage de mots formant une unité de sens.

À l'écrit, le premier mot commence par une majuscule et le dernier est suivi d'un point (.), d'un point d'exclamation (!), d'interrogation (?) ou de suspension (...).

À l'oral, c'est l'intonation qui donne sa cohérence à la phrase.

● Les constituants essentiels de la phrase sont :
— le nom, autour duquel peuvent se regrouper divers mots : c'est le groupe nominal.
— le verbe, autour duquel peuvent se regrouper divers mots : c'est le groupe verbal.

→ Nicolas arrive.
   (nom)   (verbe)

→ Le frère de Nicolas arrivera demain soir.
   (groupe nominal)   (groupe verbal)

(Voir le groupe nominal page 16.)

● On peut distinguer :
— **la phrase simple**, qui contient un seul verbe conjugué : elle forme une « proposition ».

→ Le français, l'italien, l'espagnol, le portugais et le roumain **sont** des langues romanes.

— **la phrase complexe**, qui contient deux ou plusieurs verbes conjugués : elle contient deux ou plusieurs « propositions ».

→ Le français, l'italien, l'espagnol, le portugais et le roumain **sont** des langues romanes
                        (proposition 1)

parce qu'ils **viennent** du latin.
       (proposition 2)

● Il existe différents types de phrases :
— La phrase déclarative :   Il fait beau.
— La phrase interrogative : Est-ce qu'il fera beau demain ?
— La phrase exclamative :   Comme il fait beau !

Ces phrases peuvent aussi être à la forme négative : Il ne fait pas beau.
                                     Est-ce qu'il ne fera pas beau demain ?

Il existe différents types de phrases simples.

1. Sujet + verbe

- Les cloches sonnent.
    (sujet)   (verbe)
- Il réfléchit.

2. Sujet + verbe + attribut

L'attribut est un adjectif ou un nom relié au sujet par le verbe *être* et quelques autres verbes (*paraître, sembler, devenir,* etc.).

- Ces fleurs sont **magnifiques**.
    (attribut)
- Stéphane deviendra **avocat**.
    (attribut)

3. Sujet + verbe + compléments d'objet

Le complément d'objet complète le sens du verbe.

- Le Soleil éclaire **la Terre**.
    (complément d'objet direct)
- J'ai écrit **à ma meilleure amie**.
    (complément d'objet indirect)
- J'ai écrit **une lettre à ma meilleure amie**.
    (COD)   (COI)

4. Sujet + verbe (+ COD / COI) + compléments circonstanciels

Les compléments circonstanciels apportent une information sur le lieu, le temps, la cause, etc. Leur place dans la phrase est variable.

— complément circonstanciel de lieu
- Beaucoup de gens se promènent **dans les jardins du château de Versailles**.

— complément circonstanciel de temps
- **Dimanche prochain,** nous irons visiter le château de Versailles.

— complément circonstanciel de cause
- Nous ne sommes pas allés nous promener dans les jardins du château **à cause du mauvais temps**.

Remarques

1. À l'impératif et à l'infinitif, le sujet n'est pas exprimé.
- Viens !
- Ne pas entrer !

2. La phrase peut se limiter à un nom ou à un groupe nominal.
- Attention !
- Ouverture automatique des portes.

↻ *Renvoi*
Pour les constructions verbales, voir pages 91 à 96.

– complément circonstanciel d'opposition
- Nous nous sommes promenés dans les jardins du château de Versailles **malgré le mauvais temps.**
– complément circonstanciel de but
- **Pour aller à Versailles**, nous prendrons le train.

LA PHRASE COMPLEXE

Une phrase est dite « complexe » lorsqu'elle est formée de **deux ou plusieurs propositions**, entre lesquelles il existe différents types de liaison.

La juxtaposition

Deux ou plusieurs propositions peuvent se suivre **sans être reliées les unes aux autres.** Dans ce cas, le lien entre les idées est implicite.

- Marie vient d'obtenir son diplôme d'ingénieur, elle trouvera facilement du travail. (cause ⟶ conséquence)

À l'écrit, les deux propositions sont séparées par une virgule, un point-virgule ou deux-points.

> **Remarque**
> La juxtaposition s'emploie beaucoup à l'oral.
> - Il fait beau, sortons ! (= puisqu'il fait beau, sortons !)
> - Je lave la salade, tu prépares la sauce vinaigrette. (= pendant que je lave la salade, tu...)

La coordination

Deux ou plusieurs propositions peuvent **être reliées par des connecteurs**, mots qui précisent la nature du rapport entre les propositions (temps, cause, conséquence, etc.) : *et, ou, ni, mais, or, car, donc, pourtant, c'est pourquoi, d'ailleurs, puis*, etc.

- Pour les vacances, je ferai une croisière **ou** je passerai huit jours à Florence. (alternative)
- Hier, Max est allé chez IKEA **et** il a acheté deux fauteuils et une table basse. (succession dans le temps)
- Ce sont les soldes, **c'est pourquoi / c'est pour ça qu'**il y a tant de clients dans les magasins. (conséquence)
- Je ne comprends pas bien cette phrase, **pourtant** je l'ai relue plusieurs fois. (opposition)

La subordination

Une proposition est dite « principale » lorsqu'elle est complétée par une ou plusieurs propositions dites « subordonnées ». La proposition subordonnée dépend de la proposition principale à laquelle elle est **liée par un mot subordonnant**. Le mode du verbe subordonné dépend du sens de la principale ou du mot subordonnant.

- Antoine est très heureux / **que** sa femme attende un enfant.
  (proposition principale)   (proposition subordonnée)
- **Quand** j'ai fait mes études de droit, j'ai suivi également un cours
  (proposition subordonnée 1)   (proposition principale)

  d'anglais **qui** m'a été très utile pour trouver mon premier travail.
  (proposition subordonnée 2)

1. Il existe plusieurs types de subordonnées

La subordonnée relative introduite par un pronom relatif : *qui, que, dont, où*, etc.
- L'abeille est l'insecte *qui produit le miel.*

La subordonnée complétive introduite par la conjonction *que*.
- On raconte *que l'eau de cette fontaine guérit de certaines maladies.*

La subordonnée interrogative directe introduite par un mot interrogatif : *si, comment, où, quel*, etc.
- Il m'a demandé *si je pourrais l'accompagner à l'aéroport.*

Les subordonnées circonstancielles introduites par des conjonctions de subordination. Elles peuvent exprimer :
— la cause
- Il ne mange pas de viande *parce qu'il est végétarien.*

— la conséquence
- Il y avait *tellement* de soleil *que j'avais mal aux yeux.*

— le but
- On a aménagé des parkings *pour que les cars de touristes puissent se garer près du site archéologique.*

— le temps
- *Dès qu'il y a un match de rugby à la télévision,* Pierre ne quitte plus son fauteuil.

– l'opposition

■ ***Bien qu'****il y ait eu peu de soleil,* ma terrasse est très fleurie.

– la condition

■ Je veux bien emmener votre fils en bateau ***à condition qu'il****
sache nager.*

– la comparaison

■ Il a repeint les volets de sa maison en vert ***comme*** *le font
les habitants du village.*

2. Beaucoup de propositions subordonnées ont des équivalents

Une subordonnée peut être remplacée par :

– un adjectif

■ C'est une nouvelle ⌐ qu'on n'attendait pas.
⌐ **inattendue**.

– un groupe nominal

■ Dînons ensemble ⌐ avant que tu partes.
⌐ **avant ton départ**.

■ J'attends ⌐ que Lucie rentre.
⌐ **le retour de Lucie**.

– un infinitif

■ J'ai décidé ⌐ que j'irai au Mexique cet été.
⌐ **d'aller au Mexique cet été**.

■ Au moment où j'allais quitter la maison, ⌐ je me suis aperçu
Au moment de quitter la maison,

que j'avais oublié de brancher l'alarme.

– un gérondif

■ Il s'est tordu le genou ⌐ parce qu'il est tombé à ski.
⌐ **en tombant à ski**.

PREMIÈRE PARTIE

LE GROUPE DU NOM ET LES PRONOMS

INTRODUCTION : LE GROUPE NOMINAL

Les constituants du groupe nominal

Le groupe nominal est constitué d'un nom précédé d'un déterminant.

Il y a différentes sortes de déterminants :
— les articles : **la** maison
— les adjectifs démonstratifs : **cette** maison
— les adjectifs possessifs : **ma** maison

D'autres déterminants — les adjectifs indéfinis et les adjectifs numéraux — peuvent être employés :

— soit seuls ;
- **quelques** fleurs
- **deux** enfants

— soit combinés avec les articles, les adjectifs démonstratifs ou possessifs.
- **ces quelques** fleurs
- **mes deux** enfants

On peut aussi classer parmi les déterminants l'adjectif interrogatif ou exclamatif *quel*, ainsi que les adverbes de quantité : *beaucoup de, peu de, trop de*, etc.
- **Quelle** heure est-il ?
- **Quel** merveilleux jardin !
- Il y a **beaucoup de** vent aujourd'hui.

Les autres constituants du groupe nominal peuvent être :

— un adjectif qualificatif
- un tapis **persan**
- cette **magnifique** soirée

— un complément de nom
- mon cours **de français**
- une boîte **en carton**
- un appartement **à louer**
- la maison **d'en face**

— une proposition relative

- M. Dubois est la personne **qui dirige le service informatique de la banque**.
- L'article **que je viens de lire** est une bonne analyse de la politique du gouvernement.

Le remplacement du groupe nominal par un pronom

Le groupe nominal peut être remplacé par un pronom démonstratif, possessif, interrogatif, indéfini ou personnel.

- ce livre → **celui-ci** (pronom démonstratif)
- ta raquette de tennis → **la tienne** (pronom possessif)
- Quel fromage préfères-tu ? **Lequel** préfères-tu ? (pronom interrogatif)
- quelques journaux → **quelques-uns** (pronom indéfini)
- Ils regardent le match de football. → Ils **le** regardent. (pronom personnel)

I   LE NOM

Un nom désigne un **être animé** (personnes – animaux) ou un **inanimé** (un objet, une idée, un sentiment, un évènement, etc.). Il varie généralement en genre et en nombre. On distingue deux groupes de noms.

- **Les noms communs**

Ils désignent des « personnes » ou des « choses ».

Ils peuvent être :   – animés : homme   ou   – inanimés : table

                    – comptables : arbre   ou   – non comptables : eau

                    – abstraits : courage   ou   – concrets : livre

Un nom peut appartenir à plusieurs catégories : *arbre* est inanimé, comptable, concret.

- **Les noms propres**

Ils désignent des personnes ou des choses uniques. Ils commencent par une majuscule.

→ monsieur Dubois – Émile Zola   → le Louvre – les Alpes

I. LES NOMS ANIMÉS : FORMATION DU FÉMININ

Règle générale

On ajoute un -*e* à la forme écrite du masculin.

- un employé → une employé**e**
- un étudiant → une étudiant**e**

Mais beaucoup de noms sont terminés par -*e* au masculin comme au féminin et c'est le déterminant qui indique le genre :

- un / une élève
- un / une stagiaire
- mon / ma camarade
- un / une artiste

> *Remarque*
> Le mot *enfant* a une forme unique :
> un / une enfant.

Modifications orthographiques et phonétiques

On peut distinguer deux cas.

La présence du -*e* n'entraîne pas de modification phonétique.

-i	un ami	→	une ami**e**
-é	un employé	→	une employé**e**
-u	un inconnu	→	une inconnu**e**
-l	un rival	→	une rival**e**
	un Espagnol	→	une Espagnol**e**, etc.

> *Remarque*
> Notez la majuscule pour les noms de nationalité.
> *Comparez :* un Chinois (nom)
> *et* la cuisine chinoise (adjectif)

La prononciation change.

Le -*e* entraîne la prononciation de la consonne finale du masculin.

-d	marchand	→	marchand**e**		
-t	candidat	→	candidat**e**	mais	chat → chat**te**
-ois	bourgeois	→	bourgeois**e**		
-ais	Anglais	→	Anglais**e**		
-(i)er	boulanger	→	boulang**ère**		
	infirmier	→	infirm**ière**, etc.		

Attention
Notez l'accent grave
et la prononciation du e ouvert :
[e] → [ɛr].
■ boulanger → boulang**è**re

Le -*e* entraîne la dénasalisation de la voyelle du masculin ; au féminin, on prononce la voyelle et le -*n*.

Attention
Notez le doublement
de la consonne.

-(i)en → -(i)enne [ɛ̃] → [ɛn]	Européen → Européen**ne**
-(i)on → -(i)onne [õ] → [ɔn]	champion → champion**ne**
-in → -ine [ɛ̃] → [in]	cousin → cousin**e**
-ain → -aine [ɛ̃] → [ɛn]	Mexicain → Mexicain**e**
-an → -ane [ã] → [an]	Catalan → Catalan**e** mais paysan → paysan**ne**, etc.

Au féminin, la syllabe finale se modifie.

-(t)eur → -(t)euse	acheteur → achet**euse** danseur → dans**euse**
-teur → -trice -f → -ve	directeur → direc**trice** fugitif → fugiti**ve** veuf → veu**ve**
-e → -esse	maître → maît**resse**, etc.

Autres cas

1. Noms qui ont le même radical mais des terminaisons différentes

- un compagnon → une compagne
- un héros → une héroïne
- un serviteur → une servante
- un jumeau → une jumelle
- un dieu → une déesse, etc.

2. Noms de profession au féminin

Certains noms de profession n'avaient pas de féminin mais la tendance actuelle est de les féminiser.

On utilise un déterminant féminin.

- un(e) juge, un(e) ministre, un(e) cinéaste

On ajoute un -e à la forme écrite du masculin.

- un(e) auteur(e), un(e) professeur(e), un(e) magistrat(e), un(e) écrivain(e)

On crée une forme féminine.

- Un metteur en scène → une metteuse en scène
- un sculpteur → une sculptrice
- un compositeur → une compositrice, etc.

3. Noms qui ont un seul genre

Quelques noms (souvent des noms d'animaux) ont un seul genre.

- **un** animal, **un** perroquet, **un** écureuil, **un** témoin, etc.
- **une** victime, **une** souris, **une** grenouille, **une** panthère, etc.

4. Noms dont le féminin est différent

- un homme → une femme
- un neveu → une nièce
- un oncle → une tante
- un roi → une reine
- un cheval → une jument
- un mâle → une femelle, etc.

Pour les noms des professions féminines:
↳ S'il n'y a pas de forme féminine, ajoutez «-e» ou créez une forme féminine
Les exemples:
· Un(e) acteur(e)
· Une sculptrice

> **Remarque**
> On dira une femme médecin

Noms qui ont un seul genre:
↳ Quelques noms ont un seul genre
↳ C'est souvent des noms d'animaux
Les exemples: Un animal, un témoin, une victime, une panthère

Noms irréguliers pour la formation féminine:
↳ Les exemples.
· Une homme → Une femme
· Une oncle → une tante
Ils ne correspondent pas toujours.

II. LE GENRE DES NOMS INANIMÉS

Les noms communs

Le genre est indiqué par le déterminant. Il est arbitraire, donc on doit le connaître ou le chercher dans le dictionnaire.

I. Le genre est fixe

- une table, la fleur
- un livre, le bonheur

Laisser de côté pour l'instant
↳ «Les noms communs»

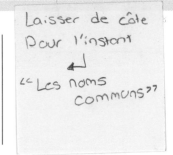

Les terminaisons peuvent indiquer le genre des noms mais les exceptions sont nombreuses. Les plus courantes sont :

---

masculin

-isme → le journal**isme**

-ment → le mouve**ment** ✓

-age → le voy**age** (sauf une page, image, plage, rage, cage, nage)

-(e)au → le bur**eau**, le noy**au** ✓

-phone → le télé**phone** ✓

-oir → le s**oir** ✓

-et → le paqu**et**

-al → le journ**al**

-ier → le pomm**ier**, etc. ✓

féminin

-té → la quali**té** ✓

-ion → la quest**ion** ✓

-eur → la fl**eur** (sauf le bonheur, le malheur) ✓

-ie → la sociolog**ie**

-ure → la fermet**ure** ✓

-esse → la rich**esse**

-ette → la raqu**ette** ✓

-ence → l'expéri**ence** ✓

-ance → la bal**ance**

-ée → l'arriv**ée** (sauf le musée, le lycée) ✓

-ade → la sal**ade** ✓

-ude → la solit**ude** ✓

-ise → l'entrepr**ise**, etc.

---

2. Les noms de couleur, de langues et les infinitifs employés comme nom

Ils sont masculins.

■ Le vert

■ Le portugais

■ Le pouvoir

3. Les homonymes

Les homonymes sont des mots qui s'écrivent et se prononcent de la même manière.

Certains homonymes changent de sens selon qu'ils sont masculins ou féminins.

---

masculin	féminin
un livre de français	une livre de tomates
un manche de couteau	une manche de robe
le mode subjonctif	la mode des années 1980
le Tour de France	la tour Eiffel
le poste de TV	la poste
un mémoire de maîtrise	la mémoire, etc.

Les noms propres

1. Pays, régions

Les noms terminés par *-e* sont féminins.

- La Franc**e**, l'Itali**e**, La Normandi**e**

Les autres noms sont masculins.

- Le Jap**on**, le Canad**a**, le Langued**oc**, l'Afghanist**an**

2. Villes

Le genre des noms de villes n'est pas fixé. Quand le nom est terminé par un *-e*, on a tendance à le considérer comme féminin.

- Toulous**e** est grand**e**.

Les autres noms sont considérés comme masculins.

- Paris est grand et beau.
- Le vieux Paris

On peut dire aussi : Paris est une grande ville.

3. Montagnes, fleuves, rivières

Le genre des noms est arbitraire.

- Le Jura, le Caucase, Le Rhône, le Nil, le mont Blanc
- La Seine, la Volga, les Pyrénées (féminin pluriel)

Remarque
Le Mexiqu**e**, le Mozambiqu**e**, le Cambodg**e** sont masculins.

III. LE PLURIEL DES NOMS

Règle générale

On ajoute un *-s* à la forme écrite du singulier.

- un enfant → des enfant**s**
- une chaise → des chaise**s**

Cas particuliers

1. Les noms terminés par -s, -x, -z

Ils ne changent pas au pluriel.
▪ un pays → des pays
▪ un gaz → des gaz
▪ une voix → des voix

2. Les noms terminés par -eau, -au, -eu

Il prennent un -*x* au pluriel.
▪ un bateau → des bateau**x**
▪ un tuyau → des tuyau**x**
▪ un cheveu → des cheveu**x**

Exceptions :
▪ un pneu → des pneu**s**
▪ un bleu → des bleu**s**

3. Les noms terminés par -ou

Sept noms terminés par *ou* prennent un -*x* au pluriel.
▪ bijou, caillou, chou, genou, hibou, joujou, pou
  → des bijou**x**, des caillou**x**, etc.

4. Les noms terminés par -ail

Une dizaine de noms terminés par -*ail* ont un pluriel en -*aux*.

▪ travail → trav**aux**   ▪ corail → cor**aux**
▪ émail → ém**aux**   ▪ vitrail → vitr**aux**, etc.

Les autres suivent la règle générale.
▪ un éventail → des éventail**s**

5. Les noms terminés par -al

Une trentaine de noms terminés par -*al* ont un pluriel en -*aux*.

▪ animal → anim**aux**   ▪ cheval → chev**aux**
▪ journal → journ**aux**   ▪ hôpital → hôpit**aux**, etc.

Les autres suivent la règle générale.
▪ un bal → des bal**s**
▪ un festival → des festival**s**
▪ un carnaval → des carnaval**s**, etc.

6. Les pluriels irréguliers

- œil → **yeux**
- monsieur → **messieurs**
- jeune homme → **jeunes gens**
- madame → **mesdames**
- ciel → **cieux**
- mademoiselle → **mesdemoiselles**, etc.

7. Le pluriel des noms propres

Les noms propres ne prennent pas de -*s* au pluriel.
- Nous avons invité **les Durand** à dîner.
  (= M. et Mme Durand / la famille Durand)

Mais les noms d'artistes peuvent se mettre au pluriel pour désigner leurs œuvres.
- Ils possèdent deux **Renoir**/deux **Renoirs**.
  (= deux tableaux de Renoir)

8. Le pluriel des noms composés

Le pluriel des noms composés dépend de leur formation.

verbe + nom complément → verbe invariable + nom variable.
- un ouvre-boîte → des ouvr**e**-boîte**s** (qui ouvre la ou les boîtes)
- un porte-avions → des port**e**-avions (qui porte les avions)

mais
- des porte-monnaie (qui portent la monnaie)
- des chasse-neige (qui chassent la neige)

nom + nom → les deux mots sont variables.
- un chou-fleur → des chou**x**-fleur**s**
- une porte-fenêtre → des porte**s**-fenêtre**s**

mais
- des timbre**s**-post**e** (de la poste)

nom + adjectif
adjectif + nom ⎤ → les deux mots sont variables.
adjectif + adjectif ⎦
- un coffre-fort → des coffre**s**-fort**s**
- un grand-père → des grand**s**-père**s**
- une petite-fille → des petite**s**-fille**s**
- un sourd-muet → des sourd**s**-muet**s**

Attention

À la prononciation irrégulière de *œuf* et de *bœuf* qui change au pluriel .
- un œuf [oef] → des œufs [Ø]
- un bœuf [boef] → des bœufs [bØ]

Attention

On dit une grand-mère
→ des grand**s**-mères.

L'ADJECTIF QUALIFICATIF ET L'ADJECTIF NUMÉRAL

- L'**adjectif qualificatif** exprime une qualité du nom.
  - → une fille **sympathique**
  - → un appartement **agréable**

Il peut aussi en préciser le sens comme un complément de nom.
  - → une décision **gouvernementale** (= du gouvernement)
  - → la chaleur **solaire** (= du soleil)

- Les **adjectifs numéraux** indiquent le nombre :
  - → deux, vingt, etc.

ou l'ordre :
  - → premier, dixième, trentième, etc.

I. LE FÉMININ DES ADJECTIFS QUALIFICATIFS

Règle générale

On ajoute un -e à la forme écrite du masculin, ce qui entraîne dans la plupart des cas une modification phonétique.
- grand [grã] → grande [grãd]

Mais beaucoup d'adjectifs qualificatifs sont terminés par -e au masculin comme au féminin.
- rouge, calme, facile, tranquille, jeune, propre, etc.

Les adjectifs variables à l'écrit seulement

Pour ces adjectifs, la prononciation ne change pas au féminin.

I. Adjectifs soumis à la règle générale (ajout du -e)

Attention
À l'adjectif gentil [ʒãti] → gentille [ʒãtj].

-u	absolu	→	absolue	
-é	carré	→	carrée	
-i	poli	→	polie	mais favori → favorite
-r	dur	→	dure	
-al	général	→	générale	
-ol	espagnol	→	espagnole	
-il	civil	→	civile	
-ct	direct	→	directe, etc.	

2. Adjectifs qui modifient la syllabe finale

Doublement de la consonne finale au masculin
– les adjectifs en -*el*
- exceptionnel → exceptionnel**le**
- traditionnel → traditionnel**le**, etc.

– et quelques autres
- pareil → pareil**le**
- nul → nul**le**
- net → net**te**, etc.

Accent grave sur le -*e* des adjectifs terminés par -*er* [ɛr]
- fier → fi**ère**
- cher → ch**ère**
- amer → am**ère**, etc.

Tréma sur le -*e* ou sur le -*u* des adjectifs terminés par -*gu*
- aigu → aigu**ë** ou aig**üe**
- ambigu → ambigu**ë** ou ambig**üe**

Cas particuliers
- grec → grec**que**
- turc → tur**que**
- public → publi**que**

Attention
Ne confondez pas le nom *public*
avec l'adjectif *public*.
- **Le public** applaudit les acteurs.
- Un parc **public** a été ouvert
près de la mairie.

Adjectifs variables à l'oral et à l'écrit

1. Prononciation de la consonne finale

Le -*e* entraîne la prononciation de la consonne finale du masculin.

-d	grand → grand**e** rond → rond**e**
-t	petit → petit**e** prudent → prudent**e** brillant → brillant**e** mais sot → so**tte** court → court**e**
-(i)er	étranger → étrang**ère** premier → premi**ère**

Attention
Notez l'accent grave
et la prononciation du e ouvert :
étranger [e] → étrangère [ɛr]

-s	gris	→	grise	mais	bas	→	basse
	chinois	→	chinoise	mais	épais	→	épaisse
	divers	→	diverse	mais	gros	→	grosse
	anglais	→	anglaise	mais	las	→	lasse
-et	complet	→	compl**è**te	mais	muet	→	mue**tte**
	inquiet	→	inqui**è**te	mais	coquet	→	coque**tte**, etc.

2. Dénasalisation de la voyelle nasale

Le -*e* entraîne la dénasalisation de la voyelle nasale du masculin.
Au féminin, on prononce la voyelle et le -*n*.

-un → -une	brun	→	brun**e**
[œ̃] → [yn]	commun	→	commun**e**
-in → -ine	fin	→	fin**e**
[ɛ̃] → [in]	argentin	→	argentin**e**
-ain → -aine	prochain	→	prochain**e**
[ɛ̃] → [ɛn]	américain	→	américain**e**
	et plein	→	plein**e**
-an → -ane	catalan	→	catalan**e**
[ã] → [an]	partisan	→	partisan**e**
	mais paysan	→	paysan**ne**

Parfois il y a un doublement de la consonne.

-on → -onne	bon	→	bon**ne**
[õ] → [ɔn]	mignon	→	mignon**ne**
-(i)en → -(i)enne	européen	→	européen**ne**
[ɛ̃] → [ɛn]	coréen	→	coréen**ne**
	ancien	→	ancien**ne**, etc.

3. Modification de la consonne ou de la syllabe finale

-f → -ve	neuf	→	neu**ve**
	bref	→	brè**ve**
	positif	→	positi**ve**
-eux → -euse	nerveux	→	nerv**euse**	
	affreux	→	affr**euse**	mais vieux → vie**ille**

-c → -che	blanc	→	blan**che**
	franc	→	fran**che**
	sec	→	sè**che**
-(t)eur → -(t)euse	menteur	→	ment**euse**
	moqueur	→	moqu**euse**
-teur → -trice	observateur	→	observa**trice**
	interrogateur	→	interroga**trice**
-eau → -elle	nouveau	→	nouv**elle**
	jumeau	→	jum**elle**
	beau	→	b**elle**
-ou → -olle	fou	→	f**olle**
	mou	→	m**olle**, etc.

Les adjectifs *beau, nouveau, vieux* ont deux formes au masculin singulier :

devant une consonne	devant une voyelle ou un *h* muet
un **nouveau** manteau	un **nouvel** appartement
un **beau** tableau	un **bel** homme
un **vieux** chien	un **vieil** ami

II. LE PLURIEL DES ADJECTIFS QUALIFICATIFS

Règle générale

On ajoute un -*s* à la forme écrite du singulier. Il n'y a pas de modification phonétique.
■ un livre bleu → des livres bleu**s**
■ une jupe longue → des jupes longue**s**

Cas particuliers

Ils concernent certains adjectifs masculins terminés par

-s ou -x → pas de forme différente au pluriel.
■ un mur bas → des murs ba**s**
■ un sourire doux → des sourires dou**x**

eau → eaux

- un film nouveau → des films nouv**eaux**
- un frère jumeau → des frères jum**eaux**

al → aux

- un problème national → des films nation**aux**
- un organisme régional → des organismes région**aux**

III. L'ACCORD DES ADJECTIFS QUALIFICATIFS

Règle générale

L'adjectif s'accorde **en genre** (masculin ou féminin) et **en nombre** (singulier ou pluriel) avec le nom qu'il qualifie.

- une rue bruyant**e**, des enfants blond**s**, des manches court**es**

Il en est de même lorsque l'adjectif est attribut, c'est-à-dire relié au nom par l'intermédiaire d'un verbe (*être, paraître, sembler, rester*, etc.).

- Cette maison paraît **inhabitée**.
- Les enfants sont restés **seuls** à la maison.

Avec des noms de genres différents, l'accord se fait au masculin pluriel.

- Une jupe et un chemisier **blancs**.
  (féminin + masculin = masculin pluriel)
- Mon oncle et ma tante sont très **âgés.**

Cas particuliers

I. Les adjectifs de couleur

Ils sont invariables
— quand ce sont des noms employés comme adjectifs.

- une veste marron, des coussins orange, des yeux noisette.

— quand ce sont des adjectifs de couleur composés (adjectif + adjectif ou adjectif + nom).

Comparez :

- une jupe **verte**   *et* une jupe **vert clair**
- des chandails **bleus** *et* des chandails **bleu foncé / bleu marine**

2. Demi, nu, ci-joint, ci-inclus

Demi, nu, ci-joint, ci-inclus sont invariables lorsqu'ils sont placés devant un nom.

- une demi-heure   mais   deux heures et dem**ie**
- nu-pieds   mais   pieds nu**s**
- ci-join**t** des photocopies   mais   les photocopies ci-join**tes**
- ci-inclu**s** une adresse   mais   l'adresse ci-inclu**se**

> **Attention**
> *Demi* s'accorde seulement en genre mais pas en nombre.
>
> **N'écrivez pas**
> - ~~deux heures et demies~~.

3. Avoir l'air

Dans l'expression *avoir l'air*, l'accord se fait avec le sujet.

- Cette tarte a l'air délicieu**se**.

> *Remarque*
> Quand le sujet est une personne, on peut aussi accorder avec *air*.
> - Elle a l'air heur**eux** / heur**euse**.

IV. LA PLACE DES ADJECTIFS QUALIFICATIFS

Les règles concernant la place de l'adjectif sont difficiles à établir. On peut dire cependant que **la majorité des adjectifs sont placés après le nom**. Quelques-uns sont toujours placés devant le nom ; d'autres, enfin, n'ont pas de place fixe.

On place après le nom

Les adjectifs qui indiquent
— la couleur
- une pomme **verte**, un tableau **noir**

— la forme
- un plat **rond**, une table **carrée**

— la religion
- un rite **catholique**, une église **orthodoxe**

— la nationalité
- un écrivain **français**, un étudiant **étranger**, des montres **suisses**

> *Ne dites pas*
> - ~~mon américaine amie~~
> mais → mon amie américaine

Les adjectifs qui correspondent à un complément de nom.
- un temps **printanier** (= de printemps)
- un problème **économique** (= de l'économie)
- la voiture **présidentielle** (= du Président)

Les participes employés comme adjectifs.

- une jupe **plissée**, un verre **cassé**, un volcan **éteint**
- une histoire **amusante**, un voyage **fatigant**

On place avant le nom

Remarque *Prochain* et *dernier* sont placés après les noms de temps qui indiquent le jour, la semaine, la période, etc. : ■ lundi prochain / dernier ■ la semaine prochaine /dernière ■ l'été prochain / dernier	Généralement, **les adjectifs courts** tels que *beau, joli, double, jeune, vieux, petit, grand, gros, mauvais, demi, bon, nouveau* sont placés avant le nom. ■ un **beau** paysage, un **gros** problème, un **vieux** chien, des **doubles** rideaux Ces adjectifs, s'ils sont modifiés par un adverbe, peuvent se placer après le nom. ■ une fleur **très jolie**　　ou　　une **très jolie** fleur

On place avant ou après le nom

	De nombreux **adjectifs d'appréciation,** *délicieux, magnifique, splendide, superbe, horrible, extraordinaire, étonnant, passionnant*, etc. ont une plus grande valeur expressive quand ils sont placés avant le nom.
Attention On n'emploie pas *très* devant *délicieux, magnifique, splendide, superbe,* etc.	On peut dire : ■ une soirée **magnifique**　ou　une **magnifique** soirée ■ un paysage **splendide**　ou　un **splendide** paysage ■ une nouvelle **étonnante**　ou　une **étonnante** nouvelle

Les adjectifs qui changent de sens selon leur place

ancien	un **ancien** hôpital	= aujourd'hui, ce n'est plus un hôpital
	un meuble **ancien**	= vieux et qui a de la valeur
brave	un **brave** homme	= gentil et serviable
	un homme **brave**	= courageux
certain	une **certaine** envie	= plus ou moins grande
	une envie **certaine**	= on ne peut pas en douter / évidente

cher	mon **cher** ami	= que j'aime
	un livre **cher**	= dont le prix est élevé
curieux	une **curieuse** histoire	= bizarre, étrange
	un regard **curieux**	= indiscret
drôle	une histoire **drôle**	= amusante
	une **drôle** d'histoire	= bizarre
grand	un homme **grand**	= de haute taille
	un **grand** homme	= célèbre, important dans l'histoire
jeune	un **jeune** professeur	= qui enseigne depuis peu de temps
	un professeur **jeune**	= qui n'est pas vieux
pauvre	un **pauvre** homme	= qui est à plaindre
	un homme **pauvre**	= qui n'est pas riche
propre	mon **propre** frère	= le mien
	une chemise **propre**	= qui n'est pas sale
rare	un livre **rare**	= qui a de la valeur
	de **rares** amis	= peu nombreux
seul	un **seul** enfant	= un enfant unique
	un enfant **seul**	= qui n'est pas accompagné
vrai	un **vrai** problème	= important
	une histoire **vraie**	= réelle, vécue, etc.

> **Remarque**
> Notez l'emploi de la préposition *de (d')* devant le nom *histoire*.

V. AUTRES EMPLOIS DES ADJECTIFS QUALIFICATIFS

Les adjectifs employés comme adverbes

Certains adjectifs **au masculin singulier** sont employés comme adverbes.

- Cette fleur sent **bon**. (= a une bonne odeur)
- Ils sont **fort** riches. (= très riches)

Comparez :

- Cette valise est **lourde**. (adjectif)

et cette valise pèse **lourd**. (adverbe)

Il existe ainsi de nombreuses expressions comme : *peser **lourd**, couper **fin**, coûter **cher**, voir **grand**, voir **clair**, travailler **dur**, marcher **droit**, chanter **faux**, parler **fort**, s'habiller **jeune**,* etc.

N'écrivez pas

- ~~Cette voiture coûte chère~~.
mais → Cette voiture coûte cher.

↻ **Renvoi**
Pour l'emploi de *bien* comme adjectif, voir les adverbes, page 173.

Les adjectifs employés comme noms

Ils sont au masculin singulier et précédés de l'article *le*.

- Il aime **le moderne**. (= ce qui est moderne)
- **L'important**, c'est qu'il réussisse son examen. (= ce qui est important)
- **Le bleu** est à la mode cet hiver. (= la couleur bleue)

VI. LES ADJECTIFS NUMÉRAUX

Il existe deux sortes d'adjectifs numéraux :

— ceux qui indiquent le nombre,

- J'ai **trois** fils.

— ceux qui indiquent l'ordre.

- Mon **troisième** fils est encore étudiant.

Ils sont placés devant le nom.

Les adjectifs numéraux qui indiquent le nombre

Remarque
Mille est un adjectif invariable.
- deux mille arbres
Million et *milliard* sont des noms qui prennent la marque du pluriel.
- cinq millions d'habitants.
- deux milliards d'euros.

Les adjectifs numéraux sont invariables.

Il y a quelques exceptions :

— *un*, qui prend la marque du féminin ;

- Ce livre a cent cinquante et un**e** pages.
- Les contes des *Mille et Une Nuits*.

— *vingt* et *cent*, qui prennent un -*s* quand ils sont multipliés.

- deux cent**s** (200 = 2 × 100)
- quatre-vingt**s** (80 = 4 × 20)

Mais ils restent invariables quand ils sont suivis d'un autre chiffre.

- deux cent douze (212)
- quatre-vingt-cinq (85)

Ne dites pas
- ~~mes autres deux enfants~~,
~~les derniers trois jours~~
mais → mes **deux autres** enfants,
les **trois derniers** jours

Ils peuvent être précédés d'un déterminant.

- Rendez-moi **mes** cent euros !
- Il a posé **les** quatre livres sur la table.

Remarque
Avec un pronom personnel, on dit :
- nous deux, vous quatre.

Le suffixe -*aine*.

Il sert à former un nom féminin qui indique un nombre approximatif.

On l'ajoute à 8, 10, 12, 15, 20, 30, 40, 50, 60 et 100.

- Il a offert une **dizaine** de roses à sa mère. (= environ dix)
- Il y avait des **centaines** de manifestants dans les rues.
  (= plusieurs fois cent)
- Elle a la **trentaine**. (= à peu près 30 ans)

Remarques

1. *Une douzaine* peut aussi signifier exactement 12.
- J'ai acheté **une douzaine** d'œufs.

2. *Un millier* = environ mille
- **Un millier de** manifestants se sont rassemblés place de l'Opéra.

Les adjectifs numéraux qui indiquent l'ordre

Ils se forment avec le suffixe -*ième* ajouté au nombre.

- trois-**ième**, quatr-**ième**, trent-**ième**

Exceptions :

- deux → deux**ième** ou **second(e)**

Ils s'accordent avec le nom.

- Le bébé vient de faire ses **premiers** pas.
- Nous habitons au **sixième**. (= au sixième étage)

Ne dites pas

- ~~Louis le quatorzième~~
  mais → Louis **XIV** (quatorze).
- ~~Je suis né le deuxième de mars.~~
  mais → Je suis né le **deux** mars.
- ~~Il est parti le trois de mai.~~
  mais → Il est parti le **trois** mai.

LISTE DES ADJECTIFS NUMÉRAUX

Remarque

Pour la date, on dit
le premier janvier (février, mars, etc.). Ensuite on dit
le deux (trois, quatre, etc.) janvier.

	nombre	**ordre**
1	un(e)	**premier(-ière)**
2	deux	deuxième, **second(e)**
3	trois	troisième
4	quatre	quatrième
5	cinq	cinquième
6	six	sixième
7	sept	septième
8	huit	huitième
9	neuf	neuvième
10	dix	dixième
11	onze	onzième
12	douze	douzième
13	treize	treizième
14	quatorze	quatorzième
15	quinze	quinzième

	nombre	**ordre**
16	seize	seizième
17	dix-sept	dix-septième
18	dix-huit	dix-huitième
19	dix-neuf	dix-neuvième
20	vingt	vingtième
21	vingt **et** un(e)	vingt **et** unième
22	vingt-deux	vingt-deuxième
30	trente	trentième
31	trente **et** un(e)	trente **et** unième
32	trente-deux	trente-deuxième
40	quarante	quarantième
41	quarante **et** un(e)	quarante **et** unième
50	cinquante	cinquantième
51	cinquante **et** un(e)	cinquante **et** unième
60	soixante	soixantième
61	soixante **et** un(e)	soixante **et** unième
70	soixante-dix	soixante-dixième
71	soixante **et onze**	soixante **et** onzième
72	soixante-douze	soixante-douzième
80	quatre-vingt**s**	quatre-vingtième
81	quatre-vingt-un(e)	quatre-vingt et unième
90	quatre-vingt-dix	quatre-vingt-dixième
91	quatre-vingt-**onze**	quatre-vingt-onzième
97	quatre-vingt-dix-sept	quatre-vingt-dix-septième
100	cent	centième
101	cent un(e)	cent unième
1 000	mille	millième
1 001	mille un(e)	mille unième
1 800	mille huit cents	mille huit centième
10 000	dix mille	dix millième
100 000	cent mille	cent millième

Remarque
On peut dire :
■ 1800 : **dix-huit cents** ou **mille huit cents**
■ 1912 : **dix-neuf cent douze** ou **mille neuf cent douze**.

3

LES ARTICLES

L'article est **un déterminant** du nom avec lequel il s'accorde en genre et en nombre.

Il y a trois sortes d'articles qui servent à préciser le sens du nom dans la phrase :
- **l'article défini,**
  → **Le** vent souffle avec violence ce soir.
- **l'article indéfini,**
  → Il y a eu **un** orage hier matin.
- **l'article partitif.**
  → Quel temps sec ! Il faudrait **de la** pluie pour les cultures.

I. LES ARTICLES DÉFINIS

Formes des articles définis

masculin singulier	féminin singulier	masculin et féminin pluriel
le	**la**	**les**

- le livre → les livres
- la table → les tables

Devant une voyelle ou un *h* muet, il y a une élision.

le → l'
- l'arbre, l'homme, l'autobus

la → l'
- l'université, l'heure, l'eau

Les articles *le* et *les* se contractent avec les prépositions *à* et *de*.

à + { le → au   Nous allons **au** cinéma.
     { les → aux   Le professeur parle **aux** élèves.

de + { le → du   La table **du** salon.
     { les → des   Les feuilles **des** arbres.

Attention
Devant un *h* aspiré :
1. il n'y a pas d'élision ;
- le héros, la hauteur, la Hollande, etc.

2. il n'y a pas de liaison.
- Les Halles [le al], les haricots [le ariko], etc.

Ne dites pas
- Le livre de le professeur
mais → Le livre **du** professeur
- Je vais à les États-Unis.
mais → Je vais **aux** États-Unis.

Emploi des articles définis

On emploie l'article défini lorsque :

— le nom désigne une personne ou une chose connue ou unique,
- **Le** Soleil éclaire **la** Terre.
- **Le** président de la République préside **le** Conseil des ministres du mercredi.

Remarque
On emploie l'article défini dans de nombreuses expressions de lieu :
- vivre à la montagne, à la campagne, aller à la poste, à la piscine, au cinéma, être à la maison, à l'école, au bureau, etc.

— le nom a une valeur générale,
- **L'**argent ne fait pas **le** bonheur.
- **Les** jeunes adorent **les** jeux vidéo.
- **Le** TGV est plus rapide que **la** voiture pour aller à Marseille.

— le nom est déterminé

par une proposition subordonnée relative,
- **La** route **que nous avons prise pour aller à Avignon** traverse des paysages magnifiques.

par un complément de nom,
- **La** route **de Brive à Cahors** est très pittoresque.

par le contexte.
- Nous sommes rentrés **en voiture de Nancy dimanche soir**. **La** route était très encombrée.

Remarque
On ne met pas d'article devant certains noms de pays.
- Cuba, Israël, etc.

On emploie donc l'article défini :

— devant les noms géographiques,
- **l'**Europe, **la** Suède, **le** Canada, **les** montagnes Rocheuses, **les** Alpes, **le** Nil, **l'**océan Atlantique, **la** Normandie, etc.

Remarque
On ne met pas d'article devant les noms des mois.
- Septembre est le mois de la rentrée des classes.

— devant les peuples et les langues,
- **les** Italiens, **les** Grecs, **les** Anglais, etc.
- **le** chinois, **l'**hébreu, **le** turc, etc.

— devant les saisons, la date et les fêtes,
- **l'**hiver, **le** printemps, **l'**été, **l'**automne
- **le** 15 mai, **le** mardi 7 septembre
- **la** Toussaint, **le** jour de l'an, etc. mais Noël et Pâques

— devant les couleurs,
- **le** vert, **le** blanc, **le** rose, etc.
- Cet été, **le** blanc et **le** beige sont très à la mode.

— devant le superlatif,
- La tour Eiffel est le monument **le** plus célèbre de Paris.

— devant les titres (sauf devant madame et mademoiselle),
- **le** Président, **la** reine, **le** Premier ministre, **le** général Legrand, **le** professeur Dubois, etc.

— devant les noms de famille (ils sont toujours au singulier),
- **les** Martin, **les** Durand

— pour exprimer une mesure,
- 3 euros **le** kilo (= chaque kilo), 20 euros **le** mètre (= chaque mètre), 1 euro **le** litre (= chaque litre), 90 km à **l'**heure (= 90 km chaque heure), etc.
- En ce moment, l'essence coûte un euro **le** litre.

— pour donner un chiffre approximatif.
- Je pense qu'il a **la** quarantaine. (= il a environ quarante ans)
- Une bouteille de champagne coûte dans **les** vingt euros. (= environ vingt euros)

Cas particulier

L'article défini s'emploie généralement **devant les noms des parties du corps** à la place de l'adjectif possessif lorsque la relation entre la partie du corps et le possesseur est évidente.

- Elle a **les** cheveux noirs et **les** yeux verts.
- Il écrit de **la** main gauche.
- Il marchait **le** dos courbé, **les** mains derrière **le** dos.

Remarque
L'article défini placé devant un jour de semaine ou *matin, midi, soir* indique l'habitude.
Comparez :
- Max joue au football le mercredi. (= tous les mercredis)
et Max jouera au football mercredi avec ses copains. (= le mercredi de cette semaine)

Ne dites pas
~~Je t'appellerai le lundi prochain.~~
mais → Je t'appellerai lundi prochain.

Ne dites pas
- ~~La madame que nous avons croisée est notre nouvelle voisine.~~
mais → **La dame** que nous avons croisée est notre nouvelle voisine.

Remarque
- Acheter **un** Van Gogh (= acheter un tableau de Van Gogh)
- Jouer **du** Debussy (= jouer de la musique de Debussy)

Ne dites pas
- ~~Elle a fermé ses yeux.~~
mais → Elle a fermé **les** yeux.

C'est en particulier le cas :

— lorsque la relation de possession est indiquée par un verbe pronominal,

- Lave-**toi les** mains ! (= lave **tes** mains)
- Il **s'**est coupé **le** doigt. (= il a coupé **son** doigt)

— lorsque le possesseur est déjà indiqué par le pronom indirect.

- On **lui** a marché sur **le** pied. (= on a marché sur **son** pied)
- Ce bruit **me** donne mal à **la** tête. (= mal à **ma** tête)

II. LES ARTICLES INDÉFINIS

Formes des articles indéfinis

Attention
Ne confondez pas *des*, art. indéfini pluriel
- Ils ont **des** enfants.

et *des*, art. défini contracté (*de* + *les*).
- Les jouets **des** enfants sont étalés sur le tapis.

masculin singulier	féminin singulier	masculin et féminin pluriel
un	**une**	**des**

- **un** livre ➝ **des** livres
- **une** table ➝ **des** tables

Emploi des articles indéfinis

On emploie l'article indéfini :

— **devant des noms comptables** (personnes et choses qu'on peut compter),

- J'ai acheté **une** bicyclette et **des** rollers.
- Il m'a envoyé **un** courriel de Chine.
- Il m'envoie régulièrement **des** courriels.

– lorsque le nom désigne une personne ou une chose non identifiée,

- **Un** client a appelé. Il n'a pas laissé son nom.

  (on ne sait pas qui c'est)

- J'ai trouvé **des** gants par terre. (À qui sont-ils ?)

- J'ai **une** idée !

  — Ah, Qu'est-ce que c'est ?

– lorsque le nom est particularisé

par un adjectif,

- Du haut de cette montagne, on découvre **un** paysage **magnifique**.

par un complément de nom,

- Ce tableau représente **un** paysage **d'hiver**.

par une subordonnée relative.

- C'est un paysage **qui fait rêver**.

> *Remarque*
> L'article indéfini peut aussi avoir une valeur générale.
> - **Une** banane, c'est facile à éplucher. (= les bananes en général)

Cas particulier

Lorsque le nom pluriel est précédé d'un adjectif, *des* est remplacé par *de*.

Comparez :

- J'ai acheté **des** roses.
- *et* J'ai acheté **de jolies** roses.

- Ce jeune pianiste a fait **des** progrès.
- *et* Ce jeune pianiste a fait **de grands** progrès.

Mais l'article est conservé lorsque le groupe adjectif + nom est considéré comme un nom composé.

- **des** petits pois, **des** jeunes gens, **des** petites annonces, **des** grands magasins, **des** petites filles, **des** petites cuillères, **des** petits pains, **des** gros mots, etc.

> *Remarque*
> Dans la langue courante, on a tendance à conserver l'article *des*.
> - Il a eu **des** bonnes notes à l'examen.

III. LES ARTICLES PARTITIFS

Formes des articles partitifs

masculin singulier	féminin singulier
du	**de la**

■ **du** pain
■ **de la** monnaie

Devant une voyelle ou un *h* muet :

du ➞ de l'   ■ de l'argent, de l'or
de la ➞ de l'   ■ de l'eau, de l'huile

Emploi des articles partitifs

On emploie l'article partitif :

— **devant un nom concret** pour indiquer une quantité indéterminée, une partie d'un tout qu'on ne peut compter,
■ À table, les Français boivent **du** vin, **de l'**eau et parfois **de la** bière.
■ Pour faire ce gâteau, il faut **de la** farine, **du** beurre, **du** sucre.

— **devant un nom abstrait.**
■ Il faut **du** courage pour être pompier.
■ Nos voisins partent en vacances à Tahiti ; il ont **de la** chance !

IV. VALEURS COMPARÉES DES TROIS ARTICLES

Différence entre l'article défini et l'article indéfini

Comparez :
■ Ils ont trouvé **un** chien sur un parking et ils l'ont recueilli.
    (le chien n'est pas identifié)
et **Le** chien de nos voisins aboie vraiment beaucoup.
    (le chien est identifié)

- Jean adore raconter **des** histoires drôles.
  (particularisation du nom par l'adjectif)
et **L'**histoire que Jean nous a racontée est incroyable.
  (détermination du nom par la subordonnée relative)

- Dans les grandes villes, on mène **une** vie de fou.
  (*de fou* joue le rôle d'un adjectif)
et J'aime **la** vie en ville. (en général = le style de vie de la ville)

- C'est **l'**acteur que je préfère. (= mon acteur préféré)
et C'est **un** acteur qui joue les rôles de jeune premier.
  (= un certain type d'acteur)

<table>
<tr><td>

Remarque
Comparez :
- Elle a **les** yeux bleus. (description)
et Elle a **des** yeux bleus superbes.
(particularisation par l'adjectif *superbes*)

</td></tr>
</table>

Différence entre les trois articles

Le même nom peut être précédé de chacun des trois articles s'il appartient à la catégorie des noms non comptables :
— *soleil, neige, pluie, vent*, etc.
— *viande, lait, vin, crème*, etc.
— *patience, courage, force, vertu, énergie*, etc.
— *argent, or, fer, acier*, etc.

- **L'**eau est indispensable à la vie. (en général)
- Cette source donne **une** eau très pure. (caractère particulier donné par l'adjectif)
- Je voudrais **de l'**eau, s'il vous plaît. (quantité indéterminée)

- Tu viens, on va prendre **un** café ? (une tasse de café)
- **Le** café de Colombie est très réputé. (détermination par le complément de nom)
- Le matin, beaucoup de Français boivent **du** café. (quantité indéterminée)

- Anne a rapporté **du** travail à faire chez elle. (quantité indéterminée)
- Elle a **un** travail fou en ce moment. (caractère particulier donné par l'adjectif)
- Mais **le** travail qu'elle fait l'intéresse beaucoup. (détermination par la subordonnée relative)
- **Le** travail, c'est la santé ! (en général)

V. LES ARTICLES INDÉFINIS ET PARTITIFS DANS LA PHRASE NÉGATIVE

Après un verbe à la forme négative

Après un verbe à la forme négative, **l'article indéfini et l'article partitif sont remplacés par *de*** quand la négation porte sur toute la phrase.

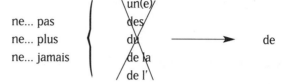

ne... pas
ne... plus
ne... jamais
un(e)
des
du
de la
de l'
→ de

■ Alexis a un portable.

→ Alexis **n'**a **pas de** portable.

■ Il y a encore de la neige sur les toits des maisons.

→ Il **n'**y a **plus de** neige sur les toits des maisons.

■ Les étudiants ont posé des questions.

→ Les étudiants **n'**ont **pas** posé **de** questions.

Mais on ne modifie pas l'article :

— quand la négation ne porte pas sur toute la phrase, mais sur un élément de la phrase,

■ Julie ne boira **pas du** thé mais du chocolat.

■ Stéphane n'a **pas** acheté **une** voiture française mais une voiture japonaise.

— quand *un* a le sens de « seul »,

■ Elle était intimidée ; elle n'a pas dit **un** mot.

— après le verbe *être* dans une phrase d'identification.

■ C'est un excellent skieur.

→ Ce n'est **pas un** excellent skieur.

■ Ce sont des remarques intéressantes.

→ Ce ne sont **pas des** remarques intéressantes.

■ Quand j'étais au lycée, j'étais une bonne élève.

→ Je n'étais **pas une** bonne élève.

Après ni... ni

Après *ni... ni*, **l'article indéfini et l'article partitif sont omis**.
Mais on peut dire également : *pas de... ni de*.

- En France, il y a des lions, des tigres, des panthères.
  → En France, il n'y a **ni** lions, **ni** tigres, **ni** panthères,
  sauf au zoo !
  → Il n'y a **pas de** lions **ni de** tigres **ni de** panthères.

- Nous avons **un** chalet à la montagne **et une** villa au bord
  de la mer.
  → Nous n'avons **ni** chalet à la montagne **ni** villa au bord
  de la mer.
  → Nous n'avons **pas de** chalet à la montagne **ni de** villa
  au bord de la mer.

Attention
L'article défini est maintenu.
- Il n'aime ni le vin ni la bière.

○ *Renvoi*
Pour l'emploi de *ni... ni*,
voir également page 189.

VI. OMISSION DES ARTICLES INDÉFINIS ET PARTITIFS

Devant un nom précédé d'une expression de quantité

L'article indéfini et l'article partitif sont omis :

— **après un adverbe**

beaucoup de	plus de
trop de	assez de
autant de	moins de
peu de	etc.

- Il y a des arbres fruitiers dans ce jardin.
  → Il y a **beaucoup d'**arbres fruitiers dans ce jardin.

— **après un nom**

un kilo de	une tranche de
une heure de	un paquet de
un morceau de	une goutte de
une bouteille de	etc.

Attention
On peut dire *beaucoup des*
si le nom est déterminé.
- Beaucoup **des** arbres fruitiers
que j'ai plantés ont souffert du froid.
(= *beaucoup de + les*)

- Je voudrais du jambon.
  → Je voudrais **une tranche de** jambon.
- J'ai acheté du tissu pour faire des rideaux.
  → J'ai acheté **dix mètres de** tissu pour faire des rideaux.

Après la préposition de

L'article indéfini pluriel et **l'article partitif** sont omis après la préposition *de*. En effet, la contraction est impossible.

$$\left.\begin{array}{l} \text{de + des} \\ \text{de + du} \\ \text{de + de la} \\ \text{de + de l'} \end{array}\right\} = \text{de}$$

- Le ciel est couvert **de** nuages. (= de + des nuages)
- Cette bouteille est pleine **d'**eau. (= de + de l'eau)
- Faute **de** temps, je ne suis pas allé à la poste. (= de + du temps)
- Ce magasin a fermé en raison **de** difficultés financières.
  (= de + des difficultés)

En revanche, l'article indéfini singulier est conservé.
Comparez :
- J'ai besoin d'**un** conseil.
et J'ai besoin **de** conseils. (de + des = de)

Ne dites pas
- ~~J'ai besoin du temps pour...~~
mais → J'ai besoin **de** temps pour...

- Il s'est servi d'**un** crayon bleu pour dessiner.
et Il s'est servi **de** crayons de couleur pour dessiner. (de + des = de)

Après la préposition sans

On omet généralement l'article.
- Elle est **sans** travail actuellement. (= elle n'a pas de travail)
- Je prends toujours mon café **sans** sucre. (= je ne mets pas de sucre)

Ne dites pas
- ~~Il est sorti sans un parapluie.~~
mais → Il est sorti **sans parapluie**.

On maintient l'article lorsque le nom est caractérisé par un adjectif.
- **Sans un** travail acharné, vous ne réussirez pas votre examen.

Devant un nom attribut désignant une profession

- Mon cousin est devenu **directeur** de la banque où il travaille depuis dix ans.

- Madame Levy est **professeur** d'anglais.
Mais on dira :
- Madame Levy est un excellent professeur d'anglais.
  (caractérisation par l'adjectif)

↻ *Renvoi*
Pour le maintien de l'article devant un nom de profession, voir les démonstratifs, remarque page 54.

Ne dites pas
- ~~Georges Lefort est un professeur de tennis~~.
mais → Georges Lefort est **professeur de tennis**.

VII. OMISSION DES TROIS ARTICLES

Devant le complément de nom introduit par de ou à

On n'emploie pas d'article devant le complément de nom introduit par *de* ou *à* **lorsque le complément de nom précise le sens de ce nom**.

Préposition *de*
- une carte de géographie, de visite, d'étudiant, d'identité, etc.
- une salle de classe, de cinéma, de concert, d'attente, de bains, etc.

Comparez :
- Une cour **d'immeuble** est souvent sombre. (un type de cour)
et Il y a de belles plantes vertes dans la cour de **l'immeuble**
   où j'habite. (une cour précise)
- Il y a **un arrêt d'autobus** au coin de la rue.
et C'est **l'arrêt de l'autobus 38**.

Préposition *à*
- un couteau à pain (= un couteau pour couper le pain)
- une corbeille à papiers
- une brosse à dents
- un panier à provisions
- une boîte à cigares

Remarque
On conserve l'article défini lorsque *à* a le sens de « avec ».
- une glace à la vanille, une tarte au citron, un pain au chocolat, de la peinture à l'huile, etc.

Autres cas d'omission de l'article

On omet aussi l'article :

— dans les énumérations,

- Tout est en solde dans ce magasin : jupes, pantalons, chemisiers, vestes, manteaux.
- Le musée Picasso présente de nombreuses œuvres de l'artiste : peintures, sculptures, dessins, collages.

— dans les annonces, les titres de journaux et de livres,

- Maison à vendre, Violents orages dans le Midi, Livre de grammaire, Dictionnaire des synonymes, etc.

— dans certaines locutions verbales,

- avoir envie, avoir besoin, faire attention, rendre service, etc.

— après certains verbes,

- changer d'avis, de coiffure, de voiture, etc.
- se tromper de direction, d'adresse, de nom, etc.

○ *Renvoi*
Pour l'omission de l'article devant les noms de pays, voir pages 162-163.

— après certaines prépositions, dans certaines expressions.

- en été, par terre, à pied, en argent, avec plaisir, à travers bois, etc.

4 LES DÉMONSTRATIFS

Les démonstratifs permettent de désigner une personne ou une chose (objet ou idée).

L'**adjectif démonstratif** est un déterminant du nom.
→ Dans **ce** magazine, vous trouverez beaucoup d'articles sur la vie quotidienne.

Le **pronom démonstratif** reprend un mot ou un groupe de mots.
→ Dans **celui-là**, vous trouverez plutôt des articles sur la nature et l'environnement.

I. LES ADJECTIFS DÉMONSTRATIFS

Formes des adjectifs démonstratifs

singulier		pluriel	
masculin	féminin	masculin	féminin
ce, cet	**cette**	**ces**	

On emploie *cet* [sɛt] devant un nom (ou un adjectif) masculin commençant par une voyelle ou par un *h* muet.

- **cet** endroit, **cet** hôtel, **cet** hôpital, **cet** admirable paysage

Mais on emploie *ce* devant un *h* aspiré.

- **ce** héros, **ce** haut-parleur

Ne dites pas
- ~~Elle a fait cettes fautes.~~
mais → Elle a fait **ces** fautes.
- ~~dans cette endroit~~
mais → dans **cet** endroit

Emploi des adjectifs démonstratifs

L'adjectif démonstratif s'emploie :
— **pour désigner quelqu'un ou quelque chose,**
- **Cette** dame, c'est la directrice de l'école. (le locuteur désigne la dame)
- Tu vois **cet** autobus, il va à la gare de Lyon. (le locuteur désigne l'autobus)

— **pour reprendre un nom déjà mentionné.**
- J'ai une petite Peugeot. **Cette** voiture est très pratique.

Remarque
L'adjectif démonstratif peut avoir une valeur emphatique.
- Rouler à 180 km/h ! Il est fou, **ce** type !

On peut employer -*ci* et -*là* après le nom lorsque :

-*ci* indique la proximité

— dans le temps

- Il y a beaucoup de vent **ces** jours-**ci**. (= en ce moment)
- **Ce** mois-**ci**, je dois faire de nombreux déplacements à l'étranger.

— dans l'espace

Cet emploi est peu fréquent, sauf quand on veut être très précis.

- Prends **ce** stylo-**ci**, il écrit très bien. (= le stylo qui est devant toi)

-*là* indique l'éloignement

— dans le temps

- Au XVIIe siècle, les voyages étaient très lents. À **cette** époque-**là**,
il n'y avait pas de trains. (passé)
- Venez tous à la maison le 25 juin. **Ce** jour-**là,** on fêtera
les cent ans de mon arrière-grand-mère. (futur)

— dans l'espace

- **Cet** arbre-**là**, au fond du jardin, a plus de deux cents ans.
(= cet arbre, loin de nous)
- Vous voyez ces grands immeubles. Il y a dix ans, à **cet** endroit-**là**,
c'était la campagne.

-*ci* et -*là* employés dans la même phrase **servent à différencier**
deux noms.

- Qu'est-ce que vous préférez ? **Cette** photo-**ci** en noir et blanc
ou **cette** photo-**là** en couleur ?

II. LES PRONOMS DÉMONSTRATIFS

Formes des pronoms démonstratifs

		singulier	pluriel
masculin	forme simple	**celui**	**ceux**
	forme composée	**celui-ci** **celui-là**	**ceux-ci** **ceux-là**
féminin	forme simple	**celle**	**celles**
	forme composée	**celle-ci** **celle-là**	**celles-ci** **celles-là**
neutre		**ce / ceci** **cela / ça**	

4

Emploi des pronoms démonstratifs

Le pronom démonstratif reprend un nom déjà mentionné, ce qui **évite la répétition** ou permet **une différenciation**.

1. Formes composées

- — C'est bien ce livre que vous voulez ?
  - — Oui, { c'est **celui-là**.

    (reprise du nom)

    c'est **celui-ci**.

    (cette forme est moins courante)
- Quelles fleurs préférez-vous ? **Celles-ci** ou **celles-là** ?
                                        (différenciation)

2. Formes simples

Elles sont suivies de la préposition *de* ou d'un pronom relatif.

Préposition *de*

- L'ascenseur de gauche est en panne, prenez **celui de** droite !
- Les prévisions de la météo d'hier étaient mauvaises mais heureusement **celles d'aujourd'hui** sont meilleures.

Pronom relatif

- J'avais plusieurs possibilités pour me connecter à Internet ; j'ai choisi **celle que** proposait le réseau X.
- Il y a deux chemins pour aller au village ; **celui qui** passe par la forêt est le plus court.

Le pronom peut aussi être suivi d'un **participe passé** ou d'une **préposition autre que** *de* ; dans ce cas, la subordonnée relative est sous-entendue.

- Il y a trop d'accidents sur les routes ; **ceux causés** par l'alcool sont les plus fréquents. (= ceux qui sont causés par l'alcool)
- Les émissions sur la science m'intéressent plus que **celles sur** le sport. (= celles qui ont pour sujet le sport)

Remarque

Le pronom avec -*ci* est utilisé pour reprendre le nom le plus proche dans la phrase. Il s'emploie surtout à l'écrit.
- L'enfant voulait calmer son petit frère, mais **celui-ci** pleurait et réclamait sa mère. (celui-ci = le petit frère et non pas l'enfant)

Remarque

Ceux qui = « les gens qui »
Dans ce cas, le pronom n'a pas de valeur de reprise.
- La montagne attire **ceux qui** aiment l'air pur et la solitude.

Ne dites pas
- C'est celle-là de mon père.
mais → C'est **celle de** mon père.
- Donnez-moi celui-là qui est sur la table.
mais → Donnez-moi **celui qui** est sur la table.

LE GROUPE DU NOM ET LES PRONOMS

Emploi du pronom neutre

Le pronom neutre a deux formes couramment employées : **ce** et **cela / ça**.

1. Le pronom ce

○ *Renvoi*
Pour l'identification,
voir dans ce chapitre page 53.

Ce s'emploie avec le verbe *être* :

– pour identifier : *ce* + *être* + nom,

- Qui est-ce qui a téléphoné ? **C'est** monsieur Legrand.

○ *Renvoi*
Pour l'emploi du présentatif *c'est*
dans la mise en relief,
voir pages 199 à 201.

– pour reprendre une phrase ou un groupe de mots,

- Il y avait beaucoup de monde à la fête ; **c'était** très sympathique.
- Être maire d'une grande ville, **c'est** une lourde responsabilité.
- La tarte aux poires, **c'est** mon dessert préféré !

– dans une construction impersonnelle à la place de *il est*. Cet emploi est fréquent à l'oral.

- **C'est** utile de savoir conduire.
- **C'est** dommage que nous habitions si loin de la mer.

Attention
Ne confondez pas *ce* et *ceux* :
- Il fait **ce** qu'il veut. (ce = les choses)
- Il va inviter seulement **ceux** qu'il connaît bien. (ceux = les gens)

Ce peut être suivi d'un pronom relatif.

Ce a un sens déterminé par le contexte.

- Choisis **ce que** tu veux comme dessert. (*ce* = fruit, gâteau, crème, glace...)
- Il m'a raconté tout **ce qui** s'était passé. (*ce* = les faits, les circonstances)

○ *Renvoi*
Pour les pronoms relatifs,
voir également page 206.

Ce reprend une proposition.

- Il s'est mis à pleuvoir, **ce qui** a obligé tout le monde à rentrer. (*ce* = il s'est mis à pleuvoir)
- Beaucoup de magasins sont ouverts le dimanche, **ce que** les clients trouvent très pratique. (*ce* = beaucoup de magasins sont ouverts)

2. Le pronom cela / ça

Cela (*ça* à l'oral) est employé comme sujet devant un verbe autre que *être*.

Comparez :
- **C'est** intéressant de lire la biographie d'un homme célèbre.

et **Cela / ça** m'intéresse de lire cette biographie.

- **C'est** étonnant qu'il ne soit pas encore là.

et **Cela / ça** m'étonne qu'il ne soit pas encore là.

Remarque
À l'oral, on peut employer *ça* au lieu de *ce* devant le futur ou le conditionnel du verbe *être* : *ça sera / ça serait.*
- **Ça sera** prêt demain.

Remarque
Le pronom *ceci* est peu employé dans la langue courante.
Il annonce ce qu'on va dire.
- Auditeurs de France-Musique, écoutez bien **ceci** : un concert exceptionnel aura lieu le 12 mai au profit de la Croix-Rouge.

Ça reprend un groupe de mots ou une phrase.
- Il est parti ? Qui t'a dit **ça** ? (*ça* = il est parti)
- Quel désordre ! Il faut que tu ranges tout **ça** !
- Il m'a posé des questions sur ma vie privée. **Ça** m'a énervé et je lui ai répondu que **ça** ne le regardait pas.

Ça entre dans de nombreuses expressions de la langue familière.
- Comment **ça** va ?
- Qu'est-ce que c'est que **ça** ?
- Arrête ! **ça** suffit comme **ça**!
- Vous faites de la gymnastique tous les jours. C'est bien, **ça** !
- Vous avez fini ? Oui, **ça** y est !

Ça peut remplacer le pronom personnel *le, la, les* quand le nom a une valeur générale.

Comparez :
- Tu aimes le thé ? Oui, j'aime **ça**. (le thé en général)

et Tu aimes ce thé à la menthe ? Oui, je **le** trouve très bon. (ce type de thé)

III. IDENTIFICATION ET DESCRIPTION

Pour identifier et décrire, on emploie le verbe *être* dans différentes constructions.

Identification

Ne dites pas
- — Qui est-ce ?
— ~~Il est mon frère.~~
mais → — **C'est mon** frère.

1. Ce + être + nom ou pronom

Identification d'une personne

- Cette dame, qui est-ce ? **C'est** madame Legrand.
- Qui dirigera la chorale ce soir ? **Ce sera** madame Dupuis.
- Est-ce que c'est Jean qui t'a dit ça ? Oui, **c'est** lui.
- Qui habite dans cette maison ? **Ce sont** les cousins d'Éric Lebrun.

Attention
Notez l'accord du verbe *être*. Mais on dit dans la langue familière :
- **C'est** les cousins d'Éric Lebrun.

Remarque
Avec un pronom, on dit :
- C'est nous, c'est vous
mais → Ce sont eux, ce sont elles.
(dans la langue familière, on peut dire : c'est eux, c'est elles.)

Identification d'une chose

- Qu'est-ce que c'est que ce paquet ? **C'est** un cadeau pour Étienne.
- Qu'est-ce que le cubisme ? **C'est** un mouvement artistique du début du xxe siècle.
- J'ai renvoyé la commande. **Ce** n'**était** pas le modèle que je voulais.

2. Je, tu, nous, vous + être + déterminant + nom

- Qui êtes-vous ? **Je suis** la secrétaire de madame Durand.
- **Nous sommes** les nouveaux locataires du sixième étage.
- **Êtes-vous** un ami de Françoise ?

Description

1. Il(s) / elle(s) + être + attribut

On emploie cette structure dans les cas suivants.

L'attribut est un adjectif.

Ne dites pas
- ~~Ma maison, c'est moderne et assez grand.~~
mais → Ma maison, **elle est** moderne et assez grande.

- Comment est ton professeur de yoga ? Il est **compétent** et très **patient**.
- Xiao est **chinoise**.
- J'ai une nouvelle voiture. Elle est assez **petite**, mais très **confortable**.

4

L'attribut est un nom de profession, employé sans article.

- Arlette est **étudiante** en droit.
- Que fait votre mari ? Il est **journaliste**.
- Mes grands-parents ? Ils étaient **commerçants**.

On peut aussi employer *c'est* pour décrire, pour apprécier :

— lorsque la phrase a une valeur générale,

Comparez :

- — Tu aimes les gâteaux au chocolat ?
  — Oui, **c'est** délicieux !
et — Comment trouves-tu ce gâteau au chocolat ?
  — **Il est** délicieux ! (= ce gâteau en particulier)

Remarques
On emploie un article devant
un nom de profession :
1. s'il est accompagné d'un adjectif ;
- M. Lescot est **un journaliste remarquable**.
2. s'il sert à identifier.
- Qui est madame Husson ? C'est **le professeur** de piano de notre fille.

— avec les noms géographiques,

- — Est-ce que tu connais la Corse ?
  — Oui, **c'est** vraiment magnifique !
- Allons visiter Montmartre ! **C'est** très pittoresque.

Remarque
On emploie aussi *c'est* pour situer
un lieu géographique.
- Où est Monaco ? **C'est** sur
la Côte d'Azur.

— avec les titres (romans, tableaux, films, etc.)

- — Vous avez lu *Les Trois Mousquetaires* d'Alexandre Dumas ?
  — Oui, **c'est** passionnant.

2. Les mesures

Pour indiquer des mesures, il existe différentes structures.

Avoir
Faire
} ... mètres {
de large / de largeur
de haut / de hauteur
de long / de longueur
de profondeur
d'épaisseur

Remarque
Pour une personne, on n'emploie
pas le verbe *avoir*. On dit :
- Je fais / je mesure 1 m 70.
- Je fais / je pèse 60 kg.

- Ce lac a 25 mètres de profondeur.
- Cette chambre fait 5 mètres {
de long sur 3 mètres de large.
de longueur sur 3 mètres de largeur.

La hauteur / la largeur / la longueur / la profondeur/ l'épaisseur est
de...

- La longueur du fleuve Nil **est de** 6 671 kilomètres.

LES POSSESSIFS

Les possessifs expriment un rapport de possession, établissent une relation entre des personnes ou entre des personnes et des choses.

L'**adjectif possessif** est un déterminant du nom.
→ Il habite encore chez **ses** parents.

Le **pronom possessif** remplace un nom précédé d'un adjectif possessif.
→ — Est-ce que ce sont **vos** chaussures de tennis ?
— Oui, ce sont **les miennes**.

I. LES ADJECTIFS POSSESSIFS

Formes des adjectifs possessifs

L'adjectif possessif **s'accorde en genre et en nombre** avec le nom qu'il précède ; de plus, il **varie selon la personne du possesseur**.

1. Un possesseur

personne	singulier		pluriel	
	masculin	féminin	masculin	féminin
je tu il / elle	mon ton son } cousin	ma ta sa } chambre	mes tes ses } parents	mes tes ses } photos

ma ⎫
ta ⎬ + voyelle → **mon** université
sa ⎭   ou → **ton** amie
      h muet → **son** histoire

2. Plusieurs possesseurs

personne	singulier		pluriel	
	masculin	féminin	masculin	féminin
nous vous ils / elles	notre votre leur } directeur	notre votre leur } classe	nos vos leurs } chiens	nos vos leurs } filles

Ne dites pas
■ <s>notres amis</s>
mais → **nos** amis.

Attention à la prononciation de
■ notre, votre : (o ouvert) [ɔ]
■ nos, vos : (o fermé) [o].

5

Emploi des adjectifs possessifs

Les adjectifs possessifs expriment **la possession.**
- J'ai perdu **mon** porte-monnaie.
- **Notre** ville est connue pour **son** église gothique
et **ses** remparts.

Remarque
Quand *on* signifie « nous », l'adjectif
possessif est *notre* ou *nos*.
- On passera **nos** vacances
à la montagne dans **notre** chalet.

L'adjectif possessif peut avoir **une valeur affective** (langue familière)
ou exprimer **l'habitude**.
- Tu nous ennuies avec **tes** histoires !
- Elle est vraiment charmante, **ta** Charlotte !
- Il travaille **son** piano tous les jours de midi à trois heures.
- À quelle heure prends-tu **ton** petit déjeuner ?

↻ *Renvoi*
Pour l'emploi de l'article à la place
du possessif, voir page 38.

Ne dites pas
- ~~Guy a tourné sa tête.~~
mais → Guy a tourné **la** tête.

Difficultés d'emploi des adjectifs possessifs à la 3e personne.

Ne confondez pas *son / sa / ses* et *leur(s)*.

Comparez :
- Il avait invité tous **ses** amis à son mariage.
(un possesseur)
et Ils avaient invité tous **leurs** amis à leur mariage.
(plusieurs possesseurs)

Ne confondez pas *leur* et *leur(s)*
La langue française a tendance à employer l'adjectif singulier et non
le pluriel, même quand il y a plusieurs possesseurs.
- Les étudiants avaient **leur** livre de français ouvert
sur **leur** table.
(= chaque étudiant n'a qu'un livre et qu'une table)
- Le maire a demandé aux habitants de la ville **leur** avis
sur le nouveau centre sportif.
(= chaque habitant n'a qu'un avis)

L'adjectif possessif s'emploie aussi dans de nombreuses expressions.
- Avoir **son** permis de conduire, passer **son** bac, perdre **son** temps,
gagner **sa** vie, demander **son** chemin, etc.

II. LES PRONOMS POSSESSIFS

Formes des pronoms possessifs

Le pronom possessif remplace le groupe **adjectif possessif + nom**.

■ C'est ton manteau ? Oui, c'est **le mien**. (= c'est mon manteau)

singulier			pluriel			
mon vélo	→	**le mien**	notre appartement	→	le	} nôtre
ma bicyclette	→	**la mienne**	notre maison	→	la	
mes parents	→	**les miens**	nos amis	→	les	} nôtres
mes chaussures	→	**les miennes**	nos affaires	→		
ton vélo	→	**le tien**	votre appartement	→	le	} vôtre
ta bicyclette	→	**la tienne**	votre maison	→	la	
tes parents	→	**les tiens**	vos amis	→	les	} vôtres
tes chaussures	→	**les tiennes**	vos affaires	→		
son vélo	→	**le sien**	leur appartement	→	le	} leur
sa bicyclette	→	**la sienne**	leur maison	→	la	
ses parents	→	**les siens**	leurs amis	→	les	} leurs
ses chaussures	→	**les siennes**	leurs affaires	→		

Attention à la prononciation de

■ le, la, les nôtre(s) : (o fermé) [ɔ]

■ le, la, les vôtre(s) : (o fermé) [ɔ].

Emploi des pronoms possessifs

Attention
À la contraction de *le, la, les*
— avec *de*
■ Léa va garder nos enfants samedi ;
elle pourra aussi s'occuper
des vôtres. (= de + les)
— avec *à*
■ Tu as déjà écrit à tes parents ; moi,
je n'ai pas encore écrit **aux** miens.
(= à + les)

■ Votre jardin a beaucoup plus de fleurs que **le nôtre**. Comment faites-vous ? (= notre jardin)

■ J'avais oublié mes gants de ski ; Victor m'a prêté **les siens**. (= ses gants)

■ C'est ton opinion ; ce n'est pas du tout **la mienne** ! (= mon opinion)

III. AUTRES MOYENS D'EXPRIMER LA POSSESSION

1. Être à quelqu'un

(à + nom / à + pronom tonique)

- — Il y a des lunettes sur la table. Est-ce qu'elles sont **à toi** ?
  — Non, elles sont **à Julien**.
- — À qui est ce stylo ?
  — Il n'est pas **à moi**.

2. Appartenir à quelqu'un

(= être la propriété de)

- Le musée d'Orsay **appartient à** la ville de Paris.
- Ces vignobles **appartiennent à** la famille Dupont.

3. Pronom démonstratif + de + nom

- — C'est ton vélo ?
  — Non, c'est **celui de Delphine**.
- Cette grosse moto est **celle de l'acteur Alain Dupont**.

LES INDÉFINIS

Les indéfinis expriment différentes nuances de l'identité ou de la quantité. Ce sont

- soit des déterminants du nom (adjectifs),
  → Nous avons passé **quelques** jours de vacances à Rome.

- soit des pronoms.
  → Quel brouillard ! **On** n'y voit **rien**. **Tout** est gris.

I. LES INDÉFINIS : ADJECTIFS ET PRONOMS

On

Remarque
Dans la *langue soutenue*, après *et*, *si*, *que* et *où*, on peut employer *l'on* pour faciliter la prononciation.
- La Suisse est un pays où **l'**on parle quatre langues.

Pronom masculin singulier toujours sujet. Il peut représenter une ou plusieurs personnes. Il a trois significations principales.

- En France, **on** mange beaucoup de fromage.
  (= les gens)
- **On** a sonné à la porte. Va ouvrir, s'il te plaît !
  (= une ou plusieurs personnes indéterminées)
- Si tu veux, **on** ira au cinéma après le dîner.
  (= nous, langue familière)

Ne dites pas
- ~~En Espagne, se mange beaucoup de paella.~~
mais → En Espagne, on mange beaucoup de paella.

Quand *on* signifie « nous », l'adjectif et le participe passé s'accordent soit avec *on*, soit avec *nous* :

- Pierre et moi, **on** était fatigué(s) ; **on** est resté(s) à la maison.

Quelqu'un

Pronom singulier qui désigne **une seule personne indéterminée**.

- **Quelqu'un** a oublié une écharpe au vestiaire.
- Mon ami parle avec **quelqu'un** que je ne connais pas.
- J'ai rencontré **quelqu'un** d'extraordinaire. C'est un sculpteur qui vit seul sur une petite île.

Personne

Pronom singulier toujours employé avec *ne* (voir tableau ci-des-sous). Il peut aussi être employé avec *ne... plus, ne... encore, ne... jamais.*

C'est la négation de *quelqu'un,* de *on* et de *tout le monde.*

- **Personne ne** peut entrer dans le laboratoire sans autorisation.
- On ne voit jamais **personne** dans cette maison.
- **Personne** d'autre que le directeur ne peut prendre cette décision.
- Quelqu'un a téléphoné ? Non, **personne**.

Remarque
Ne confondez pas le pronom indéfini et le nom.
- Je **n'**ai rencontré **personne** en me promenant. (pronom indéfini) et J'ai rencontré deux **personnes** en me promenant. (nom féminin)

Ne dites pas
- ~~Personne n'est pas venu.~~
mais → Personne n'est venu.
- ~~Il n'y en a personne.~~
mais → Il n'y a personne.

Quelque chose

Pronom singulier qui désigne un objet ou une idée **indéterminée**.

- Attention, vous avez laissé tomber **quelque chose** !
- J'ai **quelque chose** d'important à vous dire.

Rien

Pronom singulier toujours employé avec *ne* (voir tableau ci-dessous). Il peut aussi être employé avec *ne... plus, ne... encore, ne... jamais.*

C'est la négation de *quelque chose* et de *tout.*

- Quel enfant difficile ! **Rien ne** lui plaît !
- Il **n'**y a **plus rien** dans le réfrigérateur. Il faut faire des courses.
- Parlez un peu plus fort, je **n'**ai **rien** entendu.
- Qu'est-ce que tu as fait dimanche ? **Rien** de spécial.

Remarque
Pour renforcer *rien,* on ajoute *du tout.*
- — Tu veux manger quelque chose ?
— Non merci, **rien du tout**.

Ne dites pas
- ~~Il n'y en a rien.~~
mais → Il n'y a rien.
- ~~Il ne parle rien de français.~~
mais → Il ne parle pas du tout français.

Tableau 1 : place des pronoms *personne* et *rien*

temps simples	temps composés	avec un infinitif
Je **ne** vois **personne**.	Je **n'**ai vu **personne**.	Je **ne** vais voir **personne**.
Je **ne** dis **rien**.	Je **n'**ai **rien** dit.	Je **ne** vais **rien** dire.

Tableau 2 : *quelqu'un, personne, quelque chose, rien* **et l'adjectif**

Ces pronoms peuvent être suivis d'un adjectif masculin singulier précédé de la préposition *de*.

Quelqu'un Personne Quelque chose Rien	**+ de +** adjectif masculin singulier

- C'est **quelqu'un de très gentil** qui m'a renseigné.
- À la réunion, il y avait M. Lagarde, M. Dubois et moi-même. **Personne d'autre** n'est venu.
- J'ai **quelque chose d'amusant** à vous raconter.
- — Vous avez reçu des informations sur cette affaire ?
- — Non, **rien de nouveau**.

Ne dites pas
- ~~quelque chose intéressante~~
mais ➞ quelque chose d'intéressant.

Quelques, quelques-uns, quelques-unes

Ne dites pas
- ~~J'ai acheté un peu de tomates.~~
mais ➞ J'ai acheté quelques tomates. (nom comptable)

Ces mots désignent un nombre **limité et indéterminé** de personnes ou de choses.

1. Quelques : adjectif + nom comptable

- C'est bientôt l'hiver. Il reste encore **quelques** feuilles sur les arbres. (= un petit nombre)
- Il faisait très froid. Il n'y avait personne dans les rues sauf **quelques** touristes qui photographiaient Paris sous la neige.

Il peut être précédé d'un autre déterminant (*langue soutenue*).
- Les **quelques** conseils que vous m'avez donnés m'ont beaucoup aidé.

Remarques
1. Dans la *langue soutenue*, *quelque* au singulier devant un nom abstrait a le sens de « un peu de » :
- On gardait **quelque** espoir de mettre fin au conflit.

2. Le mot *quelque* est aussi un adverbe. Placé devant un nombre, il a le sens de « environ ».
- Il y avait **quelque** cinq cents personnes dans la salle.

2. Quelques-uns, quelques-unes : pronom

Il renvoie à un nom qui précède.
- — Tu connais les chansons des Beatles ?
  — Oui, j'en connais **quelques-unes.**
- Le professeur a donné des exercices à faire pour demain. Il y en a **quelques-uns** de très difficiles.

Plusieurs

Adjectif ou pronom qui désigne **un nombre plus ou moins important**, supérieur à deux.

I. Adjectif + nom comptable

- J'ai acheté **plusieurs** affiches pour décorer ma chambre.
- Cette exposition sur l'histoire de l'aviation était tellement intéressante que j'y suis retourné **plusieurs** fois.

2. Pronom

- J'avais pris beaucoup de photos mais, malheureusement, **plusieurs** sont ratées.

Certains, certaines

Adjectif ou pronom qui désigne **quelques-un(e)s parmi d'autres**.

I. Adjectif + nom pluriel

- **Certains** vins comme le Beaujolais nouveau ne se conservent pas longtemps. (= le Beaujolais est un vin parmi d'autres)
- La plupart des gens supportent bien l'aspirine, mais **certaines** personnes y sont allergiques.

Au singulier, l'adjectif *certain* est précédé de l'article indéfini.

- C'est un homme d'un **certain** âge. (= assez âgé)
- Ce tableau a une **certaine** valeur. (= une valeur assez importante non précisée)

2. Pronom

- Parmi les salariés de cette entreprise, **certains** sont employés à mi-temps, d'autres à plein temps.

Aucun, aucune, pas un (seul), pas une (seule)

Adjectif ou pronom qui est toujours employé avec *ne* ; il peut aussi être employé avec *ne... plus, ne... encore, ne... jamais*.

I. Adjectif

- Je **n'**ai **aucun** ami à qui demander conseil sur cette question.
- C'est plus difficile de trouver du travail quand on **n'**a **aucune** expérience professionnelle.

2. Pronom

- Pour le mariage de ma sœur, j'ai essayé plusieurs chapeaux. **Aucun** ne me plaisait !
- Avez-vous des nouvelles de Jacques ? Non, **aucune**.
- Est-ce qu'il y a encore des visiteurs dans le musée ?
Non, il **n'**y en a plus **un seul**.

Tableau 3 : les indéfinis exprimant la quantité et le pronom *en*

Quelques Plusieurs Certain(e)s Aucun(e) Pas un(e) seul(e)	+ nom	peuvent être remplacés par	**en** +	quelques-un(e)s plusieurs certain(e)s aucun(e) pas un(e) seul(e)

- Est-ce que ces étudiants travaillent pour payer leurs études ?
  – Oui, il y en a **quelques-uns**. (= quelques étudiants qui travaillent pour...)
  – Oui, il y en a **plusieurs**.
  – Oui, il y en a **certains**.
  – Non, il n'y en a **aucun** / **pas un seul**.

Tableau 3 bis : les indéfinis exprimant la quantité et l'adjectif
La préposition *de* est obligatoire devant l'adjectif.

Quelques-un(e)s Plusieurs Certain(e)s Aucun(e) Pas un(e)	+ **de** + adjectif

- L'hôtel compte trente chambres ;

  il y en a { quelques-unes / plusieurs / certaines } **de libres**.

- L'hôtel compte trente chambres ; il n'y en a { aucune / pas une } **de libre**.

6

Chaque, chacun, chacune

Ces mots insistent sur l'**individualité**.

1. Chaque : adjectif singulier

- Lors d'un championnat, **chaque** skieur porte un casque et un dossard.
- Dans **chaque** famille, il y a des histoires qu'on se raconte.

Chaque marque aussi la répétition dans le temps ou l'espace.
- Le train n° 5622 circule **chaque** jour.
- C'est un malade exigeant. À **chaque** instant, il réclame quelque chose.

Attention
N'écrivez pas *chaqu'un*.

2. Chacun, chacune : pronom singulier

- Cet artisan fabrique de très jolies poteries ; **chacune** est décorée d'un motif particulier et elles coûtent moins de 50 euros **chacune**.
- L'hôtesse a appelé les passagers et a remis à **chacun** sa carte d'embarquement.

Remarque générale
Les pronoms *quelques-un(e)s, certains, plusieurs, chacun(e), aucun(e), pas un(e)* peuvent être suivis d'un nom précédé de la préposition *de* ou d'un pronom précédé de la préposition *d'entre*.
- En raison d'une tempête de neige, **quelques-uns de nos amis** n'ont pas pu venir au réveillon du 1ᵉʳ janvier.
- Pour la fête de l'école, **plusieurs d'entre nous** ont apporté une boisson ou un gâteau.

Nul, nulle

Cet indéfini a le sens de *aucun(e)*. Il s'emploie dans la **langue soutenue** ou administrative.
Il est toujours accompagné de *ne*.

1. Adjectif

- Il **n'**éprouvait **nulle** crainte devant la mort. (= absolument aucune crainte)

Remarque
Nul est aussi un adjectif qualificatif.
- Les deux équipes ont fait match **nul**. (= personne n'a gagné)
- Elle a toujours été **nulle** en mathématiques. (= très faible)

2. Pronom

- **Nul n'**est censé ignorer la loi. (= personne)

Autre(s)

Adjectif ou pronom qui indique la **différence** ou une **quantité supplémentaire**.

1. Autre est toujours précédé d'un déterminant

(Article, adjectif démonstratif, possessif ou indéfini)

Adjectif

▪ Je n'ai pas le temps maintenant. Je passerai te voir **un autre** jour. (= un jour différent)
▪ Vous avez encore soif ? Il y a **d'autres** jus de fruits dans le réfrigérateur. (= en plus)
▪ Ma sœur aînée est journaliste, **mon autre** sœur est médecin.

Pronom

▪ Certains enfants marchent à dix mois ; **d'autres** marchent plus tard.
▪ Une seule baguette de pain, ce n'est pas assez ; prends-en **une autre.** (= une en plus)
▪ Il n'y a que cinq étudiants dans la classe ; où sont **les autres** ?

2. L'un(e)... l'autre ; les un(e)s... les autres : pronoms

▪ Ce pianiste donnera plusieurs concerts : **l'un** le 13 mai, **les autres** en septembre.
▪ Nous allons examiner les questions **l'une** après **l'autre.**
▪ Dans la vie, il faut se rendre service **les uns aux autres.**

3. Autre chose

C'est un **pronom neutre** qui signifie « quelque chose de différent » ou « quelque chose de plus ».

▪ Ce modèle ne me plaît pas. Auriez-vous **autre chose** à me proposer ? (= quelque chose de différent)
▪ Attendez ! Je n'ai pas fini. J'ai **autre chose** à vous dire. (= quelque chose de plus)

4. Autrui = les autres gens (*langue soutenue*)

Pronom singulier. Employé dans des proverbes, des maximes, etc.
▪ Il faut respecter la liberté **d'autrui**. (= la liberté des autres)

6

Le même, la même, les mêmes... (que)

Adjectif ou pronom qui exprime **la similitude**, **la ressemblance**.

1. Adjectif

- Ils habitent **le même** quartier que nous. (= dans notre quartier)
- Carole et sa sœur jumelle ne portent jamais **les mêmes** vêtements. (= des vêtements identiques)

2. Pronom

- J'adore ce genre de veste. J'ai presque **la même** en vert.
- Pierre et moi, nous avons des goûts communs en musique mais pas du tout **les mêmes** en peinture.

Même placé après le nom ou après le pronom tonique est une forme d'insistance.

- J'ai trouvé un appartement **le jour même** de mon arrivée à Paris. (= ce jour-là précisément)
- — Allô ! Je voudrais parler au docteur Lenoir.
  — C'est **lui-même**.

> **Remarque**
> Ne confondez pas avec l'adverbe *même*.
> ■ Tout le monde était invité, **même** les enfants. (= et aussi)

> **Ne dites pas**
> ■ ~~Entendre et écouter, ce n'est pas le même.~~
> mais → Entendre et écouter, ce n'est pas **la même chose**.

Tel(s), telle(s)

C'est un adjectif qui a plusieurs sens.

Employé avec l'article indéfini

Il exprime **la similitude** ou **l'intensité** : *un(e) tel(le), de tel(les)*.

- Comment voulez-vous réussir avec **de telles** méthodes de travail ? (= avec des méthodes comme celles-là)
- On n'a jamais vu **une telle** chaleur au mois de mai. (= une chaleur si forte)

Employé sans article

Tel(s), telle(s) exprime **l'indétermination**.

- Si je viens, je t'enverrai un courriel disant que j'arriverai **tel** jour à **telle** heure. (= le jour et l'heure ne sont pas encore fixés)
- Que vous preniez **telle ou telle** lessive, votre linge sera bien lavé. (= une lessive ou une autre)

> **Attention**
> Notez le pluriel.
> ■ **une telle** erreur / **de telles** erreurs
> ■ **un tel** problème / **de tels** problèmes

> ↻ **Renvoi**
> Pour *tel... que*, voir la conséquence, page 240 et l'expression de la comparaison, page 299.

N'importe qui / quoi – N'importe quel / lequel

Ces indéfinis soulignent **l'indétermination**, **l'indifférence**.

1. N'importe qui, n'importe quoi

Pronoms singuliers

▪ La porte n'est jamais fermée ; **n'importe qui** peut entrer.

(= une personne ou une autre)

▪ Je n'ai jamais mal à l'estomac ; je peux manger **n'importe quoi**.

(= un aliment ou un autre)

2. N'importe quel(s)/quelle(s)

Adjectif

▪ Vous pouvez passer me voir à **n'importe quelle** heure ; je suis

toujours chez moi. (= l'heure n'a pas d'importance)

3. N'importe lequel/laquelle/lesquels/lesquelles

Pronom

▪ Tous ces autobus vont à la gare ; vous pouvez prendre

n'importe lequel. (= cet autobus ou l'autre)

Divers, diverses – différents, différentes

Adjectifs pluriels qui ont le sens de *plusieurs* et qui expriment
la variété.

▪ Au cours de la réunion, **divers** points de vue ont été exprimés.

▪ Je connais **différentes** personnes qui n'ont pas aimé ce film.

Placés après le nom, ces adjectifs sont des adjectifs qualificatifs.

Comparez :

▪ **Différentes** personnes ont été entendues.

et Des personnes très **différentes** peuvent se plaire.

6

Quelconque, quiconque

1. Quelconque

Adjectif singulier ou pluriel généralement placé après le nom qui exprime une **indétermination**.

- Cette soirée m'ennuie ; je trouverai un prétexte **quelconque** pour ne pas y aller. (= un prétexte ou un autre)

2. Quiconque

Pronom singulier qui désigne une **personne indéterminée**. Il s'emploie dans la *langue soutenue*.

- Il a pris sa décision sans consulter **quiconque**. (= une personne ou une autre)

> *Remarque*
> Placé après le nom, *quelconque* est aussi un adjectif qualificatif.
> - C'est un restaurant tout à fait **quelconque**. (= médiocre)

> *Remarque*
> Pour exprimer l'indétermination, on peut aussi employer *qui que ce soit* et *quoi que ce soit* (*langue soutenue*).
> - Il a pris sa décision sans consulter **qui que ce soit**. (= une personne ou une autre)
> - Il a refusé de manger **quoi que ce soit**. (= une chose ou une autre)

Quelque part, autre part, nulle part

Ce sont des locutions adverbiales de **localisation**.
Nulle part est toujours employé avec *ne*.

- J'ai déjà vu cet homme **quelque part**. (= dans un endroit indéterminé)
- Je n'ai pas trouvé ce que je voulais dans ce magasin. J'irai voir **autre part**. (= ailleurs, dans un autre endroit)
- Où sont mes ciseaux ? Je **ne** les trouve **nulle part**. (= dans aucun endroit)

II. TOUT : ADJECTIF, PRONOM OU ADVERBE

Adjectif

1. Tout, toute, tous, toutes + déterminant + nom

Il exprime une **idée de totalité**.

- Vous devez finir **tout** ce travail avant demain.
- **Toute** la nuit, le vent a soufflé et la pluie est tombée.

- Dans ce magasin, **tous** les produits proviennent de l'agriculture biologique.
- Monsieur, nous avons examiné **toutes** les candidatures et c'est la vôtre qui nous a semblé la plus intéressante.

Il exprime une **idée d'habitude ou de périodicité.**

- Mes grands-parents déjeunent chez nous **tous** les dimanches.
  (= chaque dimanche)
- Le malade doit prendre ce médicament **toutes** les trois heures.
  (= à midi, à 15 h, à 18 h...)
- Le long de la route, on a planté un arbre **tous** les dix mètres.
  (= il y a un espace de dix mètres entre chaque arbre)

2. Tout, toute, tous, toutes + nom sans déterminant

Tout a le sens de *chaque* dans les maximes, les lois et les règlements.
- **Tout** homme doit obéir à la loi.
- Entrée interdite à **toute** personne étrangère au service.

Tout est employé dans de très nombreuses expressions :
— avec l'idée d'**intensité**,
- à **toute** vitesse, à **toute** allure, etc.

— avec le sens de *n'importe quel.*
- à **toute** heure, à **tout** âge, en **toute** saison, à **tout** prix, etc.

3. Tout, tous, toutes + pronom démonstratif

Tout ce / tout cela / tout ça
- Je ne peux pas lire **tout ce** qui est écrit sur le panneau. J'ai besoin de lunettes.
- On ne peut pas toujours faire **tout ce** qu'on veut dans la vie.
- Quel désordre ! Il faut ranger **tout ça**.

Tous ceux / toutes celles

◌ Renvoi
Voir les démonstratifs, pages 49-50.

- Il n'y a plus beaucoup de places pour le concert de ce soir. **Toutes celles** qui restent sont au dernier rang.
- J'ai classé des papiers ; **tous ceux-ci** sont à jeter, **tous ceux-là** sont à garder.

6

Pronom

1. Tous, toutes

Ces pronoms renvoient à un nom ou à un pronom pluriel. Ils expriment une **idée de totalité**.

- **Les verbes français** sont difficiles. **Tous** ne sont pas réguliers. Mais on dit le plus souvent : Ils ne sont pas **tous** réguliers.
- **Mes sœurs** n'aiment pas la vie parisienne. **Elles** vivent **toutes** en province.
- **Nous** devons **tous** faire des efforts pour respecter l'environnement.

> **Attention**
> Le *s* final du pronom *tous* se prononce.
> - J'ai vu tous [tu] ces films, je les ai tous [tus] vus.

Aux temps composés, ils se placent entre l'auxiliaire et le participe passé.

- Leurs enfants ont **tous** fait des études scientifiques.
- J'ai pris beaucoup de photos, mais elles ne sont pas **toutes** réussies.

> **Remarque**
> tous }
> toutes } + les + adjectif numéral
> - Pierre et Jean sont venus **tous les deux**.
> - Alice et Marie sont venues **toutes les deux**.

Tous, toutes sont employés avec le pronom complément d'objet direct *les*.

- Goûtez nos glaces. Nous **les** préparons **toutes** avec des fruits frais.
- Lucile avait beaucoup de disques des années 1970, mais elle **les** a **tous** vendus.

Tableau 4 : *tous* / *toutes* et le pronom *les*

temps simples	Je lirai **tous** ces romans.	→ Je **les** lirai **tous**.
	Je ne ferai pas **toutes** les courses.	→ Je ne **les** ferai pas **toutes**.
temps composés	J'ai lu **tous** ces romans.	→ Je **les** ai **tous** lus.
	Je n'ai pas fait **toutes** les courses.	→ Je ne **les** ai pas **toutes** faites.
avec un infinitif	Je vais lire **tous** ces romans.	→ Je vais **les** lire **tous**.
		→ Je vais **tous les** lire.
	Je ne vais pas faire **toutes** les courses.	→ Je ne vais pas **les** faire **toutes**.
		→ Je ne vais pas **toutes les** faire.

2. Tout le monde

Cette expression désigne un ensemble de personnes indéterminé (= tous les gens).

- Aline est très sympathique et jolie. **Tout le monde** l'aime.
  (= tous les gens l'aiment)

> *Ne dites pas*
> - ~~Tout le monde sont arrivés~~.
> mais → Tout le monde est arrivé.
> - ~~Il a voyagé dans tout le monde~~.
> mais → Il a voyagé dans le monde entier.

LE GROUPE DU NOM ET LES PRONOMS

- Ce film peut être vu par **tout le monde** (= enfants, adolescents, adultes).
- **Tout le monde** n'a pas la chance de voyager.

3. Tout

C'est un pronom neutre singulier qui désigne un ensemble de choses indéterminées (= toutes les choses).

- Dans mon studio, **tout** est blanc : les murs, le lit, la table, l'armoire, etc. Seule la moquette est bleue.
- Pas de problèmes ! **Tout** va bien !
- Le tremblement de terre a **tout** détruit. Il ne reste pas une maison debout.
- Quand on conduit une voiture, il faut **tout** contrôler.

Tableau 5 : place de *tout*

temps simples	Nous comprenons **tout**. Nous ne comprenons pas **tout**.
temps composés	Nous avons **tout** compris. Nous n'avons pas **tout** compris.
avec un infinitif	Nous allons **tout** comprendre. Nous n'allons pas **tout** comprendre.

Adverbe

Tout signifie **entièrement**, **totalement** ou **très**. C'est un adverbe variable en certains cas.

1. Tout devant un adjectif

Devant un **adjectif masculin**, singulier ou pluriel, *tout* est invariable.
- J'ai acheté un **tout** petit téléphone portable. (= très petit)
- Les enfants jouent **tout** seuls dans le jardin. (= totalement seuls)

Devant un **adjectif féminin**, singulier ou pluriel commençant par une **consonne**, *tout* s'accorde avec l'adjectif.
- C'est une salle de cinéma **toute** neuve. (= entièrement neuve)
- Lave-toi les mains ! elles sont **toutes** sales. (= très sales)

Devant un **adjectif féminin**, singulier ou pluriel commençant par **une voyelle ou un *h* muet**, on peut accorder ou ne pas accorder *tout*.

- Elle était **tout** étonnée / **toute** étonnée de son succès.
- Elles étaient **tout** heureuses / **toutes** heureuses de se revoir.

2. Autres emplois de tout

L'adverbe *tout* s'emploie aussi :

— devant une préposition ou un adverbe (= très),

- Le parking est **tout** près du supermarché.
- Parlez **tout** doucement. Le bébé dort.

— devant un gérondif,

- Nous bavardions **tout en** nous promenant. (= pendant que nous nous promenions)

— dans un grand nombre d'expressions adverbiales.

- Tout de suite, tout à fait, tout à l'heure, tout à coup, tout de même, etc.

LES PRONOMS PERSONNELS

Les pronoms personnels désignent des personnes ou remplacent un mot ou un groupe de mots déjà mentionnés. La forme des pronoms personnels varie en genre, en nombre et selon leur fonction dans la phrase.

→ Aimez-**vous** jouer au scrabble ? Oui, **j'**aime beaucoup **y** jouer.

→ Notre fille est à l'étranger et **nous** correspondons avec **elle** par internet.

I. LES PRONOMS SUJETS

Formes des pronoms sujets

Attention
Je s'élide devant une voyelle ou un *h* muet.
- J'aime faire du ski.
- J'habite Bordeaux.

singulier	pluriel
je	**nous**
tu	**vous**
il / elle	**ils / elles**

Emploi des pronoms sujets

1. Place du pronom sujet

Le pronom sujet est placé devant le verbe, sauf à la forme interrogative.

- **Je** suis arrivé à Nice vers 21 heures.
- Cette plante a besoin de soleil, c'est pourquoi **elle** pousse bien dans le Midi.
- Jean et Bertille, quand venez-**vous** nous voir ?

↺ *Renvoi*
Pour la forme interrogative, voir page 180.

2. Le pronom on

Dans la langue familière, le pronom indéfini *on* s'emploie comme un pronom personnel à la place de *nous*.

- Mes copains et moi, **on** est allé(s) à un match de foot dimanche. **On** s'est bien amusé(s).

↺ *Renvoi*
Pour l'accord du participe passé avec *on*, voir page 59.

3. Le vous de politesse

En général, on dit *vous* à une personne qu'on ne connaît pas ou qui est plus âgée, mais on dit *tu* à un proche : un membre de sa famille, un ami ou un collègue.

II. LES PRONOMS TONIQUES

Formes des pronoms toniques

singulier	pluriel
moi	**nous**
toi	**vous**
lui / elle	**eux / elles**

Emploi des pronoms toniques

Ces pronoms renforcent un nom ou un pronom.

- **Moi**, je vais aller à la plage et **toi**, qu'est-ce que tu vas faire ?
- Les voisins du 5e étage sont très froids mais ceux du 3e, **eux**, sont très gentils.

Ils sont employés avec *et, ou, ni.*

- Ma meilleure amie et **moi**, nous avons fait un voyage en Inde, l'an dernier.
- Ni **lui** ni **elle** ne parlent espagnol bien qu'ils soient nés à Madrid.

Ils sont employés après le présentatif *c'est.*

- Est-ce que c'est le directeur du laboratoire ? Oui, c'est **lui**.

Ils remplacent le pronom sujet lorsque le verbe est sous-entendu.

— dans une réponse,
- Je vais faire du ski cet hiver, et vous ?
  - **Moi** aussi. (= je vais faire du ski)
  - Pas **moi**. (= je ne vais pas faire de ski)

— dans une comparaison,
- Comme **toi**, j'adore les bandes dessinées. (= moi aussi, j'adore les bandes dessinées)
- Jacques est beaucoup plus âgé que **moi**. (= que je suis âgé)

— dans une opposition.
- **Moi**, j'aime bien la montagne, mais **lui** pas du tout.

Ne dites pas
- Moi et Marie, nous sortons souvent ensemble.
mais par politesse :
→ Marie **et moi**, nous sortons souvent ensemble.

Ils s'emploient après une préposition.

- Caroline, es-tu libre ce soir ? J'aimerais aller au cinéma avec **toi**.
- Les Leclerc travaillent beaucoup. Ils ne sont pas souvent chez **eux**.
- En France, le général de Gaulle est un homme très célèbre ;
  on parle encore souvent de **lui**.

Remarque générale sur les pronoms toniques

Le pronom tonique est renforcé par l'adjectif *même(s)* quand on veut insister sur l'identité.

- C'est le maire **lui-même** qui va marier Paul et Julie.
- Les enfants ont bâti **eux-mêmes** cette cabane.

III. LES PRONOMS COMPLÉMENTS

Ils sont placés **devant le verbe** à tous les modes, sauf l'impératif affirmatif, à tous les temps et à toutes les formes.

En / le, la, les

Ce sont des pronoms **compléments d'objet direct** de la troisième personne. Ils remplacent des noms de personnes ou de choses.

1. En

Il remplace un nom précédé d'un article partitif *du, de la, de l'*.

- Voulez-vous du thé ? Oui, j'**en** veux bien.
- Est-ce que vous avez de la famille à Paris ? Non, je n'**en** ai pas.
- De l'eau, il faut **en** boire souvent quand on fait du sport.

↺ *Renvoi*
Pour les autres emplois de *en*,
voir page 79.

Il remplace un nom précédé de l'article indéfini *un, une, des*.

- — Est-ce que vous avez une photo d'identité ?
  — Oui, j'**en** ai une. / Non, je n'**en** ai pas.

À la forme affirmative ou interrogative, il faut répéter *un, une*. Mais à la forme négative, on ne doit pas le répéter.

- — J'ai un ordinateur portable. Et vous, **en** avez-vous un ?
  — Non, je n'**en** ai pas.

- — Tu as des amis français ?
  — Oui, j'**en** ai **un** qui habite Nice et **un** qui vit à Marseille.
  — Non, je n'**en** ai pas.

Il remplace un nom précédé d'une expression de quantité : *beaucoup de, trop de, assez de, un kilo de, une boîte de, plusieurs, quelques-un(e)s, aucun(e),* etc.

- — Est-ce que tu as vu beaucoup de films de Truffaut ?
  — Oui, j'**en** ai vu
    { beaucoup
    { plusieurs
    { un grand nombre, etc.

- — **Combien** d'enfants ont les Fontaine ?
  — Ils **en** ont **trois**.

- Normalement, tous les participants au congrès doivent porter un badge. Mais j'**en** vois **quelques-uns** qui n'en ont pas. (= je vois quelques participants qui...)

Ne dites pas
- J'en vois quelques qui n'en ont pas.

- — Puisque tu as aimé ce roman de M. Duras, si tu veux, j'**en** ai **d'autres** à te prêter. (= j'ai d'autres romans...)

En s'emploie aussi avec les constructions impersonnelles comme *il y a, il manque, il faut, il reste,* etc.

- — Y a-t-il encore du champagne à la cave ?
  — Oui, il **en** reste **une caisse**. (= il reste une caisse de champagne)

- Il y a eu un orage hier, il y **en** avait déjà eu **un** avant-hier. (= il y avait déjà eu un orage)

- Tous les étudiants sont là, il **n'en** manque **aucun**. (= il ne manque aucun étudiant)

2. Le, la, les

Ils représentent **des personnes ou des choses déterminées**. Ils remplacent un nom précédé d'un article défini, d'un adjectif possessif ou d'un adjectif démonstratif.

- Nous vendrons
    { **la** maison
    { **notre** maison. → Nous **la** vendrons.
    { **cette** maison

Attention
Le, la s'élident devant une voyelle ou un *h* muet.
- J'écoute Jean, je l'écoute.
J'écoute Jeanne, je l'écoute.

- — Est-ce que tu as vu le dernier film de Spielberg ?
  — Oui, je l'ai vu. / Non, je ne l'ai pas vu.

- Les Duchemin, je **les** connais depuis plus de dix ans !

LE GROUPE DU NOM ET LES PRONOMS

3. En ou le, la, les ?

Comparez :

- J'ai lu **un** livre. → J'**en** ai lu un.
- *et* J'ai lu **ton** livre. → Je l'ai lu.

- J'ai lu **des** livres. → J'**en** ai lu.
- *et* J'ai lu **ces** livres. → Je **les** ai lus.

↻ *Renvoi*
Pour les indéfinis employés
avec *en* et *les*, voir page 63.

- J'ai lu **quelques** livres de cet auteur. → J'**en** ai lu **quelques-uns**.
- *et* J'ai lu **tous** les livres de cet auteur. → Je **les** ai **tous** lus.
- *et* Je n'ai lu **aucun** livre de cet auteur. → Je n'**en** ai lu **aucun**.

Attention, ne confondez pas *en* et *le, la, les.*

- — Tu as trouvé un pantalon dans cette boutique ?
  — Oui, j'**en** ai acheté un (= j'ai acheté **un** pantalon) et je **le** mettrai ce soir (= je mettrai **ce** pantalon).

- Des romans policiers, Pierre **en** a beaucoup (= il a **des** romans) dans sa bibliothèque mais il ne **les** a pas tous lus (= il n'a pas lu tous **ces** romans).

Remarques sur les pronoms compléments d'objet direct

Les participes passés employés avec l'auxiliaire *avoir* s'accordent avec les pronoms compléments d'objet direct, excepté *en*.

Comparez :

- J'ai vu **vos** photos de vacances → je **les** ai **vues**.
- *et* J'ai vu **des** photos de votre mariage → j'**en** ai **vu**.

Les pronoms compléments d'objet direct s'emploient aussi avec *voici* et *voilà*.

- — Où est la clé de la voiture ? **La** voilà !
- — Tu veux un abricot ? **En** voilà **un** bien mûr !

Lui / leur

Ce sont des pronoms **compléments d'objet indirect** de la troisième personne, compléments d'un verbe suivi de la **préposition à**. Ils représentent des personnes. La forme est la même pour le masculin et pour le féminin.

- J'ai écrit à Lucie pour **lui** souhaiter un bon anniversaire. (souhaiter à Lucie)
- Les passagers ne sont pas contents parce qu'on **leur** a annoncé que l'avion décollerait avec cinquante minutes de retard. (annoncer aux passagers)

Me, te, nous, vous

Ce sont des pronoms **compléments d'objet direct ou indirect** de la première et de la deuxième personnes singulier ou pluriel. Ils représentent des personnes.

- Bonjour, est-ce que tu **me** reconnais ? Nous étions à l'école primaire ensemble. (reconnaître qqn)
- Mon frère **vous** aidera à déménager. (aider qqn)
- Notre grand-mère est morte l'an dernier. Elle **nous** manque beaucoup. (manquer à qqn)
- Gabriel **t'**a téléphoné et il demande que tu le rappelles. (téléphoner à qqn)

Attention
Me, te s'élident devant une voyelle ou un *h* muet.
- — Jean, est-ce que tu **m'**entends ?

Cas particulier : à + pronom tonique

Avec les verbes pronominaux (*s'adresser à qqn, s'attacher à qqn, s'intéresser à qqn, se plaindre à qqn*, etc.) et avec quelques verbes (*être à qqn, penser à qqn, songer à qqn, faire attention à qqn, tenir à qqn*, etc.), on n'emploie pas les pronoms compléments indirects placés devant le verbe, on emploie *à* + pronom tonique.

- Ce parapluie est-il **à toi** ?
- Les petits jouent au bord de la piscine. Faites attention **à eux** !
- La responsable du magasin est Madame Dubois. Il faut vous adresser **à elle.**

Comparez :
- Je parle à Clément. → Je **lui** parle. (parler à qqn)
et Je pense à Clément. → Je pense à **lui.** (penser à qqn)

- Alice **m'**écrit souvent. (écrire à qqn)
et Alice est attachée **à moi.** (s'attacher à qqn)

En *et* Y

↻ *Renvoi*
Pour l'emploi de *en* COD,
voir pages 75 à 77.

Ils peuvent être **compléments d'objet indirect** ou **compléments de lieu**.

1. En

Il remplace un nom de chose précédé de la préposition *de*.

Remarques
1. Dans la ***langue soutenue***, il est préférable de ne pas employer *en* pour remplacer un nom de personne. On emploie *de* + pronom tonique.
Comparez :
■ Il parle souvent de ses amis italiens. Il parle souvent **d'eux.**
et Il parle beaucoup de ses affaires. Il **en** parle beaucoup.

2. Le pronom *en* peut exprimer la cause.
■ Il a beaucoup de soucis et il **en** a perdu le sommeil.
(= à cause de ses soucis)

- — Depuis combien de temps jouez-vous du violon ?
  — J'**en** joue depuis trois ans. (jouer de)
- — Vous êtes contents de votre nouvel appartement ?
  — Oui, nous **en** sommes très contents. Il est calme, clair et bien situé. (être content de)
- Notre association sportive vient de fêter ses dix ans. J'**en** suis le président depuis sa création. (être président de)

Il remplace un complément de lieu introduit par *de*.

- — D'où viens-tu ? De la piscine ?
  — Oui, j'**en** viens. J'y suis allé avec Luc. (venir de)
- Les membres du jury se sont réunis à 15 h dans la salle 304 et ils **en** sont sortis à 19 h. (sortir de)

2. Y

Il remplace un nom de chose précédé de la préposition *à*.

- Il adore les échecs et il **y** joue très souvent. (jouer à)
- J'ai fait un rêve très étrange et j'**y** ai pensé toute la journée. (penser à)

Ne dites pas
■ — Es-tu allé au Louvre ?
— Oui, je suis allé là.
mais → — Oui, j'y suis allé.

- — Avez-vous assisté à la conférence de M. Dubois ?
  — Oui, j'**y** ai assisté. (assister à)

Il remplace un complément de lieu introduit par *à, dans, en, sur, sous,* etc.

- — Depuis quand habitez-vous à Brest ?
  — Nous **y** habitons depuis un an. (= à Brest)
- — Tiens ! J'avais vu un bel oiseau sur la branche mais maintenant il n'**y** est plus. (= sur la branche)

Remarque
Pour faciliter la prononciation, on n'emploie pas *y* devant le futur et le conditionnel présent du verbe *aller*.
■ — Est-ce que tu iras à la piscine ?
— Oui, j'irai sûrement.

- — Depuis combien de temps travaillez-vous dans cette entreprise ?
  — J'**y** travaille depuis six mois. (= dans cette entreprise)

Les pronoms réfléchis

I. me, te, se, nous, vous, se

Les pronoms réfléchis sont de la même personne que le sujet. Ils sont compléments d'objet direct ou indirect.

singulier	pluriel
je **me** tu **te** ⎬ + verbe il / elle **se**	nous **nous** vous **vous** ⎬ + verbe ils / elles **se**

- Je **me** suis inscrit à un club de karaté.
- Le soleil **se** lève à l'est.
- Isabelle et sa sœur **se** ressemblent beaucoup.
- Estelle et moi, nous **nous** téléphonons très régulièrement.

↺ *Renvoi*
Voir la forme pronominale, page 109.

2. Le pronom réfléchi soi

Il renvoie toujours à un pronom indéfini (*on, chacun, personne, quelqu'un, tout le monde,* etc.) exprimé ou non. Il est en général employé après une préposition.

- La confiance en **soi** est nécessaire dans la vie.
- Il y avait du brouillard et on ne voyait pas à un mètre devant **soi**.

Comparez :
- Après le spectacle, **mon frère** est rentré chez **lui.**

et Après le spectacle, **chacun** est rentré chez **soi**.

IV. ORDRE ET PLACE DES PRONOMS COMPLÉMENTS

Ordre des pronoms devant le verbe

Beaucoup de verbes se construisent avec deux pronoms compléments. Plusieurs combinaisons sont possibles.

Combinaison I
Le pronom *en* est toujours en seconde position.

m'en	nous en
t'en	vous en
lui en / l'en	leur en / les en
s'en	s'en

- Je viens d'acheter un four à micro-ondes ; je **m'en** sers souvent. (se servir de)
- Alice adore les orchidées. Je **lui en** offrirai une pour sa fête. (offrir qqch à qqn)
- C'est un projet intéressant ; je **vous en** parlerai en détail demain. (parler de qqch à qqn)
- Il a fait une erreur mais il ne **s'en** est pas aperçu. (s'apercevoir de qqch)

Combinaison 2

me {	le / la / les	te {	le / la / les	se {	le / la / les
nous {	le / la / les	vous {	le / la / les	se {	le / la / les

- Tu as besoin de ces documents ? Je **te les** apporterai demain. (apporter qqch à qqn)
- Chaque fois que nous lui demandons sa camionnette, il **nous la** prête volontiers. (prêter qqch à qqn)
- Pour une bonne hygiène des dents, il faut **se les** laver tous les jours. (se laver qqch)

Combinaison 3

le {	lui / leur	la {	lui / leur	les {	lui / leur

- Il voulait avoir l'adresse de la clinique du sport ; je **la lui** ai donnée. (donner qqch à qqn)
- Mes amis ne connaissaient pas cet excellent restaurant. Je **le leur** ai vivement recommandé. (recommander qqch à qqn)

Combinaison 4

m'y	nous y
t'y	vous y
l'y	les y
s'y	s'y

■ — Est-ce que ton travail te plaît ?

— Oui, je **m'y** intéresse beaucoup. (s'intéresser à qqch)

■ — Est-ce que tu viens avec nous au café ?

— Oui, je **vous y** retrouverai à midi. (retrouver qqn quelque part)

L'ordre des pronoms : tableau récapitulatif

	I	2	3	4	5	
sujet +	me te nous vous se	le la les	lui leur	y	en	+ verbe

Y et *en* ne s'emploient jamais ensemble, sauf avec *il y a*.

■ J'ai mis des fleurs dans un vase.

→ J'**y** ai mis des fleurs.

ou J'**en** ai mis dans un vase.

Ne dites pas
■ J'y en ai mis...

Les pronoms des colonnes 1 et 3 ou 3 et 4 ne peuvent pas être employés ensemble.

■ On **m'**a présenté au **directeur**.

→ On **m'**a présenté à **lui**.

Ne dites pas
■ On me lui a présenté.

■ J'ai téléphoné **à mes parents** en Angleterre.

→ Je **leur** ai téléphoné en Angleterre.

Ne dites pas
■ Je leur y ai téléphoné...

La place des pronoms compléments ne change pas quand le verbe est à la forme négative.

■ Quand Madame Legrand prendra-t-elle sa retraite ? Elle ne **la** prendra pas avant deux ans.

■ Je ne connaissais pas cette histoire. Vous ne **m'en** aviez jamais parlé.

Aux temps composés, les pronoms compléments sont toujours placés devant l'auxiliaire.

■ Tu connais le musée Picasso ? Moi, j'**y** suis allé trois fois !

■ J'ai envoyé une carte postale à mes parents ? Je **leur en** ai envoyé une.

Ne dites pas
■ J'ai leur en envoyé une...

Cas de l'impératif affirmatif

1. Place des pronoms

Les pronoms sont placés après le verbe auquel ils sont reliés par un trait d'union.

- — Tu veux de la crème ?
  — Prends-**en** ! (= de la crème)
- Si vous voulez joindre Madame Lescot, appelez-**la** sur son portable ! (= Madame Lescot)
- Il y a des soldes incroyables dans ce magasin. Courez-**y** !
  (= dans le magasin)

Attention
À l'impératif négatif, les pronoms restent placés devant le verbe dans l'ordre habituel.
- N'**en** prends pas !
- Ne **le lui** dites pas !
- Ne **l'**appelez pas !

À la 1re et à la 2e personnes du singulier, on emploie les pronoms toniques.
- Écoute-**moi** !
- Assieds-**toi** !

Attention
À l'impératif négatif, on emploie *me* et *te*.
- Ne **m'**écoute pas !
- Ne **t'**assieds pas !

2. Ordre des pronoms

Deux combinaisons sont possibles.

Combinaison 1

Verbe + { le / la / les } + { moi / toi / lui / nous / vous / leur }

- Passe-moi le pain ! Passe-**le-moi** !
- Le docteur Lefort veut voir vos radios. Montrez-**les-lui** !
- Nous ne comprenons pas cette phrase. Expliquez-**la-nous** !

Combinaison 2

Verbe + { m' / t' / lui / nous / vous / leur } + en

Remarque
À la 2e personne du singulier, pour faciliter la prononciation, le verbe *aller* et les verbes terminés par un e prennent un *s* devant les pronoms *en* et *y*.
- Vas-y !
- Achète**s**-en !

Remarque
La combinaison *m'y, t'y, nous-y, vous-y, les-y* est rare.
- Emmène les enfants à la piscine !
→ Emmène-**les-y** !

- Achète des ballons aux enfants !
  → Achète-**leur-en** !
- Il n'a pas d'argent sur lui.
  → Donne-**lui-en** un peu !
- Donne-moi du fromage !
  → Donne-**m'en** !

Verbes suivis d'un infinitif

Quand un verbe est suivi d'un infinitif, **le pronom complément de l'infinitif est placé devant celui-ci.**

- Ils veulent aller en Thaïlande
  → Ils veulent **y** aller. (= en Thaïlande, complément de *aller*)
- Ce grand savant vient de recevoir le prix Nobel.
  → Il vient de **le** recevoir. (= le prix Nobel)
- Il n'y a plus de pain. Va **en** acheter, s'il te plaît ! (= du pain)
- J'ai une adresse internet. Je vais vous **la** communiquer.
  (= l'adresse)

Cas particulier

Les pronoms compléments de l'infinitif sont placés devant le premier verbe dans les cas suivants :

— *faire* + infinitif ; *laisser* + infinitif ; *envoyer* + infinitif,

- Cette histoire fait rire les enfants.
  → Elle **les** fait rire.
- Quand j'étais petit, j'avais mal au dos. On **m'**a fait faire de la gymnastique.
- Mathieu devait rester à l'hôpital une semaine mais on **l'**a laissé sortir au bout de quatre jours.
- Où est Martin ? Je **l'**ai envoyé faire des courses au supermarché.

— verbes de perception + infinitif : *voir, regarder, écouter, entendre, sentir.*

- Il aimait les oiseaux et il **les** écoutait chanter au petit matin.
- — Connaissez-vous cet acteur ?
  — Oui, je **l'**ai vu jouer dans une pièce de Ionesco.

Attention
À l'impératif affirmatif, le pronom est placé après le premier verbe auquel il est réuni par un trait d'union.
- Faites-**le** entrer !
- Laissez-**moi** parler !
- Regardez-**les** danser !

↺ *Renvoi*
Pour l'accord du participe passé,
voir page 157.

V. LES PRONOMS NEUTRES : LE, EN, Y.

Ces pronoms remplacent un mot ou un groupe de mots.

1. Le

Il remplace **un attribut** : adjectif ou nom. Il est invariable.

- Suzanne est **bonne** en mathématiques mais elle l'est moins en physique. (**l'** = bonne)
- Van Gogh n'était pas **célèbre** de son vivant mais il l'est devenu après sa mort. (**l'** = célèbre)
- Les œuvres de cet écrivain sont **traduites** en français, mais elles ne **le** sont pas en espagnol. (**le** = traduites)
- Madame Roche a été élue conseillère municipale de sa ville et elle l'est restée pendant dix ans. (**l'**= conseillère municipale)

Il remplace **une proposition complétive**.

Remarque
Avec le verbe *savoir*, on omet souvent *le*.
- — Tu sais que Jean vient de partir travailler à l'étranger.
— Oui, je **le** sais.
— Oui, je sais.

- Un nouvel espace vert va être aménagé dans notre quartier. Je l'ai lu dans le journal.
  (= qu'un nouvel espace vert va être aménagé...)
- Il faut absolument améliorer la sécurité routière. Tout le monde **le** réclame. (= qu'on améliore la sécurité routière)
- — Quand arrivez-vous ? Dites-**le**-nous au plus vite !
  (= quand vous arrivez)

2. En

Il remplace **un groupe de mots** ou **une proposition complément** d'un verbe ou d'un adjectif suivis de la préposition *de*.

- Jean rêve **de faire du parachute** mais moi, je n'**en** ai aucune envie.
- Il ne tient aucun compte **de ce qu'on lui dit**.
  → Il n'**en** tient aucun compte.

3. En ou le ?

Le pronom *en* remplace **une proposition complétive** lorsque le verbe ou l'adjectif se construit avec la préposition *de*.

- Je suis sûr **que ce mot s'écrit comme ça**. → J'**en** suis sûr.
  (= être sûr de)
- Je me suis aperçu **que je m'étais trompé**. → Je m'**en** suis aperçu.
  (= s'apercevoir de)

Le pronom *le* remplace **de + infinitif** dans les constructions verbales du type *demander à qqn de faire qqch*, par analogie avec l'autre construction de ce verbe : *demander qqch à qqn*.

- Elle a demandé au serveur **d'apporter le menu**.
  → Elle **le** lui a demandé. (= d'apporter le menu)

C'est le cas des verbes *dire, interdire, promettre, permettre, défendre, conseiller, proposer*, etc.

- Dites à Vincent **d'arriver avant midi**. Dites-**le**-lui !
  (= d'arriver avant midi)
- Le maire a promis aux habitants de la ville **d'aménager des pistes cyclables**.
  → Il **le** leur a promis. (= d'aménager des pistes cyclables)

4. Y

Il remplace **un groupe de mots** ou **une proposition** introduite par la préposition *à*.

- J'ai renoncé à partir en vacances ce mois-ci parce que j'ai trop de travail.
  → J'**y** ai renoncé parce que j'ai trop de travail.
  (= à partir en vacances)
- L'équipe de football de la ville a gagné le match. Personne ne s'**y** attendait. (= à ce que l'équipe gagne le match)
- Il faut que tu t'inscrives sur les listes électorales avant le 31 décembre. Penses-**y** ! (= à t'inscrire)

5. Omission des pronoms neutres le, en, y

Avec certains verbes suivis d'un infinitif : *accepter, essayer, continuer, oser, commencer, apprendre, finir, refuser, oublier, réussir, savoir, pouvoir*, etc., on n'emploie pas de pronom neutre. On peut aussi répéter l'infinitif.

- — Est-ce que tu sais conduire ?
  — Oui, je sais. / Oui, je sais conduire.
- — As-tu fini de déjeuner ?
  — Oui, j'ai fini. / Oui, j'ai fini de déjeuner.
- — Est-ce qu'il osera entrer ?
  — Non, il n'osera pas. / Non, il n'osera pas entrer.

Ne dites pas
- ~~Oui, je le sais.~~

Cas particuliers

Les verbes *aimer* et *vouloir* sont renforcés par l'adverbe *bien*.

- — Est-ce que tu aimerais faire de la plongée sous-marine ?
  — Oui, j'aimerais **bien**.
- — Vous voulez boire un café ?
  — Oui, je veux **bien**. (= j'accepte)

Après les verbes *aimer, détester, trouver*, etc. on emploie *ça* et non pas le pronom neutre *le* dans les phrases à valeur générale.

- — Est-ce que tu aimes **faire des voyages** ?
  — Oui, j'aime beaucoup **ça**.
- **Faire la cuisine**, je trouve **ça** ennuyeux !

LE VERBE

INTRODUCTION

Le verbe est l'élément essentiel de la phrase. Il exprime un état ou une action.

Généralement situé au milieu de la phrase, il lui donne son unité en mettant en relation ses différents éléments.

Ainsi, les mots *Jean / un livre / dans la bibliothèque* ne prennent sens qu'avec un verbe.

- Jean **a pris** un livre dans la bibliothèque.

Les formes verbales sont complexes. Elles varient selon :

— la personne et le nombre : trois personnes singulier et trois personnes pluriel ;

— le mode : l'indicatif, le subjonctif, le conditionnel, l'impératif, le participe et l'infinitif ;

— le temps : le présent, les temps du passé et les temps du futur ;

— l'aspect : le début, la durée et la fin d'une action ;

— la voix : la voix active et la voix passive.

LES CONSTRUCTIONS VERBALES

Les constructions verbales sont très variées. Il existe trois types de verbes :

• les verbes employés seuls, c'est-à-dire sans complément d'objet ;
→ Le soleil brille.

• les verbes suivis d'un attribut ;
→ La terre est ronde.

• les verbes suivis d'un ou de deux compléments d'objet qui en précisent le sens : nom, infinitif, proposition subordonnée. Ces verbes sont les plus nombreux.
→ Jean a offert des fleurs à sa femme.
→ Le chien voudrait sortir.
→ J'espère que vous avez passé de bonnes vacances.

(Voir les constructions verbales pages 333 à 358.)

I. VERBES EMPLOYÉS SEULS

Ce sont des **verbes intransitifs**, c'est-à-dire qu'ils ont un sens par eux-mêmes, sans être suivis d'un complément d'objet.

C'est le cas :

— des verbes : *rire, pleurer, souffrir, rougir, pâlir, dormir, rester, naître, vivre, mourir*, etc.

■ Les enfants **dorment**.

■ Quelle excellente soirée ! Nous **avons** bien **ri**.

■ Victor Hugo **est mort** en 1885.

Remarque
Le verbe de mouvement *aller* est toujours suivi d'un complément de lieu.
■ Il va à la banque, au bureau, à la piscine, etc.

— des verbes de mouvement : *marcher, courir, arriver, partir, venir, entrer, sortir, avancer, reculer*, etc.

■ Attention ! La voiture **recule**.

■ Le train **est parti** à midi.

II. VERBES SUIVIS D'UN ATTRIBUT

Le sujet est relié par le verbe à un attribut. Celui-ci peut être un adjectif ou un nom.

Les principaux verbes attributifs sont :
— le verbe *être*,
- Les rues du village **sont** désertes le soir.
- Madame Legrand **est** orthophoniste.

— les verbes *paraître, sembler, avoir l'air, devenir*, etc.
- Étienne **semble** très content de son nouveau travail.
- À l'automne, les feuilles des arbres **deviennent** rousses.

D'autres verbes peuvent être employés avec un attribut : *vivre, mourir, tomber, rester*, etc.
- Marianne **vit** seule.
- Joséphine **est tombée** malade et elle **est restée** couchée trois jours.

Le complément d'objet direct de certains verbes comme *croire, rendre, trouver, nommer*, etc. peut aussi avoir un attribut.
- Je trouve **ce documentaire** très **intéressant**.
  (= je trouve que ce documentaire est très intéressant)
- Les huîtres **me** rendent **malade**.
  (= je suis malade à cause des huîtres)

III. VERBES SUIVIS D'UN OU DE DEUX COMPLÉMENTS

Verbes suivis d'un nom complément

Ce sont des **verbes transitifs**, c'est-à-dire qu'ils ont un sens quand ils sont suivis d'un complément d'objet.
Il y a deux sortes de compléments.

1. Le complément d'objet direct (COD)

L'action passe directement sur l'objet sans l'intermédiaire d'une préposition.

- Elle lit **un poème**. (elle lit quoi ?)
- Elle surveille **ses enfants**. (elle surveille qui ?)

2. Le complément d'objet indirect (COI)

L'action passe indirectement sur l'objet par l'intermédiaire d'une préposition : *à* ou *de*.

- Il téléphone **à sa mère** tous les dimanches. (il téléphone à qui ?)
- Le conférencier parlera **de la politique européenne**. (il parlera de quoi ?)

Verbes suivis d'un infinitif complément

Certains verbes sont suivis directement de l'infinitif, d'autres sont suivis d'un infinitif précédé d'une préposition.

1. Verbe + infinitif

C'est le cas de verbes très courants comme *aimer, pouvoir, vouloir, savoir, espérer, penser*, etc.

- À Paris, on **peut prendre** le métro jusqu'à une heure du matin.
- J'**aime faire** du bateau.

2. Verbe + préposition + infinitif

Les deux prépositions les plus fréquentes sont *à* et *de*.

Préposition *à* : *tenir, commencer, se mettre, penser, chercher, réussir*, etc.

- Il **hésite à accepter** cette proposition.
- Elle ne **s'habitue** pas **à se lever** tôt.

Préposition *de* : *essayer, avoir besoin, avoir envie, oublier, accepter*, etc.

- Ils **ont décidé de faire** le tour de la Bretagne à bicyclette.
- Je **regrette de** ne pas **savoir** jouer d'un instrument de musique.

Verbes suivis de deux compléments

De nombreux verbes peuvent avoir deux compléments. Plusieurs constructions sont possibles.

Verbe + COD + COI (quelque chose à quelqu'un / quelqu'un à quelqu'un)

Verbes : *apporter, demander, montrer, envoyer,* etc.

- Nous **avons acheté un vélo à notre fils**.
               (COD)   (COI)
- Il **raconte** souvent **des histoires à ses amis**.
- Il **a présenté sa petite amie à ses parents**.

Verbe + COI (à quelqu'un) **+ *de* + infinitif**

Verbes : *dire, permettre, promettre, demander, écrire,* etc.

- À l'hôpital, on **demande aux visiteurs *d'*éteindre leur portable**.
                            (COI)
- Le vendeur **conseille au client *de*** bien **lire** le mode d'emploi de l'appareil avant de l'utiliser.

Verbe + COD (quelqu'un) **+ *à* + infinitif**

Verbes : *autoriser, forcer, obliger,* etc.

- Il **a aidé la vieille dame *à* traverser** la rue.
                 (COD)
- Les professeurs **encouragent cet élève *à* poursuivre** ses études.

Verbe + COD (quelqu'un) **+ *de* + infinitif**

Verbes : *accuser, empêcher, persuader, convaincre,* etc.

- Le maire **a félicité les pompiers *d'*avoir montré** tant de courage.
                  (COD)
- Elle **a chargé les enfants *de* débarrasser** la table et *de* **faire** la vaisselle.

Verbe + COD (quelqu'un) **+ *de* + nom**

Verbes : *accuser, avertir, féliciter, informer, excuser,* etc.

- Il faudra **remercier Monsieur Legrand *de* son invitation**.
                        (COD)
- Il **a prévenu son ami *de* son arrivée**.

Verbes suivis d'une proposition subordonnée

Ces verbes sont nombreux. Deux sortes de propositions peuvent les suivre :

— une subordonnée complétive,

- Delphine aime **qu'on lui offre des fleurs**.

— une subordonnée interrogative indirecte.

- Louis demande **si tout est prêt pour le départ**.

IV. VERBES À CONSTRUCTIONS MULTIPLES

Certains verbes peuvent être transitifs ou intransitifs.

- Elle **chante une chanson italienne**. (verbe transitif)
- L'oiseau **chante**. (verbe intransitif)

Ce passage entraîne parfois un changement de sens.

Comparez :

- Anne **conduit** bien. (= c'est une bonne conductrice)

et Anne **conduit ses enfants** à l'école tous les matins.

   (= elle emmène ses enfants à l'école)

- Le temps **passe** vite. (= le temps s'écoule vite)

et Il **a passé un examen** hier. (= il s'est présenté à un examen)

Certains verbes peuvent avoir plusieurs constructions.

Il y a alors un changement de sens.

Servir

Servir qqch à qqn

- Le garçon de café **nous** a servi **un chocolat et un thé**.

   (= il nous a apporté...)

Servir à + infinitif

- — **À quoi** sert cet appareil ? (= à quoi est-il utilisé ?)

   — Il sert **à faire** la mayonnaise.

Se servir

- Voilà des cerises. **Servez-vous** ! (= prenez des cerises !)

Se servir de

- Je me sers **d'internet** pour avoir des informations sur beaucoup de sujets. (= j'utilise internet)

Manquer

Manquer de qqch

- Je manque **de temps et d'argent**. (= je n'ai pas assez de...)

Manquer qqch

- Il a manqué **son train**. (= il n'a pas pu prendre son train)

Verbe impersonnel

- Il manque **un bouton** à ma veste. (= j'ai perdu un bouton)

Manquer à qqn

- Sa famille **lui** manque mais il manque aussi **à sa famille**.
(= il voudrait voir sa famille)   (= sa famille voudrait le voir)

Faire

Faire + complément d'objet direct

- C'est moi qui **ai fait cette tarte au citron**.
- Je vais **faire des courses**.

Faire + infinitif (= être la cause de)
Sens actif

- C'est un médicament qui **fait dormir**.
- Le psychanalyste **fait allonger** son patient sur le divan.

Sens passif

- J'**ai fait laver** ma voiture dans une station service.
(= ma voiture a été lavée par qqn)

Le verbe *faire* peut remplacer un groupe verbal.

- Tu as réservé des places dans le train ? Non, je ne l'**ai** pas encore **fait**. (= je n'ai pas encore réservé de places dans le train)

Remarque
On peut dire aussi :
- Un bouton **manque** à ma veste.
- Deux étudiants **manquent** dans la classe.
Cette construction est moins fréquente.

Ne dites pas
- Avoir des difficultés, ça l'a fait plus gentil.
mais → Avoir des difficultés, ça l'**a rendu** plus gentil.

LES AUXILIAIRES ET LES SEMI-AUXILIAIRES

Les verbes *avoir* et *être* sont des auxiliaires quand ils servent à conjuguer les verbes aux temps composés :

- **de la forme active,**
  → Ce matin, j'**ai pris** l'autobus un peu plus tôt que d'habitude.

- **de la forme passive,**
  → L'autobus **a été retardé** par des embouteillages.

- **de la forme pronominale.**
  → Je me **suis dépêché** pour arriver à l'heure au bureau.

Quelques verbes suivis d'un infinitif sont des semi-auxiliaires qui permettent d'exprimer différentes valeurs de temps et de sens.

→ Il **vient** de partir. (passé récent)
→ Vous **devez** fournir un certificat médical en cas d'absence. (obligation)

I. LES AUXILIAIRES

Les verbes à la forme active

On forme les temps composés avec l'auxiliaire ***avoir* ou *être* suivi du participe passé**. C'est le temps de l'auxiliaire qui différencie les temps composés.

- J'**ai lu** et **relu** *Le Petit Prince*. J'adore ce livre.
  (passé composé)

- Comme ils **étaient arrivés** très tard, ils n'**ont** pas **dîné** avec nous.
  (plus-que-parfait)   (passé composé)

- J'**aurais** bien **aimé** faire du théâtre.
  (conditionnel passé)

Remarques

1. *Avoir* est également un verbe conjugué avec l'auxiliaire *avoir*.
- Il **a** une belle maison.
- Tu **as eu** de la chance.

2. Il est aussi employé dans de nombreuses expressions :
- avoir vingt ans ; avoir faim, froid, soif ; avoir envie de, besoin de, etc.

1. Verbes conjugués avec l'auxiliaire avoir

Ce sont les plus nombreux.
- Nous **avons fait** un beau voyage en Italie cet été.
- Je m'étonne que vous n'**ayez** pas **compris** mon message.
- Nous **aurons** tout **rangé** avant ce soir. Je vous le promets !

2. Verbes conjugués avec l'auxiliaire être

Certains verbes très fréquents se conjuguent avec *être*. Ce sont :

– des **verbes de mouvement** qui indiquent un déplacement dans l'espace ou un changement de lieu : *aller, arriver, descendre, entrer, monter, partir, passer, retourner, sortir, tomber, venir* ;

■ Ils **sont partis** avant la fin du film parce qu'ils le trouvaient ennuyeux.

■ Ma sœur **est allée** voir une exposition de photographies.

– quatre **verbes d'état** : *devenir, rester, naître, mourir.*

■ Alice **est restée** trois heures à la bibliothèque pour préparer un exposé.

Remarques
Certains des composés de *venir* se conjuguent avec *être* : *intervenir, parvenir, revenir.* Mais *prévenir* se conjugue avec *avoir.*
■ Il **a prévenu** ses parents de son retard.
Convenir se conjugue généralement avec *avoir*, mais avec *être* dans la **langue soutenue**.
■ Ils **ont convenu** d'un rendez-vous.
■ Ils **sont convenus** d'un rendez-vous.

3. Cas particulier

Certains verbes de mouvement sont conjugués avec *avoir* quand ils sont suivis d'un complément d'objet direct : *(r)entrer, descendre, monter, passer, retourner, sortir.*

Comparez :

■ Les clients de la chambre 201 **sont** déjà **montés**.
(*monter* n'a pas de COD)

et Le portier de l'hôtel **a monté** leurs bagages dans la chambre.
(*monter* + COD : les bagages)

■ À quelle heure **êtes**-vous **sortis** de la salle de réunion ?
(*sortir* n'a pas de COD)

et Pour ranger ma bibliothèque, j'**ai sorti** tous mes livres.
(*sortir* + COD : les livres)

Le changement d'auxiliaire peut correspondre à un changement de sens.

Comparez :

Passer

■ J'**ai passé** du temps à préparer ce canard à l'orange.
(= j'ai employé mon temps)

et Je **suis passé** par l'avenue Victor Hugo pour rentrer chez moi.
(= j'ai pris l'avenue Victor Hugo)

Attention
Les autres verbes de mouvement se conjuguent avec *avoir.*
■ marcher, danser, sauter, glisser, etc.

Ne dites pas
■ ~~Je suis couru très vite.~~
mais → J'**ai** couru très vite.

Remarque
Être est également un verbe conjugué avec l'auxiliaire *avoir.*
■ Nous **sommes** en été.
■ Il **a été** malade la semaine dernière.

↺ *Renvoi*
Pour l'accord des participes passés, voir page 157.

Retourner

■ Le jardinier **a retourné** la terre avant de planter les salades. (= il a travaillé la terre)

et Elle **est retournée** dans le laboratoire chercher le livre qu'elle avait oublié. (= elle est allée de nouveau...)

Les verbes à la forme passive

↺ *Renvoi*
Pour la forme passive, voir page 104.

■ Le vaccin contre la rage **a été découvert** par Pasteur.
■ Le rôle de don Juan **sera joué** par un jeune acteur du Conservatoire.

Les verbes pronominaux

↺ *Renvoi*
Pour la forme pronominale, voir page 109.

■ Nous **nous sommes promenés** au bord de la rivière.
■ Les spectateurs **se sont levés** pour applaudir les acteurs.

II. LES SEMI-AUXILIAIRES

Les semi-auxiliaires sont des **verbes toujours suivis d'un infinitif**. Il y a plusieurs sortes de semi-auxiliaires.

Ils indiquent le temps

1. Le futur

Aller + infinitif : futur proche
■ Le bébé **va s'endormir**.
■ J'**allais prendre** ma douche quand le téléphone a sonné.

Devoir + infinitif
■ Nos amis Lacombe **doivent arriver** à la gare de l'Est à 21 h.
■ Marie **devait passer** me voir hier.

↺ *Renvoi*
Pour le futur proche et le passé récent, voir pages 126 et 131.

2. Le passé

Venir de + infinitif : passé récent
■ Est-ce que Victoire est là ? Non, elle **vient de sortir**.
■ Victoire **venait de partir** quand Renaud est arrivé.

Les verbes *aller* et *venir* suivis de l'infinitif sont aussi des verbes de mouvement.

semi-auxiliaires	verbes de mouvement
Aller : il **va rentrer** dans cinq minutes.	Tu pars ? Oui, je **vais acheter** des timbres. (déplacement)
Venir : il **vient de rentrer**.	On a sonné. C'est le technicien qui **vient réparer** le lave-linge. (déplacement)

Ils indiquent un aspect du verbe

Ils indiquent l'aspect, c'est-à-dire le début, le déroulement ou la fin d'une action.

Le début : *se mettre à, commencer à/de, être sur le point de.*
- En entendant cette histoire, tout le monde **s'est mis à rire**.
- Il **était sur le point de se coucher** lorsque nous sommes arrivés.

Le déroulement d'une action : *être en train de, continuer à.*
- Ne dérange pas Stanislas ! Il **est en train de travailler**.

La fin d'une action : *finir de, cesser de, arrêter de.*
- Au bout de trois jours, la pluie **a** enfin **cessé de tomber**.
- Tu peux prendre le journal. **J'ai fini de** le lire.

> **Remarque**
> Cesser de et arrêter de à la forme négative expriment la durée.
> ■ Il **n'arrête pas** de fumer.
> (= il fume tout le temps)

Ils ont une valeur modale

Ils indiquent **l'attitude, la façon de penser** de celui qui énonce la phrase.

1. Devoir

L'obligation
- Tout le monde **doit respecter** la loi.

La probabilité
- Quelle chaleur ! Il **doit faire** au moins 35 °C.
- Jacques n'est pas encore là. Ça m'étonne. Il **a dû avoir** un problème.

> ↻ **Renvoi**
> Au conditionnel, *devoir* exprime un reproche ou un conseil.
> Voir page 143.

2. Pouvoir

La capacité de faire quelque chose
- Cet avion **pourra transporter** plus de 700 passagers.

L'autorisation
- Est-ce que je **peux prendre** une photo de cet adorable bébé ?

La politesse
- Tu **peux** me **prêter** ta voiture demain ?

L'éventualité, la probabilité
- Attention ! Il a neigé, on **peut glisser**.

Ne confondez pas *pouvoir* **et** *savoir.*
Pouvoir : être capable de faire qqch physiquement ou intellectuellement.
- Il **peut** courir le 100 mètres en 12 secondes !
- Anne **peut** réciter par cœur des dizaines de poèmes.
  Quelle mémoire !

Savoir : connaître les règles, la technique.
- Il **sait** très bien jouer au tennis.
- C'est un homme politique qui **sait** parler en public.

Comparez :
- Il ne **sait** pas nager. (= il n'a pas appris)

et Il **peut** nager 1 km sans s'arrêter. (= il est capable de nager...)

3. Les verbes faire et laisser

Faire : être la cause d'une action.
- La tempête de 1999 **a fait tomber** beaucoup d'arbres dans
  le parc du château de Versailles.
- Il faut que je **fasse réparer** la télévision qui ne marche plus.

Laisser : ne pas empêcher une action.

↻ *Renvoi*
Pour *se faire, se laisser* + infinitif,
voir page 107.

- Taisez-vous ! **Laissez parler** Pauline !
- Oh ! Vous **avez laissé tomber** vos gants.

10

L'ACCORD DU VERBE AVEC LE SUJET

Le verbe s'accorde avec le sujet. Celui-ci peut être un nom ou un pronom.

→ **Les jeunes aiment** les jeux vidéo.
→ **Tu as vu** l'émission d'hier sur les fusées ? – Oui, **elle était** passionnante.

Règle générale

Le verbe s'accorde avec le sujet **en personne et en nombre**.

- **Tu verras** Julien ce soir.
- **Le loup et le renard sont** des animaux carnivores.
- **Elle est arrivée** hier soir de Suisse.
- **Ces fleurs ont** besoin d'être beaucoup arrosées.

↻ *Renvoi*
Pour l'accord du participe passé,
voir page 157.

Lorsque le sujet est le pronom relatif *qui*, le verbe s'accorde avec l'antécédent.

- C'est **moi** qui **ai** fait cette erreur.

  (qui représente moi : 1ʳᵉ personne singulier)

- **Vous** qui **êtes** de Toulouse, indiquez-moi un bon restaurant dans votre ville !

- Il y a beaucoup **d'espèces animales** qui **ont** disparu.

Le sujet peut être placé après le verbe à la forme interrogative ou dans une subordonnée relative.

- Où **se trouvent les clés et les papiers** de la voiture ?
- C'est dans ce quartier qu'**habitaient mes grands-parents**.

Cas particuliers

1. Les sujets sont des personnes différentes

Lorsque le verbe a des sujets de personnes différentes, l'accord du verbe se fait ainsi.

- **Toi** et **moi avons** le même âge. (1ʳᵉ + 2ᵉ personne = nous)
- **Hugo** et **moi, aimons** beaucoup le cinéma. Nous y allons deux fois par semaine. (3ᵉ + 1ʳᵉ personne = nous)
- Madame, **votre bébé** et **vous avez** la priorité pour prendre un taxi. (3ᵉ + 2ᵉ personne = vous)

Remarque
Les deux sujets sont souvent repris par un pronom.
- Toi et moi, **nous** avons le même âge.

Ne dites pas
- ~~C'est Marc et moi qui ont fait ça.~~
mais → C'est Marc et moi qui **avons** fait ça.

2. Les sujets sont coordonnés par ou, ni… ni

Ou : le verbe est au singulier ou au pluriel selon le sens de la phrase.

- Le Président **ou** le Premier ministre **accueillera** le Chancelier allemand à sa descente d'avion. (= l'un ou l'autre)
- Le vert **ou** le bleu **seraient** très jolis pour les rideaux de cette chambre. (= les deux couleurs)

Ni… ni : le verbe est au singulier ou au pluriel.

- Ni son père ni sa mère ne **pourront** / ne **pourra** venir à sa remise de diplôme.
- Pierre et Marie se disputent mais, à mon avis, ni l'un ni l'autre n'**a** / n'**ont** raison.

3. Le sujet est un nom collectif

Ne dites pas
- ~~Tout le monde sont venus.~~
mais → Tout le monde **est venu.**
- ~~Ma famille étaient à Paris.~~
mais → Ma famille **était** à Paris.

Si le sujet est un nom collectif sans complément (*peuple, foule, groupe, équipe*, etc.), le verbe est au singulier.

- La foule **se pressait** à l'entrée du théâtre.
- Le public **a applaudi** le pianiste pendant dix minutes.

Quand le nom collectif est suivi d'un complément au pluriel, le verbe peut être au singulier (accord avec le nom collectif) ou au pluriel (accord avec le complément).

- Un groupe de touristes **visite** / **visitent** le château de Chambord.
- La majorité des Français **a approuvé** / **ont approuvé** cette réforme.

4. Beaucoup, peu, trop, assez, combien, la plupart, 10 %, 50 %, etc. + de + nom pluriel

Le verbe est au pluriel.

- En France, beaucoup de gens **prennent** leurs vacances au mois d'août.
- 10 % des électeurs **ont voté** pour le candidat écologiste.
- La plupart des magasins **sont ouverts** jusqu'à 19 h 30.

5. Le seul qui, le premier qui, le dernier qui, etc.

On peut accorder le verbe :
— avec le sujet du verbe principal.

- **Vous** êtes le seul **qui puissiez** m'aider.

— avec *le seul, le premier, le dernier*, etc.

- Vous êtes **le seul qui puisse** m'aider.

LA FORME (OU VOIX) PASSIVE

La forme passive et la forme active présentent un même fait de deux points de vue différents.

→ La télévision **retransmettra** le championnat de patinage artistique. (= forme active)
→ Le championnat de patinage artistique **sera retransmis** par la télévision. (= forme passive)

I. FORMATION DE LA VOIX PASSIVE

I. Le passage de la forme active à la forme passive

Il entraîne des modifications.

— Le complément d'objet direct du verbe actif devient **le sujet** du verbe passif.

— Le sujet du verbe actif devient **le complément d'agent** du verbe passif. Il est introduit par la préposition *par*.

— Le verbe de la forme active se transforme. Il est remplacé par **être + participe passé**. L'auxiliaire *être* est au même temps que le verbe actif.

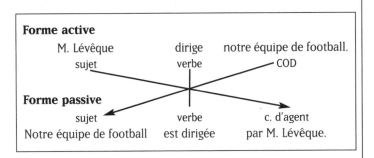

> **Remarque**
> Il est préférable de ne pas employer la forme passive lorsque le complément d'agent est un pronom personnel.
> On dit J'ai écrit cette lettre. plutôt que Cette lettre a été écrite par moi.

Attention aux temps composés.

- L'arbitre **a sifflé** la fin du match. (passé composé actif)
  → La fin du match **a été sifflée** par l'arbitre.
  (passé composé passif)

Seuls les verbes transitifs directs (= qui ont un complément d'objet direct) peuvent se mettre à la forme passive.

Comparez :
Inviter qqn

- Bernard a invité **Catherine** à dîner. (COD)
  → Catherine **a été invitée** à dîner par Bernard.

> *Ne dites pas*
> ■ ~~J'ai été demandé de venir par le directeur.~~
> mais → Le directeur m'a demandé de venir.
> ■ ~~J'ai été offert un foulard.~~
> mais → On m'a offert un foulard.

Téléphoner à qqn

- Bernard a téléphoné **à Catherine**. (COI)
→ La transformation passive est impossible.

2. La conjugaison passive

Le temps du verbe est indiqué par l'auxiliaire. Le participe passé s'accorde toujours avec le sujet.

Indicatif

présent	La loi **est votée** par les députés.	
futur	**sera votée**	
futur antérieur	**aura été votée**	
passé composé	**a été votée**	
imparfait	**était votée**	
plus-que-parfait	**avait été votée**	
passé simple	**fut votée**	
passé antérieur	**eut été votée**	

Conditionnel

présent	La loi **serait votée** par les députés.
passé	**aurait été votée**

Subjonctif

présent	Il faut que la loi **soit votée** par les députés.
passé	**ait été votée**

Notez la formation du futur proche et du passé récent.
- Cette loi **va être votée** par les députés.
- Cette loi **vient d'être votée** par les députés.

II. EMPLOI DE LA FORME PASSIVE

1. Comparaison de la forme active et de la forme passive

Elles ne sont pas absolument équivalentes.
On préfère la forme passive quand on veut mettre en valeur le sujet du verbe.

Comparez :

- **La pyramide du Louvre** a été construite par le célèbre architecte I.M. Pei. (c'est la pyramide qui est importante)
- *et* **Le célèbre architecte I.M. Pei** a construit la pyramide du Louvre. (c'est I.M. Pei qui est important)

C'est pourquoi la forme passive est souvent employée sans complément d'agent quand celui-ci n'est pas important ou quand il est « évident ».

On insiste ainsi sur **le résultat de l'action**.

- En France, le président de la République **est élu** pour cinq ans. (par les électeurs évidemment !)
- Les volets du chalet **ont été repeints** en vert. (peu importe par qui, c'est le résultat qui compte)

La forme passive a aussi une valeur de **description** ; dans ce cas, le participe passé devient un adjectif qualificatif.

- Il y a un supermarché **ouvert** près de chez moi jusqu'à 23 heures.
- Attention ! Il y a de la neige **fondue** sur le trottoir.

2. le complément d'agent : par ou de ?

La plupart des verbes à la forme passive sont construits avec la préposition *par*. Cependant quelques-uns d'entre eux sont de préférence suivis de la préposition *de*. Ce sont :

— des verbes de **description**, surtout lorsque l'agent est inanimé : *être accompagné, composé, couvert, décoré, entouré, fait, garni, orné, planté, précédé, rempli,* etc.

- Le parc était **entouré d'**un très haut mur.
- Le tiroir du bureau est **rempli de** vieux papiers.
- Ce puzzle est **composé de** 1 500 pièces.

— des verbes de **sentiment** : *être admiré, adoré, aimé, apprécié, craint, estimé, haï, méprisé, redouté, respecté,* etc.

- Je suis très **déçu de** ce mauvais résultat ; j'avais beaucoup travaillé.
- Le dictateur était **craint de** toute la population.

D'autres verbes sont employés au sens propre avec la préposition *par* et au sens figuré avec la préposition *de*.

Remarque
Lorsque le sujet actif est *on*, la forme passive n'a pas de complément d'agent.
- **On** a interdit le stationnement sur les trottoirs.
→ Le stationnement a été interdit sur les trottoirs.

↻ *Renvoi*
Pour le participe employé comme adjectif qualificatif, voir page 156.

↻ *Renvoi*
Pour l'omission de l'article, voir page 45.

Comparez :

- Cet arbre a été **touché par** la foudre.

(sens propre = il a été frappé)

et Je suis très **touché de** votre gentillesse. (sens figuré = je suis ému)

- Les cambrioleurs ont été **surpris par** un voisin.
  (sens propre = ils ont été découverts)

et Il a été **surpris de** ma réaction. (sens figuré = il a été étonné)

III. AUTRES MOYENS D'EXPRIMER LE PASSIF

1. La forme pronominale de sens passif

Cette construction est fréquente. Le sujet est généralement un non-animé. L'agent n'est pas indiqué.

- Dans les mots « estomac » et « tabac », le « c » ne **se prononce** pas. (= n'est pas prononcé)
- Le vin rouge ne doit pas **se boire** glacé. (= ne doit pas être bu)
- Les produits surgelés **se conservent** à une température minimale de − 18 °C. (= sont conservés)

2. Le verbe faire + infinitif

Cette structure peut avoir un sens passif.

- Les forces de police **ont fait évacuer** la salle.
  (= la salle a été évacuée par les forces de police)
- Ce journal **a fait réaliser** un sondage d'opinion sur les produits transgéniques. (= un sondage d'opinion a été réalisé par un institut de sondages)

3. Se faire et se laisser + infinitif

Le sujet est toujours un animé. L'agent n'est pas toujours exprimé.

Se faire suppose une certaine responsabilité du sujet.
- Monsieur Dupuis **s'est fait licencier** pour faute professionnelle. (= il a été licencié)
- Mon père va **se faire opérer** par le Professeur Legrand.
  (= il va être opéré)

Se laisser insiste sur la passivité du sujet.

- L'enfant **s'est laissé soigner** sans pleurer. (= il a été soigné)
- Elle n'est pas têtue, elle **se laissera convaincre** facilement !
  (= elle sera facilement convaincue)

4. Le passif impersonnel

Certains verbes passifs peuvent s'employer impersonnellement, en particulier dans la langue administrative ou journalistique. Cet emploi atténue l'importance du sujet.

- **Il a été décidé** de limiter la vitesse sur les routes.
  (= on a décidé de...)
- **Il est recommandé** de ne pas emprunter l'autoroute A 10 pendant la durée des travaux. (= on recommande de...)
- **Il a été prouvé** que le tabac cause de nombreux cancers.
  (= on a prouvé que...)

LA FORME PRONOMINALE

Les verbes pronominaux sont des verbes précédés d'un pronom réfléchi de la même personne que le sujet.

Dans certains cas, le pronom est complément du verbe.
→ Louis et Alexandre **se connaissent** depuis leur enfance. (se = COD)

Dans d'autres cas, le pronom n'a pas de fonction. Il fait partie du verbe.
→ En mai, nous **nous absenterons** pendant deux semaines.

I. FORMATION DES VERBES PRONOMINAUX

Le verbe est toujours précédé d'un pronom de la même personne que le sujet.

↻ *Renvoi*
Voir le tableau des conjugaisons
page 332.

se laver : présent	
je	**me** lave
tu	**te** laves
il / elle	**se** lave
nous	**nous** lavons
vous	**vous** lavez
ils / elles	**se** lavent

Remarque
À l'impératif affirmatif,
te devient *toi.*
 ▪ Assieds-**toi** !
 ▪ Tais-**toi** !

 ▪ Comment **vous appelez**-vous ?
 ▪ Le bateau **se dirigeait** vers les côtes anglaises.

À l'infinitif, le pronom est à la même personne que le sujet du verbe qui précède.
 ▪ Je me repose.
   → **Je** veux **me** reposer.
 ▪ Vous vous préparez.
   → **Vous** devez **vous** préparer.

Aux temps composés, on emploie l'auxiliaire *être*.

se promener : passé composé	
je	**me suis** promené(e)
tu	**t'es** promené(e)
il / elle	**s'est** promené(e)
nous	**nous sommes** promené(e)s
vous	**vous êtes** promené(e)s
ils / elles	**se sont** promené(e)s

↻ *Renvoi*
Pour l'accord du participe passé,
voir pages 157-158.

Ne dites pas
■ ~~Je m'ai promené.~~
mais → Je me **suis** promené.

II. CATÉGORIES DE VERBES PRONOMINAUX

Il existe plusieurs catégories de verbes pronominaux. **Un même verbe peut appartenir à plusieurs catégories.**

Verbes pronominaux de sens réfléchi

Le sujet fait l'action pour lui-même ou sur lui-même.
■ **Il se lève** tous les matins à 7 heures.
■ **Elle se fait** une tasse de thé.
■ **Nous nous sommes inscrits** à un cours de dessin.

On emploie très souvent la forme pronominale lorsque le sujet exerce ou subit une action sur une partie de son propre corps (*se laver, se couper, se raser, se coiffer, se maquiller, se brûler,* etc.).
■ **Elle s'est coiffée.**
■ **Je me suis lavé** les dents.

Ne dites pas
■ ~~Je lave mes mains.~~
~~Je me lave mes mains.~~
mais → Je **me** lave **les** mains.

Ne dites pas
■ ~~Il s'est marié depuis trois ans.~~
mais → **Il est marié** depuis trois ans. (résultat)
ou Il s'est marié **il y a** trois ans. (action)

Ne confondez pas l'action et le résultat de l'action.
■ je m'habille (action) → je suis habillé (résultat)
■ je m'assieds (action) → je suis assis (résultat)

Verbes pronominaux de sens réciproque

Le sujet est nécessairement au pluriel puisque plusieurs sujets exercent une action les uns sur les autres. C'est le cas des verbes : *se téléphoner, se parler, se rencontrer, se lancer, se donner, s'envoyer,* etc.

- Brigitte et Guy **s'envoient** des courriels tous les jours.
  (= B. écrit à G. et G. écrit à B.)
- Les enfants **se lançaient** un gros ballon rouge.
  (chacun des enfants lançait le ballon à un autre enfant)
- Les membres du club de bridge **se réunissent** deux fois par mois.

Verbes pronominaux de sens passif

○ *Renvoi*
Pour les verbes pronominaux
de sens passif, voir page 107. Le sujet ne fait pas l'action exprimée par le verbe.
- Ce meuble du XVIIIe siècle **s'est vendu** très cher.
  (= ce meuble a été vendu très cher)
- Ce plat **se prépare** en cinq minutes. (= ce plat est préparé)
- Le *e* de *parle* ne **se prononce** pas. (= n'est pas prononcé)

Verbes uniquement pronominaux

Ces verbes n'existent qu'à la forme pronominale : *se souvenir, s'en aller, s'abstenir, s'évanouir, s'absenter, s'envoler, s'enfuir, s'emparer, se méfier*, etc.
- Je ne **me souviens** plus très bien de ce livre.
- L'oiseau **s'est envolé** dès qu'il nous a vus.

Verbes qui ont un sens différent à la forme pronominale

Certains verbes prennent un sens différent à la forme pronominale.

Comparez :
- Pour cet emploi, il faut **passer** une visite médicale. (= il faut voir un médecin)
et Cette histoire **se passe** en Algérie. (= cette histoire a lieu...)

- On **a trouvé** du pétrole dans cette région. (= on a découvert...)
et Notre chalet **se trouve** près de Megève. (= notre chalet est situé...)

- Cette vendeuse **sert** les clients avec amabilité. (= cette vendeuse s'occupe des clients)
et Beaucoup de gens **se servent de** leur voiture pour aller à leur travail. (= beaucoup de gens utilisent leur voiture)

- J'**attends** l'autobus depuis plus de dix minutes ! (= je suis à l'arrêt de l'autobus)
- *et* Tout le monde **s'attendait à** la réélection du Président sortant.
(= tout le monde pensait que le Président serait réélu)

De même :

- rendre (= donner en retour) / se rendre à (= aller à)
- mettre (= placer) / se mettre à (= commencer)
- douter (= ne pas être sûr) / se douter de (= être presque sûr)
- plaindre (= avoir pitié) / se plaindre de (= exprimer son mécontentement)
- faire (= agir) / se faire à (= s'habituer à)

Verbes qui appartiennent à plusieurs catégories

	sens réfléchi	sens réciproque	sens passif	sens différent
Apercevoir On aperçoit le mont Blanc de la terrasse.	Je m'aperçois dans la glace.	Ils se sont aperçus de loin.	Le mont Blanc s'aperçoit de la terrasse de l'hôtel.	Je me suis aperçu de mon erreur. (= j'ai remarqué...)
Entendre Nous avons déjà entendu cette chanson.	Il y avait de l'écho, je m'entendais parler.	La communication était mauvaise ; nous nous entendions très mal.	Cette expression est à la mode ; elle s'entend beaucoup.	Je m'entends très bien avec ma sœur. (= j'ai de bonnes relations...)

III. ACCORD DU PARTICIPE PASSÉ

Verbes réfléchis et réciproques

Le participe passé s'accorde avec **le pronom complément d'objet direct placé devant l'auxiliaire**.

- Les voyageurs **se** sont levé**s** très tôt.
(se = COD = les voyageurs)
- Marie et Lucie **se** sont rencontré**es** à la cafétéria du campus.
(se = COD = Marie et Lucie)

Remarque
Le complément d'objet direct peut être un pronom personnel ou relatif.
- Cette robe, je me **la** suis faite l'année dernière. (la = COD = la robe)
- Voici la robe **que** je me suis achetée. (que = COD = la robe)

Le participe passé ne s'accorde pas **quand le complément d'objet direct est un nom placé après le verbe**.

Comparez :

▪ Caroline **s'**est lav**ée**.
 (COD)

et Caroline **s'**est lav**é les mains**.
 (COI)   (COD)

Le participe passé ne s'accorde pas avec le **pronom complément d'objet indirect**.

▪ Jacques et Paul **se** sont téléphon**é** hier soir. (téléphoner à qqn)
 (COI)

▪ Le général de Gaulle et Georges Pompidou **se** sont succéd**é**
 (COI)
 à la présidence de la République. (succéder à qqn)

▪ Elle **s'**est rend**u** compte qu'il était déjà midi. (rendre compte à qqn)
 (COI)

Comparez :

▪ Ils **se** sont **vus** cet été. (voir qqn)
 (COD = accord)

et Ils ne **se** sont pas **parlé**. (parler à qqn)
 (COI = pas d'accord)

Verbes uniquement pronominaux, à sens différent ou de sens passif

Le participe passé s'accorde **avec le sujet**.

Verbes uniquement pronominaux
▪ En entendant cette terrible nouvelle, la vieille dame
 s'est évanouie.

Verbes à sens différent
▪ Après un voyage en Chine, elle **s'est mise** à étudier le chinois.

Verbes de sens passif
▪ La pratique du sport **s'est développée** au xxᵉ siècle.

13 LES CONSTRUCTIONS IMPERSONNELLES

Les verbes impersonnels sont des verbes employés à la 3ᵉ personne du singulier. Le sujet *il* ne représente rien.

→ **Il fait** froid.
→ **Il y a** des gens dans la rue.

Les constructions impersonnelles sont nombreuses et variées.

Verbes d'indication météorologique

Il pleut, il neige, il gèle, etc.
- Il **a** beaucoup **plu** cette nuit.

Il fait + adjectif ou nom
- **Il fait** beau, froid, bon, doux, chaud, etc.
- **Il fait** un temps splendide, **il fait** un froid de canard, etc.
- **Il fait** 15 °C. (= la température est de 15 °C)

Ne dites pas
- Le temps fait beau.
mais → Le temps est beau.
ou Il fait beau.

Remarque
On dit également :
- Il fait nuit, il fait jour.

Il est + expressions de temps

Pour indiquer un moment
- **Il est midi**, minuit, tôt, tard, etc.
- **Il est 7 heures.** Lève-toi !

Pour indiquer une obligation
- **Il est temps** [**que** vous partiez pour l'aéroport.
                     de partir pour l'aéroport.
- **Il est l'heure** [**de** coucher les enfants.
                       que les enfants se couchent.

Il y a + nom ou pronom

Pour indiquer l'existence d'une personne ou d'une chose
- Écoute ! **Il y a** quelqu'un à la porte. Va ouvrir !
- **Il y avait** vraiment beaucoup de monde à la plage.
- **Il y a** du soleil aujourd'hui.
- Tu as l'air triste. Qu'est-ce qu'**il y a** ?

Ne dites pas
Un lit et une table sont dans ma chambre.
C'est un lit et une table dans ma chambre.
mais → **Il y a** un lit et une table dans ma chambre.

Pour indiquer le temps ou la distance

- J'ai rencontré Léa **il y a** cinq ans au cours d'un voyage en Thaïlande.
- **Il y a** 20 km entre Paris et Versailles.

↻ *Renvoi*
Pour l'expression du temps, voir page 264.

Il faut

Pour exprimer l'obligation :

Il faut { + infinitif ou nom
+ subordonnée introduite par *que* + subjonctif.

- **Il faut** un permis de conduire pour conduire une voiture.
- **Il faudra** venir demain à 18 heures.
- **Il faut que** tout soit prêt ce soir.

Il s'agit de

Ne dites pas
- Ce livre s'agit de...
mais → Dans ce livre, **il s'agit de**...

Pour indiquer le sujet, le thème :
Il s'agit de + nom (= il est question de).

- Dans *L'Étranger* de Camus, **il s'agit d'**un homme qui se sent étranger à lui-même et au monde.

  (= le sujet du livre est un homme qui...)

Pour exprimer l'obligation, le conseil :
Il s'agit de + infinitif (= il faut).

- Après tant de discussions, **il s'agit de** prendre enfin une décision.

Il est + *adjectif*

Remarque
À l'oral, on emploie très souvent *c'est* à la place de *il est*.
- **C'est difficile** de répondre à cette question.

↻ *Renvoi*
Pour l'emploi de l'indicatif et du subjonctif, voir pages 213 à 216.

Il est + adjectif { + *de* + infinitif
+ *que* + subjonctif ou indicatif.

Il est normal, important, possible, étonnant, etc.

- **Il est important d'**avoir ses papiers en règle.
- **Il était évident que** l'enfant pleurait parce qu'il avait mal.
- **Il est normal que** vous souffriez après une telle chute.

Verbes + que + indicatif ou subjonctif

Le choix du mode dépend du sens du verbe.

Il paraît que, il arrive que, il me semble que, il semble que, il vaut mieux que, il se peut que, il suffit que, etc.

- **Il paraît que** le vin sera excellent cette année.
- **Il arrive qu'**on puisse patiner sur ce lac.
- **Il me semble que** tu as maigri.

↻ *Renvoi*
Pour l'emploi de l'indicatif
et du subjonctif, voir pages 213 à 216.

Remarques
1. *Il vaut mieux* et *il suffit de* se construisent aussi avec un infinitif.
- Il **vaut mieux** se renseigner avant de se décider.
- Il **suffira d'**arriver avant 8 heures.

2. Notez l'absence de *il* dans certaines expressions.
- **Peu importe** que Jean vienne ou non ! (= il n'est pas important)
- **Mieux vaut** te renseigner avant de partir. (= il vaut mieux)

Verbes suivis d'un « sujet réel »

Le « sujet réel » est le nom placé après le verbe. La construction impersonnelle donne moins d'importance au sujet et insiste sur le verbe.

- **Il reste** quelques places dans le train de 14 heures.
  (= quelques places restent...)
- **Il me manque** 5 euros pour acheter ce livre.
  (= 5 euros me manquent...)
- **Il suffit de** quelques minutes pour faire cuire ce plat surgelé.
  (= quelques minutes suffisent...)
- En Europe, **il naît** moins d'enfants qu'au XIXe siècle.
  (= moins d'enfants naissent...)

Verbes à la forme passive ou pronominale

Cet emploi est fréquent dans la langue administrative et journalistique.

- **Il est rappelé** qu'**il est interdit** de fumer. (= on rappelle qu'on interdit de fumer)
- **Il s'est produit** une explosion dans une usine de produits chimiques. (= une explosion s'est produite...)
- **Il se passe** des événements importants. (= des événements importants se passent)

↻ *Renvoi*
Pour le passif impersonnel, voir page 108.

MODES, TEMPS, ASPECTS

| Les formes d'un verbe varient selon **le mode, le temps et l'aspect**.

Les modes

Le mode d'un verbe permet à la personne qui parle d'exprimer **son attitude à l'égard de ce qu'elle dit**.

Il y a quatre modes personnels dont les formes varient selon la personne du sujet.

L'indicatif présente **un fait comme certain**. Il « indique » un moment du temps.
- Alex **viendra** ce soir avec nous.

Le subjonctif exprime **une appréciation sur un fait** (souhait, doute, volonté, etc.).
- Je suis ravi qu'Alex **vienne** avec nous ce soir.

Le conditionnel présente **un fait comme hypothétique**.
- Alex **viendrait** avec nous ce soir s'il avait le temps.

L'impératif exprime **un ordre**.
- Alex ! **Viens** avec nous ce soir !

Il y a deux modes impersonnels dont les formes ne dépendent pas d'un sujet.

L'infinitif :
— l'infinitif présent,
- Nous voulons **savoir** la vérité.

— l'infinitif passé.
- Nous sommes contents **d'avoir appris** la vérité.

Le participe :

– le participe présent,

- Ne **sachant** pas conduire, il prend toujours des taxis.

– le participe passé.

- Les spectateurs sont **sortis** du théâtre.

Les temps et l'aspect

Le temps permet de situer **un fait dans le passé, le présent et le futur**.

L'aspect permet d'exprimer **la manière dont le fait se déroule** : le commencement, la durée ou la fin.

Un même temps peut servir à situer un fait dans la chronologie et avoir une valeur d'aspect.

- Que fait Romain ?

   Il écrit pour le journal *Libération*. (aspect de durée = il est journaliste)

   Il écrit une lettre à son amie. (dans le moment présent, fait ponctuel)

Chaque mode comprend des temps simples et des temps composés.

Les temps simples sont formés d'un radical et d'une terminaison.

Je **parl-ais** (indicatif imparfait)

Il veut que nous **parl-ions** (subjonctif présent)

Il **parler-ait** (conditionnel présent)

parl-ant (participe présent)

Les temps composés sont formés d'un auxiliaire et d'un participe passé.

J'**ai parlé** ⎫
Il **est parti** ⎭ passé composé

Il **aurait parlé** ⎫
Il **serait parti** ⎭ conditionnel passé

Ils présentent un fait comme terminé. **C'est l'aspect accompli.**

- Le serveur **apporte** aux clients les plats qu'ils **ont commandés**.
   (fait présent)   (fait accompli)

- Vous **pourrez** sortir de la salle d'examen dès que vous **aurez rendu**
   (fait futur)   (fait accompli avant un autre fait futur)

   votre copie au professeur.

Comparez :

- Quel beau tableau ! Je suis content de **voir** cette exposition.
  (fait présent)

et Je suis content d'**avoir vu** cette exposition hier.
  (fait accompli)

- C'est dommage que Luc ne **soit** pas avec nous.
  (fait présent)

et C'est dommage que Luc n'**ait pas pu** venir hier.
  (fait accompli)

Certains verbes ont une valeur d'aspect : *commencer à, finir de, continuer à, devoir, être sur le point de, être en train de,* etc.

- Dépêchez-vous ! La nuit **commence** à tomber.
  (début d'une action)

↻ *Renvoi*
Pour les semi-auxiliaires, voir pages 100-101.

- Le Salon de l'agriculture **doit** ouvrir ses portes la semaine prochaine.
  (aspect de futur proche)

L'INDICATIF

L'indicatif est le mode qui présente un fait comme certain. Il comprend de nombreux temps (des formes simples et des formes composées) qui permettent de situer avec précision un fait dans le passé, le présent ou le futur.

→ Hier, Joseph **a joué** au football dans l'équipe de son école.
→ Aujourd'hui, il **va** à la piscine avec sa sœur.
→ Demain, il **fera** du judo avec ses copains.

(Voir le classement des verbes en trois groupes et les conjugaisons pages 311 à 332.)

I. LE PRÉSENT

1. Formation

Les formes du présent sont complexes. On trouve

un ou plusieurs radicaux :
— un au premier groupe,
— deux au deuxième groupe,
— un, deux ou trois au troisième groupe.

↻ *Renvoi*
Pour le présent d'*avoir* et *être*, voir pages 312-313.

trois systèmes de terminaisons :

je	e	s	x
tu	es	s	x
il / elle	e	t / d	t
nous	ons		
vous	ez		
ils / elles	ent		

— Verbes du **premier groupe** : infinitif en -*er*
radical + -*e*, -*es*, -*e*, -*ons*, -*ez*, -*ent*.

je	**chant**-e	nous	**chant**-ons
tu	**chant**-es	vous	**chant**-ez
il	**chant**-e	ils	**chant**-ent

↻ *Renvoi*
Pour les particularités des verbes du premier groupe, voir pages 315 à 317.

— Verbes du **deuxième groupe** : infinitif en *-ir*

radical + *-s, -s, -t, -ons, -ez, -ent.*

je	**fini**-s	nous	**finiss**-ons
tu	**fini**-s	vous	**finiss**-ez
il	**fini**-t	ils	**finiss**-ent

— Verbes du **troisième groupe** : infinitif en *-ir*, *-oir* et *-re*

Un radical :

radical + *-e, -es, -e, -ons, -ez, -ent.*

      ouvrir ➡ j'**ouvr**-e, tu **ouvr**-es, etc.

Deux radicaux :

radical + *-s, -s, -t/-d*[1], *-ons, -ez, -ent.*

écrire ➡ j'**écri**-s	nous	**écriv**-ons
savoir ➡ je **sai**-s	nous	**sav**-ons

Trois radicaux :

radical + *-s, -s, -t, -ons, -ez, -ent.*

    + *-x, -x, -t, -ons, -ez, -ent*[2].

recevoir	➡ je **reçoi**-s	nous **recev**-ons	ils **reçoiv**-ent
venir	➡ je **vien**-s	nous **ven**-ons	ils **vienn**-ent
vouloir	➡ je **veu**-x	nous **voul**-ons	ils **veul**-ent

2. Emploi

Le présent situe un fait au moment où l'on parle. Il présente **l'action en cours d'accomplissement**.

- Les enfants **jouent** au ballon dans le parc.

Il s'emploie pour **une description**.

- Les fenêtres de la maison **donnent** sur un jardin qui **descend** vers la rivière.

Le présent n'a **pas de limites précises**, mais accompagné d'une indication de temps, il peut exprimer :

— un fait qui a commencé dans le passé ;

- John **est** à Paris **depuis plusieurs mois**.
- Je **travaille** sur mon ordinateur **depuis trois heures**. Je vais boire un café !

– un fait qui se réalisera prochainement ;

■ Dépêchez-vous ! Le film **commence dans quelques minutes**.

■ C'est décidé ! **L'hiver prochain**, nous **allons** à Chamonix
faire du ski.

– l'habitude, la répétition.

■ **Tous les dimanches**, nous **faisons** une marche en forêt.

■ Je **dors toujours** la fenêtre ouverte.

Il est employé **dans une analyse** (résumé ou commentaire d'un film,
d'un texte, etc.).

■ Ce film **reconstitue** en images de synthèse la vie des hommes
préhistoriques.

■ Dans *Le Père Goriot*, Balzac **peint** un amour paternel passionné.

Il sert à exprimer **une vérité générale**, **un proverbe**.

■ L'eau **gèle** à o °C.

■ L'argent ne **fait** pas le bonheur.

Il s'emploie **dans l'expression de l'hypothèse avec *si***.

■ Cette exposition a beaucoup de succès. Si vous **voulez** la voir,
vous devrez faire la queue !

Il peut avoir **une valeur d'impératif**.

■ En partant, tu **fermes** bien la porte à clé, s'il te plaît !
(= ferme bien !)

> **Remarque**
> Dans un récit au passé, le présent
> rend un événement plus vivant.
> C'est le « présent de narration ».
> ■ En 1789, la France était en pleine
> crise politique, économique
> et sociale, plusieurs tentatives
> de réformes avaient échoué.
> Le 14 juillet, le peuple **s'empare**
> de la Bastille.

↻ *Renvoi*
Pour l'emploi du présent avec *si*,
voir pages 281-282.

II. LES TEMPS DU PASSÉ

L'imparfait

1. Formation

Elle est régulière pour tous les verbes : radical de la 1re personne du
pluriel de l'indicatif présent + -*ais*, -*ais*, -*ait*, -*ions*, -*iez*, -*aient*.

nous **chant**-ons → je **chant**-ais, nous **chant**-ions
nous **finiss**-ons → je **finiss**-ais, nous **finiss**-ions
nous **voul**-ons → je **voul**-ais, nous **voul**-ions

> **Remarque**
> *Exception* : le verbe *être*.
> ■ J'**étais**, tu **étais**, etc.

---

2. Emploi

L'imparfait indique, comme le présent, **une action en cours d'accomplissement**. Il n'a pas de limites précises dans le temps.

Il s'emploie dans **une description**, dans **un commentaire**, dans **une explication**, etc.

- En 1990, je **faisais** mes études de médecine à Montpellier.
  (début et fin des études non précisés)

- Du haut de la colline, on **apercevait** un petit village dont
  (description)
  les toits **brillaient** au soleil.
  (description)

- Monsieur Legrand n'a pas pu participer à notre réunion
  parce qu'il **était** en déplacement à l'étranger.
  (durée non précisée)

Il s'emploie pour exprimer **une habitude**.
Il est souvent accompagné d'une indication temporelle.

- Autrefois, la bibliothèque n'**était** pas ouverte **le dimanche**.
- Pendant les vacances, nous **faisions toujours** de longues balades à vélo.

Employé avec la conjonction _si_, l'imparfait n'est pas un temps du passé. Il exprime l'hypothèse ou l'irréalité d'un fait présent.

- Si nous **avions** une voiture, nous pourrions aller visiter les châteaux de la Loire.
- Ah ! si j'**étais** plus jeune !
- Madame Rodier s'habille comme si elle **avait** vingt ans.

↻ *Renvoi*
Pour cet emploi de l'imparfait, voir page 281.

Il s'emploie aussi dans **une formule de politesse** : valeur d'atténuation.
- Excusez-moi de vous déranger ; je **voulais** vous demander un renseignement.

Le passé composé

1. Formation

Auxiliaire *avoir* ou *être* au présent + participe passé.

> parler → j'**ai parlé**
> sortir → je **suis sorti**

↻ *Renvoi*
Pour le choix de l'auxiliaire,
voir pages 97-98.

2. Emploi

Le passé composé s'emploie pour exprimer **un fait accompli à un moment donné du passé**, proche ou lointain.

Fait ponctuel
- Napoléon **est né** en Corse en 1769.
- Allô Marie ! J'**ai eu** un accident de voiture hier, mais ce n'est pas grave.

Succession d'événements
- À la fin du match, le journaliste **est descendu** sur le court de tennis, il **a tendu** le micro au jeune champion et il lui **a posé** beaucoup de questions. Puis, il **a pris** des photos.

Remarque
La succession d'événements est fréquemment soulignée par des adverbes de temps comme :
- alors, puis, ensuite, après, tout à coup, etc.

Répétition
- J'**ai vu** ce film quatre fois.

Durée limitée
- Elle **a fait** son choix en cinq minutes.
- Dans la Bible, il est dit que le Déluge **a duré** pendant 40 jours et 40 nuits.
- Mon père **a** longtemps **travaillé** à l'étranger comme conseiller militaire. (longue durée terminée)

Ne dites pas
- ~~Mon père travaillait **longtemps** à l'étranger.~~

Il exprime **l'antériorité d'un fait qui a des prolongements dans le présent**.
- Quand on **a perdu** sa carte bancaire, il **faut** tout de suite le signaler à la banque.

- Ils **ont acheté** une grande maison : ils **ont** encore beaucoup de travaux à y faire.

Le passé composé est le temps de la conversation, de la correspondance, c'est-à-dire de **la communication courante**, à la différence du passé simple qui n'est employé que dans la langue écrite.

3. Imparfait et passé composé

Il est souvent difficile de savoir s'il faut employer l'imparfait ou le passé composé.

Comparez :
- La foule **sortait** du cinéma quand l'orage **a éclaté**.
  (Les deux faits sont simultanés, mais le premier *sortait* est en cours d'accomplissement, tandis que le deuxième *a éclaté* est accompli à un moment précis du temps.)
- *et* Il **pleuvait** quand nous **sommes sortis** du cinéma.
  (L'imparfait crée un décor, *la pluie*, qui est le cadre de l'action *sortir*.)

- Dans ma jeunesse, je **jouais** régulièrement au tennis.
- *et* Cet été, j'**ai joué** très régulièrement au tennis.
  (Les deux phrases expriment une habitude, mais la première est située dans une durée imprécise, *la jeunesse*, et la seconde dans une durée précise et limitée, *cet été*.)

- Il **habitait** à Alger quand il y a eu le tremblement de terre de 2003.
  (description)
- *et* Il **a habité** pendant plusieurs années à Alger.
  (durée limitée)

- Ah ! vous êtes là ! Je vous **croyais** en vacances.
  (aucune indication de temps)
- *et* On a entendu un choc épouvantable. J'**ai cru** qu'il y avait eu un accident. (indication du temps : le moment du choc)

- Je ne **savais** pas qu'ils avaient trois enfants.
  (aucune indication de temps)
- *et* Hier à l'examen, je n'**ai** pas **su** répondre à la question n° 4.
  (indication précise du temps : *hier à l'examen*)

Le passé récent

I. Formation

Verbe *venir* au présent ou à l'imparfait + *de* + infinitif.

Il **vient de partir**.

Il **venait de partir**.

2. Emploi

Le passé récent s'emploie pour exprimer un fait accompli depuis peu de temps.

- Il est 20 heures. Le magasin **vient de fermer**.

Dans un contexte passé, le verbe *venir* est à l'imparfait.

- Le magasin **venait** de fermer ses portes quand je suis arrivé pour faire mes courses.

Le passé simple

Le passé simple est **un temps réservé à la *langue écrite***.

I. Formation

Le radical du passé simple est le même à toutes les personnes.

— Verbes du **premier groupe** :
radical + *-ai, -as, -a, -âmes, -âtes, -èrent*.

chanter ➞ je chant-**ai**, il chant-**a**, ils chant-**èrent**

— Verbes du **deuxième groupe** :
radical + *-is, -is, -it, -îmes, -îtes, -irent*.

finir ➞ je fin-**is**, il fin-**it**, ils fin-**irent**

— Verbes du **troisième groupe** :
radical + *-is, -is, -it, -îmes, -îtes, -irent*.

partir ➞ je part-**is**, il part-**it**, ils part-**irent**

voir ➞ je v-**is**, il v-**it**, ils v-**irent**

radical + *-us, -us, -ut, -ûmes, -ûtes, -urent*.

vouloir ➞ je voul-**us**, il voul-**ut**, ils voul-**urent**

courir ➞ je cour-**us**, il cour-**ut**, ils cour-**urent**

> **Remarque**
> Notez les terminaisons des verbes *venir, tenir* et de leurs composés.
> - je vins / je tins
> tu vins / tu tins
> il vint / il tint
> nous vînmes / nous tînmes
> vous vîntes / vous tîntes
> ils vinrent / ils tinrent

2. Emploi

Le passé simple **a les mêmes valeurs que le passé composé** (fait ponctuel, durée limitée, succession d'événements), sauf celle de l'antériorité par rapport au présent.

- Le peintre Matisse **naquit** en 1869 et **mourut** en 1954.
  Il **peignit** le célèbre tableau « La Danse » en 1909, il **vécut** longtemps dans le Midi et il **fut** l'ami de Picasso.

Dans un récit au passé, le passé simple a les mêmes relations avec l'imparfait que le passé composé. Mais à la différence de celui-ci, qui rattache le fait ou l'action au moment où l'on parle, il le situe dans **un passé lointain** (sans contact avec le présent). C'est pourquoi on l'emploie dans la littérature (romans, récits, contes pour enfants, biographies, etc.), surtout à la troisième personne.

- « Comme le frère et la sœur allaient se lever de table, on **frappa** à la porte.
  — Entrez, **dit** l'évêque.
  La porte **s'ouvrit**. Un groupe étrange et violent **apparut** sur le seuil. Trois hommes en tenaient un quatrième au collet. Les trois hommes étaient des gendarmes ; l'autre était Jean Valjean. »

Les Misérables, Victor Hugo.

Remarque
On peut aussi l'employer dans un contexte présent, il donne alors une dimension historique aux faits.
- On dit que Mozart **composa** l'ouverture de *Don Juan* en une nuit.
- De nos jours, de nombreux pays utilisent le système métrique qui **fut établi** sous la Révolution française en 1791.

III. LES TEMPS DE L'ANTÉRIORITÉ DANS LE PASSÉ

Le plus-que-parfait, le passé antérieur et le passé surcomposé sont des temps composés. Ils ont une valeur d'accompli.

Le plus-que-parfait

1. Formation

Auxiliaire *avoir* ou *être* à l'imparfait + participe passé.

Il **avait parlé**.
Il **était sorti**.

---

2. Emploi

Il exprime **l'antériorité d'un fait passé** par rapport à un autre fait passé :

— par rapport au passé composé,

- J'**ai** beaucoup **aimé** le roman que tu m'**avais conseillé** de lire.
  (action 2)   (action 1)

— par rapport à l'imparfait,

- Les randonneurs **avaient marché** plusieurs heures et ils **mouraient**
  de soif.   (action 1)   (action 2)

— par rapport au passé simple.

- Il **crut** qu'elle **avait lu** ce roman car elle en parlait très bien.
  (action 2)   (action 1)

Employé **avec la conjonction *si***, il exprime **l'irréalité d'un fait passé**.

- Si nous **avions eu** plus de temps, nous nous serions arrêtés
  pour visiter Dijon.
- Ah ! si tu **avais suivi** mes conseils !
- Il m'a regardé comme si j'**avais dit** une bêtise.

> **Remarque**
> Le plus-que-parfait peut aussi marquer une antériorité lointaine par rapport à un présent.
> ■ Marc n'est pas là ce soir ! Pourtant il m'**avait dit** qu'il viendrait.
> ■ Où sont mes clés ? C'est bizarre, je les **avais posées** sur cette table.

> ↻ *Renvoi*
> Dans les subordonnées temporelles introduites par *quand, aussitôt que, après que*, etc., le plus-que-parfait exprime l'antériorité uniquement par rapport à l'imparfait.
> Voir page 257.

> ↻ *Renvoi*
> Pour cet emploi du plus-que-parfait, voir pages 195, 282, 283.

Le passé antérieur

1. Formation

Auxiliaire *avoir* ou *être* au passé simple + participe passé.

$$\text{J'eus parlé.}$$
$$\text{Je fus sorti.}$$

2. Emploi

Le passé antérieur est réservé à la **langue écrite**. Il s'emploie dans **la subordonnée de temps**, pour marquer l'antériorité immédiate par rapport à un passé simple.

- Dès qu'il **eut prononcé** ces mots, un concert de protestations
  (tout de suite après le discours)
  s'éleva dans la foule.
- À peine Clara **fut**-elle **sortie** que la pluie se mit à tomber
  avec violence.

> ↻ *Renvoi*
> Le passé antérieur s'emploie après les conjonctions : *dès que, aussitôt que, après que, quand, lorsque, une fois que, à peine... que.*
> Voir page 258.

Le passé surcomposé

1. Formation

Auxiliaire *avoir* ou *être* au passé composé + participe passé.

J'**ai eu parlé**.

J'**ai été sorti**.

2. Emploi

Le passé surcomposé s'emploie dans la subordonnée de temps, pour marquer l'antériorité immédiate par rapport à un passé composé. C'est un temps peu employé.

- Dès qu'il **a eu prononcé** ces mots, un concert de protestations s'est élevé dans la foule.
- À peine Clara **a**-t-elle **été sortie** que la pluie s'est mise à tomber avec violence.

IV. LES TEMPS DU FUTUR

Les temps du futur expriment **un fait situé dans l'avenir** par rapport au moment où l'on parle.

On distingue :

les futurs par rapport au présent ou au futur ;
– futur simple,
– futur proche,
– futur antérieur,

les futurs par rapport à un temps du passé ;
– futur dans le passé,
– futur proche dans le passé,
– futur antérieur dans le passé.

Le futur simple

1. Formation

Le futur se forme **à partir de l'infinitif** sauf pour certains verbes du troisième groupe. Les terminaisons sont les mêmes pour tous les verbes : ai, as, a, ons, ez, ont.

— Verbes du **premier** et du **deuxième groupe** :
infinitif + terminaisons.

chanter	→ je **chanter**-ai / nous **chanter**-ons
finir	→ je **finir**-ai / nous **finir**-ons

— Verbes du **troisième groupe** :
Verbes en **-re**
infinitif sans *-e* + terminaisons.

mettre	→ je **mettr**-ai / nous **mettr**-ons
prendre	→ je **prendr**-ai / nous **prendr**-ons

Verbes en **-ir**
infinitif + terminaisons.

partir	→ je **partir**-ai / nous **partir**-ons
ouvrir	→ j'**ouvrir**-ai / nous **ouvrir**-ons

radical particulier : *venir* et *tenir* et leurs composés.

venir	→ je **viendr**-ai / nous **viendr**-ons
tenir	→ je **tiendr**-ai / nous **tiendr**-ons

Verbes en **-oir**
radical + *-r* + terminaisons.
La plupart ont un futur irrégulier.

devoir	→ je **devr**-ai / nous **devr**-ons
recevoir	→ je **recevr**-ai / nous **recevr**-ons

2. Emploi

Le futur situe le fait dans **un avenir proche ou lointain**. Il est souvent accompagné d'un indicateur de temps.

- « Des orages **éclateront** dans la soirée », annonce la météo.
- Dans cinquante ans, quel **sera** l'état de notre planète ?

Attention
Notez bien que pour tous les verbes, la terminaison est précédée d'un *-r*.

↻ *Renvoi*
L'infinitif de quelques verbes du premier groupe subit des modifications :
appeler → j'appellerai,
voir pages 315 à 317.

Remarque
Les futurs suivants ne sont pas formés sur l'infinitif :
- avoir → j'aurai
- être → je serai
ainsi que quelques autres verbes :
- aller → j'irai
- faire → je ferai
- savoir → je saurai
- pouvoir → je pourrai
- vouloir → je voudrai
- valoir → je vaudrai
- voir → je verrai
Voir les tableaux de conjugaisons.

Le futur peut avoir **la valeur d'un impératif**. Il atténue l'ordre.

- Vous **prendrez** ce médicament deux fois par jour pendant
        (= prenez)

    une semaine.
- Pour demain vous **ferez** l'exercice n° 5 page 12.
        (= faites)

Le futur proche

1. Formation

↻ *Renvoi*
Pour le futur proche dans le passé,
voir page 133.

Verbe *aller* au présent + infinitif.

Je **vais partir**.

2. Emploi

Il situe le fait dans **un avenir très proche**.

↻ *Renvoi*
Ne confondez pas le futur proche
avec le verbe *aller*
indiquant un mouvement.
Voir les semi-auxiliaires, page 100.

- Le ciel est noir ; il **va pleuvoir**.
- Des inondations ont eu lieu dans le Sud de la France.
    Le gouvernement **va prendre** des mesures d'urgence pour
    venir en aide aux populations sinistrées.

Il présente aussi comme **certain** un fait situé dans un avenir lointain.

- Dans trois ans, nous **allons célébrer** le millénaire de notre ville.

Devoir et *être sur le point de* sont des semi-auxiliaires modaux qui
ont une valeur de futur proche.

- Mon père **doit se faire opérer** mardi.
    (*devoir* présente le fait comme certain.)
- L'avion **est sur le point de décoller**.
    (*être sur le point de* présente le fait comme très proche.)

Le futur antérieur

1. Formation

Auxiliaire *avoir ou être* au futur + participe passé.

J'**aurai parlé**.

Je **serai sorti**.

2. Emploi

Le futur antérieur s'emploie pour marquer **l'antériorité par rapport à un futur ou à un impératif**.

- Une fois que vous **aurez rempli** ce formulaire d'inscription, vous le renverrez à l'adresse indiquée.
- Quand tu **auras lu** le journal, passe-le-moi !

Employé seul, il présente **un fait comme accompli et certain** par rapport à un moment donné du futur, généralement précisé par une indication de temps.

- Dans un mois, Marie **aura accouché** d'une petite fille.
- Cendrillon promet à sa marraine qu'elle **sera rentrée** avant minuit.

Comparez :

- Il **remettra** son rapport à la fin de la semaine.
  (simple indication de temps)
- *et* Il **aura remis** son rapport à la fin de la semaine.
  (= il est certain que ce sera fait)

↻ *Renvoi*
Pour l'emploi du futur antérieur dans la subordonnée de temps, voir page 255.

Ne dites pas
- ~~Quand j'ai fini ce travail, je sortirai.~~
mais → Quand **j'aurai fini** ce travail, je sortirai.

Remarque
Le futur antérieur peut aussi exprimer une probabilité.
- Paul n'est pas encore arrivé ; il **aura oublié** notre rendez-vous.

Les futurs dans le passé

Dans un contexte passé, on emploie le futur, le futur antérieur et les futurs proches dans le passé pour respecter **la règle de la concordance des temps**.

1. Le futur simple dans le passé

Les formes sont les mêmes que celles du conditionnel présent.

Comparez :

- Nous **sommes** le 15 décembre. Ce **sera** bientôt Noël.
- *et* Nous **étions** le 15 décembre. Ce **serait** bientôt Noël.

- On **annonce** que les élections législatives **auront lieu** le 15 mai.
- *et* On **a annoncé** que les élections législatives **auraient lieu** le 15 mai.

- Le vendeur **dit** qu'il nous **préviendra** dès la réception de notre commande.
- *et* Le vendeur **a dit** qu'il nous **préviendrait** dès la réception de notre commande.

Ne dites pas
- ~~Il disait qu'il le fera.~~
mais → Il disait qu'il le **ferait**.

---

2. Le futur antérieur dans le passé

Les formes sont les mêmes que celles du conditionnel passé.

Comparez :

- On **annonce** que les deux présidents **recevront** les journalistes
  après qu'ils **auront signé** l'accord de coopération entre
  leurs deux pays.
- *et* On **a annoncé** que les deux présidents **recevraient**
  les journalistes après qu'ils **auraient signé** l'accord
  de coopération entre leurs deux pays.

3. Les futurs proches dans le passé

Les verbes *aller, devoir* et *être sur le point de* + infinitif sont à
l'imparfait.

Comparez :

<table>
<tr>
<td>

Ne dites pas
- ~~Il a dit qu'il irait sortir.~~

mais ➜ Il a dit qu'il **allait** sortir.
- ~~J'attendais le train qui~~
  ~~devrait arriver à midi.~~

mais ➜ J'attendais le train qui
devait arriver à midi.

</td>
<td>

- Il dit qu'il **va m'aider**.
- *et* Il a dit qu'il **allait m'aider**.

- Le train **doit arriver** dans une heure.
- *et* Le contrôleur m'a confirmé que le train **devait arriver**
  dans une heure.

- Il **était sur le point de** traverser la rue quand une voiture
  a surgi à sa gauche.

</td>
</tr>
</table>

V. LA CONCORDANCE DES TEMPS À L'INDICATIF

Dans une phrase complexe, lorsque **le verbe de la proposition
principale est au passé** (imparfait, passé composé, passé simple,
plus-que-parfait), **le verbe subordonné doit également être à
un temps du passé**. C'est la règle de la concordance des temps.

On ne peut pas dire :

- Ma mère me disait toujours que je dois faire des études pour être
  indépendant.
- Il travaillait dans le jardin parce qu'il fait beau.

On doit dire :

- Ma mère me disait toujours que je **devais** faire des études pour être indépendant.
- Il travaillait dans le jardin parce qu'il **faisait** beau.

verbe introducteur au présent	verbe subordonné	verbe introducteur au passé	verbe subordonné
Je crois	qu'il est parti qu'il vient de partir qu'il est là qu'il sera là qu'il va être là qu'il sera parti	Je croyais ou J'ai cru	qu'il était parti qu'il venait de partir qu'il était là qu'il serait là qu'il allait être là qu'il serait parti

Remarque générale

Il est possible de ne pas observer la règle de la concordance des temps :

— lorsque le verbe principal est au passé composé,

- Éric m'**a dit** ce matin que les Dupont **sont** en voyage et qu'ils **reviendront** bientôt. (Au moment où Éric parle, les Dupont sont toujours en voyage.)

— lorsque la subordonnée exprime une vérité générale.

- Le professeur **expliquait** aux élèves que la Terre **tourne** autour d'elle-même et autour du Soleil.

LE SUBJONCTIF

Le mode subjonctif permet à la personne qui parle d'apprécier un fait, de l'interpréter. C'est **le mode de la subjectivité**. Il s'emploie essentiellement dans une proposition subordonnée.

Comparez :
→ Je viens d'apprendre que Marc **est** malade.
(le fait est présenté comme certain → indicatif)
et Je suis désolé que Marc **soit** malade.
(appréciation subjective du fait → subjonctif)

Formation du subjonctif

Le subjonctif a quatre temps :
— deux temps simples : le présent et l'imparfait,
— deux temps composés : le passé et le plus-que-parfait.

↻ *Renvoi*
Pour les conjugaisons,
voir pages 311 à 332.

Seuls le présent et le passé sont couramment employés. L'imparfait et le plus-que-parfait appartiennent à la *langue soutenue* ou littéraire.

1. Le présent

↻ *Renvoi*
Pour le présent du subjonctif
d'*avoir* et *être*, voir pages 312-313.

Radical de la 3ᵉ personne du pluriel de l'indicatif présent + les terminaisons *-e, -es, -e, -ions, -iez, -ent*.

parler   ils **parl**-ent   →   que je parl-**e** / que nous parl-**ions**
finir   ils **finiss**-ent   →   que je finiss-**e** / que nous finiss-**ions**
mettre   ils **mett**-ent   →   que je mett-**e** / que nous mett-**ions**

Le subjonctif de certains verbes du 3ᵉ groupe se forment sur **deux radicaux**.

— Quatre personnes (je, tu, il, ils) se forment sur le radical de la 3ᵉ personne du pluriel.

prendre   ils **prenn**ent
que je **prenn**-e
que tu **prenn**-es
qu'il **prenn**-e
qu'ils **prenn**-ent

— Deux personnes (nous, vous) se forment sur le radical de la 1re personne du pluriel.

prendre   nous **pren**ons   <   que nous **pren**-ions
                                                 que vous **pren**-iez

Remarque
Il en est ainsi pour venir, tenir, prendre et leurs composés ; voir, boire, recevoir, croire, etc.

D'autres verbes très fréquents ont des radicaux irréguliers.

faire   que je **fass**-e
savoir   que je **sach**-e
pouvoir   que je **puiss**-e
aller   que j'**aill**-e (mais → que nous **all**-ions)
vouloir   que je **veuill**-e (mais → que nous **voul**-ions)
valoir   que je **vaill**-e (mais → que nous **val**-ions)
falloir   qu'il **faill**-e

2. Le passé

Auxiliaire *avoir* ou *être* au subjonctif présent + participe passé.

travailler   que j'**aie travaillé** / que nous **ayons travaillé**
partir   que je **sois parti** / que nous **soyons partis**

3. L'imparfait *(langue soutenue)*

Il est formé sur le passé simple de l'indicatif + les terminaisons -*sse, -sses, -t, -ssions, -ssiez, -ssent.*

parler   je **parla**(i) → que je **parla**-sse, qu'il **parlâ**-t
finir   je **fini**(s) → que je **fini**-sse, qu'il **finî**-t
vouloir   je **voulu**(s) → que je **voulu**-sse, qu'il **voulû**-t
voir   je **vi**(s) → que je **vi**-sse, qu'il **vî**-t

Attention
Remarquez l'accent circonflexe de la troisième personne du singulier.
Ne confondez pas :
passé simple / subjonctif imparfait.
■ Il eut / qu'il eût.
■ Il parla / qu'il parlât.

4. Le plus-que-parfait *(langue soutenue)*

Auxiliaire *avoir* ou *être* au subjonctif imparfait + participe passé.

faire   que j'**eusse fait** / que nous **eussions fait**
venir   que je **fusse venu** / que nous **fussions venus**

Emploi du subjonctif

1. Dans les propositions subordonnées

Le subjonctif s'emploie essentiellement dans les propositions subordonnées.

○ *Renvois*
Voir pages 214 à 218.

Les subordonnées complétives
- Il faut que j'**aille** chez le dentiste.

Voir pages 261-262.

Les subordonnées temporelles
- Rentrons avant qu'il **pleuve** !

Voir pages 247 à 249.

Les subordonnées de but
- Le public se tait pour que le violoniste **puisse** commencer son récital.

Voir pages 272 à 274.

Les subordonnées d'opposition
- Il m'a promis de venir bien qu'il **soit** très occupé.

Voir pages 285-286, 233, 241-242, 210.

Le subjonctif s'emploie aussi dans les subordonnées de condition, de cause, de conséquence et dans les subordonnées relatives.

Remarque
On le rencontre aussi dans certaines expressions figées précédées ou non de *que*.
- Vive la République !
- Dieu soit loué !
- Sauve qui peut !
- Que le meilleur gagne !
- Soit !

2. Employé seul

À la troisième personne du singulier ou du pluriel, le subjonctif a **une valeur d'impératif**. Il est précédé de *que*.
- Émilien a mal à la tête. Qu'il **prenne** de l'aspirine !
- Jérôme et Sylvie ne sont pas libres samedi. Qu'ils **viennent** dimanche !

Valeurs des temps du subjonctif

Les deux temps du subjonctif employés dans la langue d'aujourd'hui, le présent et le passé, permettent de **situer un fait comme antérieur, simultané ou postérieur** par rapport au verbe principal.

1. Le présent

Le présent du subjonctif indique la simultanéité et la postériorité.

La simultanéité
Le verbe subordonné est au subjonctif présent quand il y a simultanéité par rapport au verbe principal, c'est-à-dire lorsque les faits sont situés **au même moment**.

Le verbe principal peut être au présent, au futur ou au conditionnel.

- Je suis étonné que Carlos ne **connaisse** pas ce célèbre joueur de football.
- Laurent voudra sûrement que nous **regardions** le match France-Brésil à la télévision.
- — Ça te plairait que nous **regardions** le match à la télévision ?
  — Non, ça m'ennuie.

Le verbe principal peut aussi être au passé.
En effet dans la langue actuelle, on n'observe qu'exceptionnel-lement la règle de la concordance des temps au subjonctif ; même si le verbe principal est au passé, on n'emploie pas l'imparfait mais le présent du subjonctif.

- J'étais étonné que Carlos ne **connaisse** pas ce célèbre joueur de football.

La postériorité

Le subjonctif présent peut aussi avoir **la valeur d'un futur** par rapport au verbe principal qui peut être au présent, au futur, au conditionnel ou au passé. Le fait exprimé dans la subordonnée a lieu **après** le fait exprimé dans la principale.

- Tous les Brésiliens
  souhaitent
  souhaitaient } que leur équipe **gagne**
  aimeraient
  le prochain match.
- Dimanche prochain, je rentrerai tôt pour que nous **puissions** regarder le match France-Brésil à la télévision.

2. Le passé

Le subjonctif passé indique l'antériorité ou l'accompli.

L'antériorité

Le verbe subordonné est au subjonctif passé **lorsque le fait exprimé dans la subordonnée a lieu avant le fait principal**. Le verbe principal peut être au présent, au passé, au futur ou au conditionnel.

- Les Français $\left.\begin{array}{l}\text{regrettent}\\\text{regrettaient}\end{array}\right\}$ que leur équipe **ait perdu** le match dimanche dernier.
- Bien qu'elle **ait** déjà **joué** hier, notre équipe rejouera demain.

L'accompli

Le subjonctif passé peut aussi exprimer **un fait accompli par rapport à une limite temporelle située dans le futur** et généralement signalée par un indicateur de temps. Le verbe principal peut être au présent, au passé, au futur, au conditionnel.

- Il faut que nous **ayons quitté** l'hôtel **avant 11 heures.**
- Le professeur de maths aimerait que nous **ayons terminé** le programme **quinze jours avant l'examen.**

3. L'imparfait ou le plus-que-parfait *(langue soutenue)*

Ces deux temps permettent d'observer **la règle de la concordance des temps** : lorsque le verbe principal est au passé, on emploie l'imparfait pour exprimer la simultanéité ou la postériorité par rapport au verbe principal, et le plus-que-parfait pour exprimer l'antériorité et l'accompli.

Mais de nos jours, cette concordance ne se rencontre plus que dans la *langue soutenue.*

Comparez :
- Le préfet de police **a ordonné** que la foule se **disperse.**
  (langue courante)
et Le préfet de police **ordonna** que la foule se **dispersât.**
  (langue soutenue)

- On s'**étonnait** qu'il ne **soit** pas encore arrivé. (langue courante)
et On s'**étonnait** qu'il ne **fût** pas encore arrivé. (langue soutenue)

Langue soutenue :
- « Quoique cette brusque retraite de la maladie **fût** inespérée, nos concitoyens ne se **hâtèrent** pas de se réjouir. »
  (Camus, *La Peste*)
- « La vue de la petite madeleine ne m'**avait** rien **rappelé** avant que je n'y **eusse goûté.** »
  (Proust, *À la recherche du temps perdu*)

Remarque
Dans la *langue soutenue*, le plus-que-parfait peut avoir la valeur d'un conditionnel passé ou d'un plus-que-parfait de l'indicatif.
- « Quel homme **eût été** Balzac, s'il **eût su** écrire ! » (Flaubert)
(= Quel homme aurait été Balzac s'il avait su écrire !)

La concordance des temps au subjonctif

Langue courante

Simultanéité du verbe subordonné par rapport au verbe principal	Il	est content sera content serait content	} que vous soyez là.	Il	était content a été content	} que vous soyez là.
Postériorité du verbe subordonné par rapport au verbe principal	Il	est content sera content serait content	} que vous veniez lundi prochain.	Il	était content a été content	que vous veniez le lundi suivant.
Antériorité du verbe subordonné par rapport au verbe principal	Elle	regrette regrettera regretterait	} que tu aies oublié le rendez-vous.	Elle	regrettait a regretté	que tu aies oublié le rendez-vous.

Langue soutenue

Contexte passé	Il était content Il fut content	} que son amie restât avec lui.
	Elle regrettait Elle regretta	} qu'il eût oublié le rendez-vous.

LE CONDITIONNEL

Le conditionnel est un mode qui exprime l'éventuel, l'irréel ou l'imaginaire. Il a aussi la valeur d'un futur dans le passé.

→ Une réunion des chefs d'État européens **aurait lieu** en décembre.
   (éventualité : conditionnel-mode)

→ Le professeur a annoncé qu'il y **aurait** un examen à la fin de la semaine.
   (futur dans le passé : conditionnel-temps)

Formation du conditionnel

Le conditionnel a deux temps : le présent et le passé.

1. Le présent

Radical du futur + terminaisons de l'imparfait -*ais*, -*ais*, -*ait*, -*ions*, -*iez*, -*aient*.

futur		conditionnel
je **saur**-ai	→	je **saur**-ais
tu **finir**-as	→	tu **finir**-ais
il **viendr**-a	→	il **viendr**-ait
nous **manger**-ons	→	nous **manger**-ions
vous **pourr**-ez	→	vous **pourr**-iez
ils **jouer**-ont	→	ils **jouer**-aient

Attention
Notez le -*r* caractéristique du conditionnel.
Ne confondez pas :
■ Je mettrais. (conditionnel)
et Je mettais. (imparfait)
■ Je préparerais.
et Je préparais.

2. Le passé

Auxiliaire *avoir* ou *être* au conditionnel présent + participe passé.

> j'**aurais lu**
> elle **serait partie**
> vous vous **seriez assis**

Remarque
Il existe une seconde forme de conditionnel passé qui ne se rencontre que dans la *langue soutenue*. Sa conjugaison est celle du subjonctif plus-que-parfait.
■ Il eût voulu = il aurait voulu.

Emploi du conditionnel

1. Le conditionnel-mode

Il peut exprimer :

— **le désir**, **le souhait** : conditionnel présent ;
- Félix et Béatrice **aimeraient** avoir un deuxième enfant.

— **le regret** : conditionnel passé ;
- J'**aurais** bien **voulu** aller à Londres ce week-end mais il n'y avait plus de places dans l'Eurostar.

— **une information non confirmée, une hypothèse** ;
- L'avion s'est écrasé à l'atterrissage ; il y **aurait** une trentaine de morts. (= il y a peut-être...)
- D'après les sondages, ce parti **obtiendrait** une large majorité aux prochaines élections. (= il obtiendra peut-être...)
- L'incendie **aurait été provoqué** par une cigarette jetée dans une poubelle. Une enquête est en cours.
  (= il a peut-être été provoqué...)

Remarque
Cet emploi est très fréquent dans la presse.

— **un fait imaginaire** ;
- Deux enfants jouent. L'un dit à l'autre : « On **serait** deux astronautes. Moi, je **serais** le pilote ; toi, tu **sortirais** dans l'espace. »
- Julien rêve d'habiter à Paris. Son appartement se **trouverait** au Quartier latin, ses fenêtres **donneraient** sur un jardin.

— **l'atténuation** : conditionnel de politesse ou de suggestion ;
- **Pourriez**-vous me rendre un service, s'il vous plaît ?
- J'**aurais voulu** avoir quelques renseignements sur les vols « charter » à destination de la Martinique.
- On **pourrait** aller au cinéma ce soir ; qu'est-ce que tu en penses ?

— **la surprise** ;
- Paul **se marierait**. Ça alors !
- Quoi ! Il y **aurait** encore **eu** un accident à ce carrefour !

— **le conseil** avec les verbes suivants **au conditionnel présent** ;

> *devoir* + infinitif
> *faire mieux de* + infinitif
> *valoir mieux* + infinitif / *que* + subjonctif

- Pour te détendre, tu **devrais** faire un peu de sport.
- Au lieu de passer tes journées à jouer sur l'ordinateur, tu **ferais mieux de** sortir pour profiter du beau temps !
- Vous êtes fatigué. Il **vaudrait mieux** vous reposer.
- Il **vaudrait mieux que** vous réserviez votre chambre d'hôtel dès maintenant.

— **le reproche** avec les verbes suivants **au conditionnel passé** ;

> *pouvoir* + infinitif
> *devoir* + infinitif
> *valoir mieux* + infinitif / *que* + subjonctif

- Tu n'es pas venu à notre rendez-vous. Tu **aurais pu** me prévenir !
- Votre carte d'identité n'est plus valable. Vous **auriez dû** la faire renouveler depuis longtemps.
- Il **aurait mieux valu** dire la vérité tout de suite.
- Il **aurait mieux valu que** tu dises la vérité tout de suite.

— **une nuance de probabilité par rapport à l'indicatif**.

Comparez :

- Je connais une jeune fille qui **acceptera** de garder vos enfants. (indicatif, c'est sûr)
- *et* Je connais une jeune fille qui **accepterait** de garder vos enfants. (conditionnel, c'est probable)

Il est employé également :

— dans une proposition principale en relation avec une subordonnée introduite par *si* ;

- Nous **verrions** nos amis Legrand plus souvent s'ils habitaient à Paris.
- Si j'avais eu ton adresse, je t'**aurais envoyé** une carte postale de Grèce.

— après les conjonctions *au cas où* et *quand bien même*.

- Au cas où cette écharpe ne **plairait** pas à votre mère, vous pourriez revenir l'échanger.
- Quand bien même tu me **jurerais** que c'est vrai, je ne te croirais pas.

↺ *Renvoi*
Pour l'expression de la condition et de l'hypothèse (*si, au cas où*) et l'expression de l'opposition (*quand bien même*), voir pages 281, 287, 275.

2. Le conditionnel-temps

Il a la valeur d'un futur lorsque le verbe principal est à un temps du passé (passé composé, imparfait, plus-que-parfait, passé simple). On observe ainsi **la règle de la concordance des temps**.

↺ *Renvoi*
Pour les futurs dans le passé, voir pages 132-133.

Le conditionnel présent = futur dans le passé

Comparez :

- Niels **promet** à la maîtresse qu'il ne se **battra** plus avec ses camarades pendant la récréation.
- *et* Niels **a promis** à la maîtresse qu'il ne se **battrait** plus avec ses camarades pendant la récréation.

Le conditionnel passé = futur antérieur dans le passé

Comparez :

- Le Premier ministre **déclare** qu'il **prendra** une décision quand il **aura consulté** toutes les parties intéressées.
- *et* Le Premier ministre **a déclaré** qu'il **prendrait** une décision quand il **aurait consulté** toutes les parties intéressées.

L'IMPÉRATIF

L'impératif est un mode qui exprime diverses nuances de l'ordre : la défense, le conseil, la prière, etc.

→ Assieds-toi !
→ Fais bien attention !
→ Ne bougez pas !

Formation de l'impératif

L'impératif n'a que **trois personnes** : 2ᵉˢ personnes du singulier et du pluriel, 1ʳᵉ personne du pluriel. Il n'y a pas de pronom sujet.

> Regarde !
> Regardons !
> Regardez !

L'impératif a deux temps : le présent et le passé.

1. Le présent

Les formes sont celles de l'indicatif présent pour les trois personnes.

tu fais	→ **fais !**		tu finis	→ **finis !**
nous faisons	→ **faisons !**		nous finissons	→ **finissons !**
vous faites	→ **faites !**		vous finissez	→ **finissez !**

Pour les verbes dont la 2ᵉ personne singulier est terminée par *-es*, la terminaison est *-e*.

> tu travailles → travaill**e** !
> tu ouvres → ouvr**e** !

Cas particuliers

Le verbe *aller*.

tu vas → **va !**

Trois verbes ont un impératif irrégulier.

avoir : aie, ayons, ayez

être : sois, soyons, soyez

savoir : sache, sachons, sachez

Verbes pronominaux

Lève-toi !	Assieds-toi !
Levons-nous !	Asseyons-nous !
Levez-vous !	Asseyez-vous !

> **Remarque**
> Lorsque l'impératif est suivi des pronoms *en* et *y*, on ajoute un *-s* pour faciliter la prononciation.
> ▪ Vas-y !
> ▪ Donnes-en !

> **Remarque**
> Notez le trait d'union entre le verbe et le pronom complément.

2. Le passé

Il est formé de l'auxiliaire à l'impératif présent et du participe passé.

Sois rentré !	Aie fini !
Soyons rentrés !	Ayons fini !
Soyez rentrés !	Ayez fini !

Emploi de l'impératif

1. Le présent

Il exprime selon le contexte **un ordre, une défense, un souhait, une demande**.

- Nous allons être en retard. **Dépêchons-nous** ! (ordre)
- Attention ! Ne **touchez** pas à ça. C'est un produit dangereux. (défense)
- **Passez** de bonnes vacances ! (souhait)
- Mon stylo ne marche plus. **Prête**-m'en un, s'il te plaît ! (demande)

L'impératif a une valeur de **futur immédiat ou plus lointain**.

- **Ferme** la porte ! (futur immédiat)
- Quand vous serez arrivés à Bruxelles, **téléphonez**-nous ! (futur lointain)

> **Remarque**
> Pour renforcer l'impératif, on emploie souvent *donc*.
> ▪ Venez **donc** dîner à la maison !
> ▪ Tais-toi **donc** !
> ▪ Fais **donc** attention !

L'impératif du verbe *vouloir* a une seule forme utilisée : *veuillez*. C'est un impératif de politesse.

- **Veuillez** vous asseoir, Madame !

On l'emploie à l'écrit dans les lettres officielles.

- **Veuillez** agréer, Madame / Monsieur, l'expression de ma considération distinguée.

2. Le passé

Son emploi est peu fréquent. Il indique qu'**un fait devra être accompli** avant un moment déterminé du futur, généralement signalé par un indicateur de temps.

- **Sois parti** d'ici au plus tard **à midi** !
- **Ayez fini** tout votre travail **avant samedi** !

L'INFINITIF

L'infinitif est un mode impersonnel.
Il peut avoir la valeur d'un verbe ou d'un nom.

→ **Lire** attentivement le mode d'emploi de l'appareil. (= lisez)
→ **Lire** est un moyen de faire des progrès en français. (= la lecture)

Formation de l'infinitif

L'infinitif a deux formes :
— une forme simple : l'infinitif présent ;
— une forme composée : l'infinitif passé.

1. Le présent

1er groupe : chant**er**

2e groupe : réfléch**ir**

3e groupe : **voir**, ven**ir**, entend**re**, peind**re**, condui**re**, off**rir**, etc.

Forme pronominale : **se** lev**er**, **s'**apercev**oir**.
Forme passive : **être** affiché, **être** ouvert.

↻ *Renvoi*
Pour le classement des verbes
en trois groupes, voir page 311.

2. L'infinitif passé

Auxiliaire à l'infinitif + participe passé.

avoir chanté, avoir réfléchi, avoir entendu, être venu, etc.

Forme pronominale : s'être levé, s'être aperçu.
Forme passive : avoir été affiché, avoir été ouvert.

Attention
Ne confondez pas :
■ Alice est fière d'**être arrivée**
première à la compétition
de natation. (infinitif passé actif)
et Ce livre vient d'**être traduit**
en japonais. (infinitif présent passif)

↻ *Renvoi*
Pour l'accord du participe passé,
voir pages 157-158.

3. L'infinitif à la forme négative

À la forme négative, la négation **précède le verbe**.

ne pas entrer	**ne plus** fumer
ne pas avoir compris	**ne jamais** se tromper

Emploi de l'infinitif

1. Les valeurs des temps de l'infinitif

L'infinitif présent

Les faits exprimés par le verbe à l'infinitif et par le verbe principal sont généralement **simultanés**.

Il veut
Il voulait ⎫ **venir** avec nous.
Il voudra ⎭

L'infinitif passé

Le fait exprimé par l'infinitif indique l'antériorité ou l'accompli :

– l'antériorité par rapport au fait exprimé par le verbe principal ;
■ Olivier est content d'**avoir reçu** des nouvelles de son amie.
■ Après **avoir entendu** ce chanteur en concert, Isabelle a acheté tous ses disques.

– l'accompli par rapport à une limite temporelle, située dans le futur et généralement signalée par un indicateur de temps.
■ Catherine est sûre d'**être rentrée** chez elle **avant midi**.
■ Le peintre craint de **ne pas avoir fini** les travaux **à la date prévue**.

2. Les fonctions de l'infinitif

Sujet
■ **Fumer** nuit gravement à la santé.
■ **Conduire** la nuit me fatigue.

Complément d'un nom ou d'un adjectif
■ Le malade n'a pas le droit **de sortir**.
■ Êtes-vous prêt **à partir** ?

Complément d'un verbe suivi ou non d'une préposition
■ J'aime **danser**.
■ La petite Camille commence **à parler**.
■ Il a décidé **de faire** des études de droit.

↻ *Renvoi*
Pour les constructions verbales, voir pages 93 à 96, 333 à 358.

Complément circonstanciel
■ Réfléchissez bien avant de **prendre** votre décision.
■ Elle a pris un taxi pour ne pas **arriver** en retard.

3. La transformation infinitive

L'infinitif peut remplacer **une subordonnée complétive** lorsque le verbe principal et le verbe subordonné ont le même sujet.

– La transformation est **obligatoire** quand le verbe de la subordonnée est au **subjonctif**.

■ Je **veux partir** demain.   et non   ~~Je veux que je parte demain.~~

– La transformation est **facultative** quand le verbe de la subordonnée est à l'**indicatif**.

■ **J'espère partir** demain   ou   **J'espère que je partirai** demain.

○ *Renvoi*
Pour la transformation infinitive de la subordonnée complétive, voir pages 219-220.

Le groupe préposition + infinitif peut remplacer **une subordonnée circonstancielle** lorsque le verbe principal et le verbe subordonné ont le même sujet.

– La transformation infinitive est **obligatoire** quand la conjonction est suivie du **subjonctif**.

sans que		sans	
pour que		pour	
afin que		afin de	
de peur que	**+ subjonctif →**	de peur de	**+ infinitif**
de crainte que		de crainte de	
avant que		avant de	
en attendant que		en attendant de	
le temps que		le temps de	

■ L'enfant a traversé la rue sans faire attention.
et non ~~sans qu'il fasse attention.~~

Remarques
1. Avec les conjonctions *bien que* et *quoique*, la transformation infinitive est impossible.
■ Il est allé au bureau **bien qu'**il ait de la fièvre.
2. Avec les conjonctions *à condition que* et *à moins que*, la transformation infinitive n'est pas obligatoire.
■ Vous pourrez participer à la compétition **à condition que** vous vous entraîniez / **à condition de** vous entraîner.

– La transformation infinitive est **facultative** quand la conjonction est suivie de l'**indicatif**.

■ **Au moment où elle sortait**, elle s'est rendu compte qu'il pleuvait.
ou **Au moment de sortir**, elle s'est rendu compte qu'il pleuvait.

après que		après + infinitif passé
au moment où + indicatif	ou	au moment de + infinitif
au point que		au point de + infinitif

Remarque
L'emploi de *après* + l'infinitif passé est beaucoup plus fréquent que *après que* + subordonnée.
■ Vous remettrez le dictionnaire à sa place **après** l'avoir consulté.
(= **après que** vous l'aurez consulté.)

Remarque
Si l'infinitif n'a pas de complément, son sujet se place avant ou après.
- Je regarde la pluie **tomber**.

ou Je regarde **tomber** la pluie.

Exception : verbe *faire*.
- Elle fait **bouillir** l'eau pour le thé.

et non : ~~Elle fait de l'eau bouillir pour le thé.~~

4. La proposition infinitive

Les verbes de perception (*écouter, entendre, regarder, voir, sentir*) ainsi que les verbes *laisser, faire, envoyer* et *emmener* se construisent avec **un infinitif qui a son propre sujet**.

- Nous regardions **les avions s'éloigner** dans la nuit.

  (proposition infinitive : *les avions* est le sujet de *s'éloigner*.)

- Le gardien fait **entrer les touristes** dans la chapelle du château.

  (*les touristes* : sujet de *entrer*)

- Nous avons emmené **nos amis dîner** dans un restaurant grec.

  (*nos amis* : sujet de *dîner*)

5. Autres emplois

L'infinitif peut exprimer **l'ordre**, **le conseil**. Cet emploi est très fréquent dans les modes d'emploi, les avis au public et les recettes de cuisine.

- Ne pas **gêner** la fermeture automatique des portes.
- **Laver** les pommes, les **éplucher** puis les **faire cuire** au four pendant trente minutes.

Dans les phrases interrogatives ou exclamatives, l'infinitif exprime **le doute, le souhait, l'indignation**.

- Que **faire** ? Qui **croire** ? Où **aller** ? (le doute)
- Ah ! **Partir, vivre** loin d'ici. Quel rêve ! (le souhait)
- Lui, **avoir menti** ! C'est impossible ! (l'indignation)

L'infinitif peut s'employer dans certaines **subordonnées interrogatives indirectes** et dans certaines **subordonnées relatives** quand le sujet de l'infinitif est le même que celui de la principale.

↺ *Renvoi*
Pour l'emploi de l'infinitif dans la subordonnée relative, voir page 211.
Pour l'emploi de l'infinitif dans le discours rapporté, voir remarque page 226.

- Je ne sais pas **à qui m'adresser**. (= à qui je peux m'adresser)
- Elle se demandait **comment faire pour trouver un travail à l'étranger**. (= comment elle allait faire pour trouver...)
- Cet étudiant cherche quelqu'un **avec qui partager son appartement**. (= avec qui il pourrait partager...)

LE PARTICIPE

Le participe est un mode impersonnel. Il peut avoir la valeur d'un verbe ou d'un adjectif.
Il y a deux formes de participe :

- **le participe présent,**
  - → Beaucoup d'enfants, **vivant** dans les villes, ne connaissent les animaux que par la télévision. (valeur de verbe)
  - → C'est une personne très **vivante**. (valeur d'adjectif)

- **le participe passé.**
  - → Mon oncle a **connu** bien des difficultés dans sa vie. (valeur de verbe)
  - → *Carmen* de Bizet est un opéra très **connu**. (valeur d'adjectif)

I. LE PARTICIPE PRÉSENT

Formation

Le participe présent est formé sur le radical de la 1re personne du
pluriel de l'indicatif présent + -*ant*.

regarder : nous **regard**ons	→	regard**ant**
agir : nous **agiss**ons	→	agiss**ant**
faire : nous **fais**ons	→	fais**ant**

Remarque
Trois verbes ont un participe
présent irrégulier.
- être → étant
- avoir → ayant
- savoir → sachant

Emploi

1. Le participe présent employé comme verbe

Son emploi est essentiellement réservé à l'écrit.

Il se rapporte à un nom ou à un pronom mais il est invariable. Il n'a pas de valeur temporelle propre, il prend celle du verbe principal. Il peut être mis à la forme négative et être suivi d'un complément.

■ **Voulant** bronzer, { elle se met / elle s'est mis / elle se mettra / elle se mit } de la crème.

■ Ne **voulant** pas bronzer, elle reste à l'ombre.

Il peut avoir la valeur d'une subordonnée relative.

■ Les personnes **ayant** un ticket bleu doivent se présenter au contrôle. (= qui ont un ticket bleu)

■ Une fillette **portant** un énorme bouquet s'avança vers le Président. (= qui portait un énorme bouquet)

Il peut avoir la valeur d'une subordonnée circonstancielle.

■ **Ne sachant pas** comment vous joindre, je n'ai pas pu vous prévenir de mon retour. (cause = comme je ne savais pas...)

■ **Répondant** aux questions des journalistes, le ministre a confirmé qu'il se rendrait en Russie prochainement. (temps = quand il a répondu...)

Dans la **subordonnée participiale, le participe présent a son sujet propre**. La subordonnée, généralement en tête de phrase, est séparée du reste de la phrase par une virgule. Elle exprime essentiellement une cause.

■ La neige n'**arrêtant** pas de tomber, la circulation était très difficile. (= comme la neige n'arrêtait pas de tomber...)

■ Tous les hôtels du centre de la ville **affichant** complet, nous avons dû en chercher un à la périphérie. (= parce que tous les hôtels affichaient complet)

2. Le gérondif : en + participe présent

Le gérondif est beaucoup plus fréquent dans la langue courante que le participe présent. Il s'emploie avec un autre verbe pour indiquer **la simultanéité de deux actions faites par le même sujet**.

Il joue le rôle d'un complément circonstanciel qui exprime :

— **le temps**. C'est l'emploi le plus fréquent.

- Mercredi, **en sortant** de la bibliothèque, j'ai rencontré deux camarades d'université. (= au moment où je sortais)
- Elle aime travailler **en écoutant** de la musique.
  (= pendant qu'elle écoute de la musique)

Quand on veut insister sur la durée, le gérondif est précédé de *tout*.

- Elle aime travailler **tout en écoutant** de la musique.
- Avec cette méthode, les enfants apprennent à lire **tout en jouant** ! (= et en même temps ils jouent)

— **la cause**,

- L'enfant a pris froid **en sortant** sans bonnet ni écharpe.
  (= parce qu'il est sorti...)
- J'ai cassé ma montre **en la laissant** tomber. (= parce que je l'ai laissé tomber)

— **la manière**,

- Incorporez les blancs d'œuf battus en neige **en tournant** doucement la pâte. (= incorporez comment ? en tournant)
- Luc s'est mis en colère. Il est parti **en claquant** la porte.
  (= c'est une manière d'exprimer sa colère)

— **la condition**,

- **En arrivant** de bonne heure le premier jour des soldes, vous ferez de bonnes affaires. (= si vous arrivez...)

— **l'opposition** (le gérondif est obligatoirement précédé de *tout*).

- Tout **en travaillant** beaucoup pour ses examens, il fait souvent la fête. (= bien qu'il travaille beaucoup...)

Ne dites pas
- ~~En fermant la porte, le téléphone a sonné.~~ (= « le téléphone ferme la porte »)
mais → En fermant la porte, j'ai entendu le téléphone sonner. (= **je** ferme et **j'**entends).

Attention
Ne confondez pas.
- J'ai aperçu Paul **sortant** du métro. (participe présent : c'est Paul qui sortait.) et J'ai aperçu Paul **en sortant** du métro. (gérondif : c'est moi qui sortais.)

Ne dites pas
- ~~J'ai passé un an en apprenant le français.~~
mais → J'ai passé un an **à apprendre** le français.

↻ *Renvoi*
Pour les divers emplois du gérondif,
voir le temps page 268,
la cause page 237,
la condition page 288,
l'opposition page 279.

3. L'adjectif verbal

Certains participes présents sont devenus des adjectifs verbaux. Ils s'accordent avec le nom auquel ils se rapportent.

- des livres intéressant**s**, une rue très passant**e**,

  une entrée payant**e,** des personnes bien portant**es**

Comparez :

- Elle mène une vie **fatigante**. (= qui est fatigante, adjectif verbal)

et Ce traitement médical la **fatiguant** beaucoup, elle a dû arrêter de travailler. (= comme ce traitement la fatigue, participe présent)

II. LE PARTICIPE PASSÉ

Formation

Pour les verbes du **1ᵉʳ groupe** et du **2ᵉ groupe**, le participe passé est formé sur le radical de l'infinitif.

1ᵉʳ groupe : radical + -é.	2ᵉ groupe : radical + -i.
manger ➞ mang**é**	finir ➞ fin**i**, réuss**i**

Pour les verbes du **3ᵉ groupe**, un grand nombre de participes passés sont irréguliers.

partir ➞ part**i**	ouvrir ➞ ouver**t**
mettre ➞ m**is**	peindre ➞ pein**t**
dire ➞ d**it**	savoir ➞ s**u**

Le participe passé est variable.

Emploi

1. Le participe passé employé comme verbe

Avec l'auxiliaire *avoir* ou *être*, il sert à former **les temps composés**.
- Elle a parlé, il est sorti, il s'était trompé, avoir choisi, etc.

Avec l'auxiliaire *être*, il sert également à former **la voix passive**.
- Elle est invitée / elle a été invitée.

Souvent **employé seul**, il se rapporte à **un nom** ou à **un pronom**.
- J'ai trouvé une chambre à louer dans un appartement **habité** par une vieille dame. (= qui est habité...)
- **Surprise** par sa réaction, elle n'a pas su quoi lui dire.

Il existe **une forme composée du participe** :
auxiliaire au participe présent + participe passé.

Cette forme du participe permet d'exprimer **l'antériorité** de l'action par rapport au verbe principal.

- Les élèves **ayant obtenu** la mention très bien au baccalauréat entrent sans examen dans cette école. (= qui ont obtenu)
- L'euro, **étant devenu** la monnaie de l'Union européenne, remplace la monnaie de la plupart des États européens.
  (= qui est devenue)

L'auxiliaire *être* est fréquemment omis.

- **Restée** handicapée à la suite d'un accident, elle a fait aménager son appartement. (= étant restée handicapée)

Dans la subordonnée participiale, le participe a son sujet propre. La subordonnée, généralement en tête de phrase, est séparée du reste de la phrase par une virgule. Elle exprime essentiellement la cause et le temps. On la rencontre surtout à l'écrit.

- L'usine de la ville **ayant fermé**, plus de cent personnes sont maintenant au chômage. (= comme l'usine a fermé…)

L'auxiliaire *être* est fréquemment omis.

- La nuit **venue**, il n'y a plus personne dans les rues de cette petite ville de province. (= quand la nuit est venue…)

2. Le participe passé employé comme adjectif qualificatif

Un grand nombre de participes passés sont devenus des adjectifs qualificatifs.

- une porte **ouverte**, un oiseau **mort**, une boisson **glacée**, des légumes **surgelés**

Ne confondez pas le participe passé, **sens passif** et l'adjectif verbal, **sens actif**.

amus**é**	amus**ant**
choqu**é**	choqu**ant**
dé**çu**	décev**ant**
énerv**é**	énerv**ant**
boule**rsé**, etc.	boulevers**ant**, etc.

Comparez :

- Les spectateurs étaient très **émus** par le film.

et C'était un film très **émouvant.**

- Je suis **agacé** par tous ces coups de téléphone.

et Ces coups de téléphone sont très **agaçants.**

L'accord du participe passé

1. Employé seul

Le participe passé **s'accorde avec le nom** auquel il se rapporte.

- une montre achet**é**e en Suisse
- des routes enneig**ées**

2. Employé avec être

↺ *Renvoi*
Pour l'accord du participe passé des verbes pronominaux, voir pages 112-113.

Le participe passé **s'accorde avec le sujet.**

- **Elle** est sorti**e** après le déjeuner.
- **Nous** avons été très intéress**és** par cette émission.
- **Ils** se sont perdu**s** dans la forêt.
- Après être all**és** au cinéma, **nous** avons pris une bière sur les Champs-Élysées.

3. Employé avec avoir

Le participe passé **ne s'accorde jamais avec le sujet**.

- Marielle a mang**é** une tarte aux pommes.
- Nous avons march**é** très longtemps.

Remarque
Le participe ne s'accorde pas avec le pronom *en* complément d'objet direct.
- Des poires ? J'en ai **acheté**.

Mais il **s'accorde avec le complément d'objet direct**, quand celui-ci est **placé devant le verbe**.

Deux cas sont possibles :

— le complément est **un pronom personnel** (*me, te, le, la, nous, vous, les*) ;

- Ces poires sont délicieuses ; je **les** ai achet**ées** au marché.

Attention
Me, te, nous, vous sont des pronoms direct et indirect.
Comparez :
- Il nous a écout**és**.
(écouter qqn → nous = COD
→ accord)
et Il nous a parl**é**.
(parler à qqn → nous = COI
→ pas d'accord)

Comparez :

- Paul a mis son petit garçon sur ses épaules ; il l'a mis [i] sur ses épaules. (l' = le = le garçon)

et Paul a mis sa petite fille sur ses épaules ; il l'a mis**e** [iz] sur ses épaules. (l' = la = la fille)

– le complément est **le pronom relatif** *que*.

- Les lettres **que** J.-P. Sartre a écrit**es** [it] à S. de Beauvoir ont été publiées sous le titre *Lettres au Castor*. (que = les lettres)

- Jean s'est marié avec une jeune fille **qu'**il a rencontré**e** en Grèce. (qu' = une jeune fille)

4. Cas particuliers

Le participe passé des verbes impersonnels est toujours invariable.

- J'ai mal supporté la chaleur qu'il a **fait** cet été.

- Quelle tempête il y a **eu** cette nuit !

Pour les verbes *faire* + infinitif et *laisser* + infinitif, le participe reste invariable.

- Ma voiture était en panne ; je l'ai fai**t** réparer.

- L'enfant doit ramasser les jouets qu'il a laiss**é** traîner par terre.

Les participes passés des verbes *voir, regarder, entendre, écouter, sentir, envoyer* suivis d'un infinitif, s'accordent avec le complément d'objet direct quand celui-ci est également le sujet de l'infinitif.

Comparez :

- L'actrice que j'ai **vue** jouer était merveilleuse.
  (l'actrice = sujet du verbe *jouer* et COD du verbe *voir*)

et La pièce que j'ai **vu** jouer était de Ionesco.
  (la pièce = COD du verbe *jouer*, le sujet de *jouer* est sous-entendu : les acteurs)

- C'est une cantatrice que j'ai souvent **entendue** chanter.
  (cantatrice = sujet de *chanter* et COD d'*entendre*)

et C'est une chanson que j'ai souvent **entendu** chanter
  par ma mère. (chanson : COD de *chanter*)

LES MOTS INVARIABLES

LES PRÉPOSITIONS

Les prépositions sont des mots ou des groupes de mots invariables qui servent à relier un élément de la phrase à un autre. Ce sont alors de simples outils grammaticaux qui n'ont pas de sens particulier.

→ Les camélias commencent **à** fleurir en décembre.

Dans d'autres cas, la préposition établit un rapport de sens.

→ Nous avons planté des rosiers **dans** le jardin. (lieu)
→ J'ai acheté ces guirlandes **pour** décorer le sapin de Noël. (but)

Les prépositions à *et* de

Ces prépositions très fréquentes introduisent divers compléments.

1. Le complément d'un verbe

- François téléphone **à** sa petite amie.
- Ce livre appartient **à** Julien.
- Je joue **de** la guitare.
- Elle nous a longuement parlé **de** ses vacances au Kenya.

↻ *Renvoi*
Pour l'emploi de *à* ou *de*,
voir les constructions verbales
pages 333 à 358.

2. Le complément d'un adjectif

- L'opinion publique est de plus en plus favorable **à** la protection de l'environnement.
- Georges est content **de** son nouveau travail.

Ne dites pas
- ~~Il est content avec son nouveau travail.~~

Certains adjectifs suivis de « *à* + infinitif » sont suivis de « *de* + infinitif » quand ils sont employés dans une construction impersonnelle.

Comparez :
- Cette recette de cuisine est **facile à** faire.
et Il n'est pas **facile d'**obtenir un visa pour ce pays.

- Cette bande dessinée est **amusante à** lire.
et C'est **amusant de** jouer aux cartes.

C'est le cas des adjectifs : *facile, utile, nécessaire, possible, agréable, amusant, important, intéressant, simple, pratique,* etc.

3. Le complément d'un adverbe ou d'une expression de quantité

- Beaucoup **de** gens ont un chien.
- Je voudrais un kilo **de** sucre.
- Je viens de terminer un roman **de** 500 pages !

4. Le complément d'un nom

Remarques
1. D'autres prépositions peuvent introduire un complément de détermination.
- une robe **sans** manches, une cigarette **avec** filtre, un concerto **pour** piano, etc.

2. L'emploi de *à* ou de *de* peut introduire une différence de sens. *Ne confondez pas :*
- une tasse **à** café (= une tasse pour boire du café) *et* une tasse **de** café (= une tasse pleine de café)

↻ *Renvoi*
Pour l'emploi de l'article avec le complément de nom, voir page 46.

La préposition *de* et, moins fréquemment, la préposition *à* introduisent un **complément de détermination** qui précise le sens du nom.

Préposition *de*
- le livre **de** Julien
- le sens **d'**un mot, la lumière **de** la lune
- une salle **de** cinéma, un cours **de** gymnastique
- le temps **de** lire, l'art **de** vivre
- la porte **de** derrière, les gens **d'**ici, etc.

Préposition *à*
- des plats prêts **à** cuire, une salle **à** manger, un couteau **à** pain
- un bateau **à** moteur, un café **au** lait, une tarte **aux** pommes
- un enfant **aux** yeux bleus, etc.

5. Un complément circonstanciel

Ne dites pas
- ~~aller chez la boulangerie~~ mais → aller **à** la boulangerie / **chez** le boulanger

Préposition *à*
le lieu où l'on est : habiter **à** la campagne ;
le lieu où l'on va : aller **à** l'Opéra, **au** cinéma ;
l'heure : arriver **à** midi, partir **à** 20 heures ;
le moyen : circuler **à** pied, **à** bicyclette ;
la manière : rouler **à** toute vitesse, parler **à** voix basse, etc.

Préposition *de*
le point de départ, l'origine : partir **de** la maison, venir **d'**un pays lointain ;
la cause : trembler **de** peur, tomber **de** sommeil ;
la manière : parler **d'**une voix aimable, remercier **d'**un sourire ;
la mesure : reculer **d'**un mètre, maigrir **de** trois kilos, etc.

de peut être en relation avec *à* pour indiquer des limites.

- Il y a 863 km **de** Paris **à** Marseille. (distance)
- Je travaille **de** 9 heures **à** 13 heures. (durée)
- Ces fleurs coûtent **de** 10 **à** 30 euros. (prix)
- Il y avait **de** 30 **à** 35 personnes dans la salle. (quantité)

Les prépositions devant les noms géographiques

1. Le lieu où l'on est, le lieu où l'on va

en et *au(x)* + nom de pays

L'emploi des prépositions *en* et *à* (contractée avec *le* et *les*) est lié au genre du nom.

en	+ nom féminin + nom masculin commençant par une voyelle	Il est / il va **en** Chine, **en** Espagne, **en** Corée, **en** Algérie, **en** Argentine, etc. Il est / il va **en** Iran, **en** Israël, **en** Irak, **en** Afghanistan.
au	+ nom masculin commençant par une consonne	Il est / il va **au** Japon, **au** Canada, **au** Danemark, **au** Vénézuela, **au** Maroc, etc.
aux	+ nom pluriel	Il est / il va **aux** États-Unis, **aux** Pays-Bas, **aux** Philippines, etc.

en et *dans* + nom de région

L'emploi des prépositions *en* et *dans* est lié au genre du nom.

en	+ nom féminin + nom masculin commençant par une voyelle	Il vit **en** Bretagne, **en** Californie, **en** Anjou, etc.
dans	+ article + nom masculin commençant par une consonne + article + nom pluriel	Il vit **dans** le Périgord, **dans** le Tyrol, **dans** les Flandres, etc.

Les noms de pays et de régions sont féminins lorsqu'ils sont terminés par *-e*.

- la France, la Bulgarie, la Provence, etc.

Exceptions :

- le Mexique, le Mozambique, le Cambodge

Remarque

Pour les points cardinaux, on dit :
- au Nord, au Sud, à l'Est, à l'Ouest.

à + nom de ville

- Il habite **à** New York, **à** Rome, etc.
- Il vit **au** Havre. (à + Le Havre)

2. Le lieu d'où l'on vient

On emploie la préposition *de* contractée ou non avec l'article défini.

de	+ nom de pays ou de région féminin	Il vient **de** Chine, **d'**Espagne, **de** Bretagne, etc.
	+ nom de pays ou de région masculin commençant par une voyelle	Il vient **d'**Iran, **d'**Israël, **d'**Anjou, etc.
	+ nom de ville	Il vient **de** New York, **de** Rome, etc. mais → **du** Havre
du	+ nom de pays ou de région masculin commençant par une consonne	Il arrive **du** Japon, **du** Canada, **du** Périgord, etc.
des	+ nom de pays ou de région pluriel	Il arrive **des** États-Unis, **des** Flandres, etc.

Comparez :
- Elle va **en** Corée / **en** Irak.

et Elle revient **de** Corée / **d'**Irak.

- Elle va **au** Danemark / **aux** Pays-Bas.

et Elle revient **du** Danemark / **des** Pays-Bas.

Emploi de certaines prépositions

1. Dans et en

↺ **Renvoi**

Pour *dans* et *en* dans l'expression du temps, voir page 263.

Dans indique :
– le lieu (= à l'intérieur de),
- Il y a des plantes vertes **dans** le salon.
- **Dans** ce journal, il y a des petites annonces pour le logement.

Ne dites pas
- ~~Il se promène par la rue.~~ /
~~Il marche sur la rue.~~

mais → Il se promène **dans** la rue. /
Il marche **dans** la rue.

– le temps.
- **Dans** sa jeunesse, il faisait beaucoup de sport. (= pendant)
- Il reviendra **dans** trois jours. (= trois jours après aujourd'hui)

En + nom sans article indique :

— la saison,

- **en** hiver, **en** été, **en** automne

Exception : **au** printemps

— la durée,

- J'étais pressé ; j'ai déjeuné **en** dix minutes.
- Il a couru le marathon de Paris **en** trois heures.

— la matière : après le verbe *être* ou après un nom.

- Cette bague est **en** or.
- Auriez-vous un sac **en** plastique ?

En se trouve aussi dans de nombreuses expressions.

- voyager **en** voiture, se mettre **en** colère, écrire **en** français, acheter **en** solde, être **en** pantalon, etc.

Dans, en et à

Comparez :

- Je voyage **en** avion. (moyen de transport)
- *et* **Dans** l'avion, l'hôtesse offre toujours une boisson.
  (= à l'intérieur de)

- **Au** théâtre, il y a souvent un entracte.
  (théâtre = genre de spectacle)
- *et* **Dans** ce théâtre, il y a cinq cents places.
  (théâtre = salle de spectacle)

2. Avant et devant

Avant sert à localiser dans le temps.

- La nouvelle piscine sera ouverte **avant** l'été.

Devant sert à localiser dans l'espace.

- Il y a un grand parking **devant** le supermarché.

3. À cause de et grâce à

- Merci beaucoup ! C'est **grâce à** toi que j'ai trouvé si vite un studio. (idée positive)
- C'est **à cause de** toi que j'ai raté mon train ! (idée négative)

Ne dites pas

- ~~au même temps~~
mais ➜ **en** même temps

Remarque

Après un nom, pour indiquer la matière, on trouve aussi la préposition *de*.

- Un mur **de** béton, une veste **de** cuir, etc.

4. Par et pour

Ces prépositions expriment la cause.

Pour

- Il a été condamné **pour** vol. (= parce qu'il a commis un vol)
- Le musée est fermé **pour** travaux.
- Il est soigné **pour** une dépression nerveuse.

Par

- Il m'a aidé **par** gentillesse. (= parce qu'il est gentil)
- Il est venu **par** amitié.
- Il a fait cela **par** erreur.

Ces prépositions ont aussi d'autres sens.

Pour

- partir **pour** Paris (destination)
- travailler **pour** un examen (but)
- être là **pour** huit jours (durée prévue)
- des cadeaux **pour** des amis (attribution)
- Je suis **pour** le travail à temps partiel. (= être favorable à)

Par

- Ce tableau a été peint **par** Dufy. (agent)
- envoyer un paquet **par** avion (moyen)
- regarder **par** la fenêtre (lieu)
- trois fois **par** semaine (périodicité)
- passer **par** Tours pour aller à Bordeaux (trajet)

5. Entre et parmi

Entre s'emploie pour exprimer l'espace (temps ou lieu) qui sépare des personnes ou des choses.

- Le médecin passera **entre** 10 heures et midi. (temps)
- Au cinéma, le petit garçon était assis **entre** ses parents. (lieu)

Parmi permet d'isoler un élément d'un groupe.

- **Parmi** toutes les fleurs sauvages, ce sont les coquelicots que je préfère.
- **Parmi** les spectateurs, on remarquait le Premier ministre.

6. Sur

Idée de contact

- L'avion se posera **sur** la piste n° 2.
- Le programme des émissions est posé **sur** le téléviseur.
- Ma chambre donne **sur** un jardin. (= touche un jardin)

Sens de *au sujet de*

- J'ai écouté un débat **sur** la politique internationale.
- On m'a offert un livre **sur** les oiseaux migrateurs.

Expression d'une fraction de nombre

- Il faut obtenir 10 **sur** 20 pour être reçu à son bac.
- Trois candidats **sur** quatre ont réussi le concours d'entrée dans cette école.

Expression de la périodicité

- Un week-end **sur** deux, il va à la campagne dans sa famille.
  (= un week-end, il y va, le week-end suivant, il reste chez lui)

Ne dites pas
- ~~voir un film sur la télévision~~
mais → voir un film **à** la télévision

7. Sur et au-dessus de / sous et au-dessous de

- J'ai collé un timbre **sur** l'enveloppe. (contact)
- L'avion volait **au-dessus de** l'océan Atlantique.
  (en un point supérieur)

- L'infirmière a mis un oreiller **sous** les jambes du malade.
  (contact)
- La température est descendue **au-dessous de** zéro.
  (en un point inférieur)

8. Chez

Chez signifie « dans la maison ou le magasin de quelqu'un ».
- **chez** moi, **chez** M. et Mme Leroy, **chez** le pharmacien, **chez** le boucher

Remarque
La préposition *chez* peut être précédée d'une autre préposition.
- **à côté de chez** moi, **près de chez** moi, **devant chez** les Durand

Ne dites pas
- ~~chez la famille Grandin~~
mais → **dans** la famille Grandin
ou **chez** les Grandin

Répétition et omission de la préposition

1. Répétition

Les prépositions *à, en, de* sont généralement répétées devant chaque complément.

- Nous avons téléphoné **à** Dominique et **à** René.
- Elle est allée **en** France et **en** Italie.
- Il y a beaucoup **d'**oliviers et **de** cyprès en Provence.
- **Grâce à** sa patience et **à** son courage, il a surmonté toutes les difficultés.

Les prépositions sont répétées dans les réponses aux questions.

- **À** qui vas-tu offrir ce stylo ? **À** Jean.
- **En** quoi est cette écharpe ? **En** soie.
- **De** qui est ce tableau ? **D'**Édouard Manet.

2. Omission

Les autres prépositions ne sont généralement pas répétées si les compléments sont liés par le sens.

- Il est revenu de son voyage avec des cadeaux **pour** ses parents et ses amis.
- J'ai bavardé **avec** M. Dupuis et sa femme.

Mais si on veut distinguer les compléments, on répète la préposition.

- Il a acheté des cadeaux **pour** sa famille et **pour** ses amis.

Dans de nombreuses expressions, la préposition a disparu.

- fin novembre, début janvier
- les relations Est-Ouest (= les relations entre l'Est et l'Ouest)
- le match France-Angleterre (= le match de la France contre l'Angleterre)
- parler politique (parler de), voter écologiste (voter pour), etc.

Cette juxtaposition est une tendance de la langue moderne.

Prépositions et adverbes

— Certaines prépositions ont une forme adverbiale de même sens.

préposition + nom	adverbe
dans	**dedans**
hors de	**dehors**
sur	**dessus**
sous	**dessous**

Comparez :

- Qu'as-tu mis **dans** cette valise ? (préposition)
et Cette valise est bien lourde. Je me demande ce qu'il y a **dedans**. (adverbe)

- On parle aussi français **hors de** France.
et Où sont les enfants ? Ils jouent **dehors.**

- Est-ce que je peux poser mes affaires **sur** cette table ?
et Oui, oui, pose-les **dessus** !

Ne dites pas
- ~~dedans cette valise~~

préposition + nom	adverbe
à côté de	**à côté**
au milieu de	**au milieu**
en bas de	**en bas**
loin de, etc.	**loin**, etc.

Comparez :

- Ils habitent **à côté de** la gare.
et J'habite rue Blanche ; l'école de mes enfants est juste **à côté.**

— Certaines prépositions ont la même forme que les adverbes :
après, avant, depuis, derrière, devant.

Comparez :

- Il viendra **après** le dîner. (préposition)
et Nous avons dîné à vingt heures ; **après**, nous avons regardé un film à la télévision. (adverbe)

- Le chien était couché **devant** la cheminée. (préposition)
et Il n'y a plus de places au fond de la salle ; venez donc vous asseoir **devant** ! (adverbe)

Remarque
Dans la langue familière, les prépositions *avec, pour* et *contre* sont souvent employées comme des adverbes.
- C'est un bon couteau ; on coupe tout **avec**.
- La construction d'un nouvel aéroport ? Vous êtes **pour** ou **contre** ?

LES ADVERBES

Un adverbe est un mot ou un groupe de mots invariable qui modifie :

– le sens d'un mot,

→ Rentrez **tout de suite** !

– le sens d'une phrase.

→ **Finalement**, le gouvernement a renoncé au projet de loi sur l'augmentation des impôts.

Emploi des adverbes

Les adverbes modifient **le sens d'un mot** qui peut être :
– un verbe,

- Il travaille. → Il travaille **beaucoup**.

– un adjectif,

- Elle est jolie. → Elle est **très** jolie.

– un autre adverbe,

- Je vais **souvent** au cinéma.
  → Je vais **assez souvent** au cinéma.

– une préposition,

- Mon cousin René habite **près de** chez moi.
  → Mon cousin René habite **tout près de** chez moi.

– un nom.

- J'ai fermé **les fenêtres** de la voiture.
  → J'ai fermé **les fenêtres arrière** de la voiture.

Les adverbes modifient **le sens d'une phrase** ou servent de **mot de liaison** entre deux phrases.

- Nous sommes allés à la campagne ; il a fait beau.
  → Nous sommes allés à la campagne ; **heureusement**, il a fait beau.
- Nous avons été cambriolés deux fois ; **c'est pourquoi** nous avons fait installer une alarme.

Classement des adverbes selon leur sens

1. Adverbes de manière

Les adverbes en -*ment*

Ils sont formés du féminin de l'adjectif et du suffixe -*ment*.

- fort → **forte** → forte**ment**
- doux → **douce** → douce**ment**
- vif → **vive** → vive**ment**
- fou → **folle** → folle**ment**

Cas particulier

Pour les adjectifs terminés par -*ent*, le suffixe est -*emment*.

Pour les adjectifs terminés par -*ant*, le suffixe est -*amment*.

Il n'y a pas de différence de prononciation entre les deux suffixes.

- évident → évid**e**mment
- violent → viol**e**mment
- courant → cour**a**mment
- suffisant → suffis**a**mment

[amã]

Pour les adjectifs terminés par -*i*, -*é*, -*u*, le -*e* du féminin disparaît.

- vrai → vraiment
- aisé → aisément   mais gai**e**ment
- absolu → absolument

Autres adverbes

— *bien, mal, exprès, vite, n'importe comment, par hasard, etc.*

- Il l'a rencontré **par hasard** place de l'Opéra.

— certains adjectifs au masculin singulier employés comme adverbes :
*parler **bas**, chanter **fort**, coûter **cher**, manger **froid**, etc.*

- Elle parle **fort**.
- Cette eau de toilette sent **bon**.

2. Adverbes de temps

Alors, après, avant, bientôt, de nos jours, déjà, encore, ensuite, jamais, longtemps, maintenant, puis, quelquefois, soudain, tard, tôt, toujours, tout de suite, tout à l'heure, de temps en temps, etc.

Remarques

1. Notez l'accent aigu sur le -*e*.
- précis(e) → précis**é**ment
- profond(e) → profond**é**ment

2. Adverbes irréguliers :
- gentil(le) → gent**i**ment
- bref → brève → bri**è**vement

Ne dites pas
- ~~Il parle rapide~~.
mais → Il parle **rapidement** / **vite**.

↻ *Renvoi*
Pour l'adjectif employé comme adverbe, voir page 32.

Ne dites pas
- ~~quelques fois~~
mais → quelquefois

↻ *Renvoi*
Pour l'expression du temps,
voir pages 252 à 255.

- **Maintenant**, presque tous les jeunes font des voyages à l'étranger.
- La ligne est occupée, je rappellerai **tout à l'heure**.

3. Adverbes de lieu

Ailleurs, autour, dedans, dehors, dessous, ici, là, là-bas, loin, près, partout, n'importe où, etc.

- Elle a perdu son porte-monnaie ; heureusement, il n'y avait presque rien **dedans**.
- Dans un jardin public, on ne peut pas marcher **n'importe où**.

Remarque sur les adverbes de manière, de temps et de lieu
De nombreux adverbes de manière et quelques adverbes de temps et de lieu comme *vite, lentement, longtemps, tôt, tard, souvent, loin, près*, peuvent être employés au comparatif et au superlatif.

- Il court $\left\{ \begin{array}{l} \textbf{plus vite} \\ \textbf{aussi vite} \\ \textbf{moins vite} \end{array} \right\}$ que moi.
- Arrivez **le plus tôt** possible !

4. Adverbes de quantité

Assez, beaucoup, davantage, peu, presque, très, trop, tellement, aussi, complètement, autant, plus, moins, petit à petit, tout à fait, à moitié, à peu près, etc.

- Pauvre bébé ! Il est fatigué : il est **à moitié** endormi.
- Travaillez **davantage** votre prononciation !

5. Adverbes d'affirmation / de négation / de probabilité

Affirmation : *oui, si, d'accord, certainement, évidemment, bien sûr, effectivement, tout à fait*, etc.
Négation : *non, ne... jamais, ne... plus, pas du tout*, etc.
Probabilité : *sans doute, peut-être, probablement*, etc.

- Tu viendras samedi ? $\left\{ \begin{array}{l} \textbf{Oui bien sûr} \text{ !} \\ \textbf{Oui probablement} \text{ vers 8 heures.} \\ \textbf{Non}, \text{ je ne pourrai pas.} \\ \textbf{Peut-être}, \text{ si je peux me libérer.} \end{array} \right.$

- Tu ne m'as pas rendu mon stylo ! Mais **si**, je te l'ai rendu !

6. Adverbes d'interrogation / d'exclamation

Interrogation : *combien, comment, pourquoi, quand, où*, etc.
Exclamation : *comme, que*, etc.

- **Comment** allez-vous ?
- **Comme** on aimerait que la paix règne dans le monde !

↻ *Renvoi*
Pour la négation, l'interrogation et
l'exclamation, voir pages 187, 185, 194.

Adverbes de phrases et mots de liaison

— Certains adverbes **modifient le sens d'une phrase**.
- Au salon de l'Agriculture, **évidemment**, le Maire de Paris
  et le Premier ministre sont venus. (= il est évident que)

Placés en tête de phrase, les adverbes *peut-être, sans doute, bien
sûr, évidemment, certainement, probablement, heureusement*
peuvent être suivis de *que* **+ indicatif.**
- Tes enfants sont vaccinés contre le tétanos ? **Bien sûr qu'**ils
  sont vaccinés !
- La maison est toujours fermée. **Peut-être qu'**elle est à vendre.

Remarque
Placés en tête de phrase, *peut-être*
et *sans doute* entraînent l'inversion
du sujet *(langue soutenue)*.
- La maison est toujours fermée.
Peut-être **est-elle** à vendre.
Sans doute **est-elle** à vendre.

Ne dites pas
- ~~Peut-être il viendra demain.~~
mais → Il viendra **peut-être** demain.
ou Peut-être qu'il viendra demain.

— Certains adverbes **servent à relier deux phrases**. Ce sont des
mots de liaison : *par conséquent, en revanche, en fait, en effet,
cependant, pourtant, c'est pourquoi, d'ailleurs*, etc.
- Je n'ai aucune envie de sortir par un tel froid ; **en effet**, je suis
  très enrhumé. (cause)
- Mon oncle parle très mal espagnol, **pourtant** il a vécu quinze
  années à Madrid. (opposition)

Remarque

Quelques adverbes ont un sens différent selon qu'ils modifient un
mot ou qu'ils servent de mots de liaison : *autrement, justement,
seulement, à peine, aussi*, etc. Leur place n'est pas la même.

Comparez :
- Toi, tu penses qu'il n'y a que l'argent qui compte.
  Moi, je pense **autrement**. (adverbe = d'une autre manière)
et Je prends toujours des notes pendant le cours. **Autrement**,
  j'oublie ce que le professeur a dit. (mot de liaison = sinon)

■ Il a très **justement** fait remarquer qu'il était trop tôt pour porter un jugement définitif. (adverbe = avec raison)

et Allô, c'est toi Anne ? Quelle coïncidence ! **Justement** j'allais t'appeler. (mots de liaison = concordance de deux faits)

Difficultés d'emploi de certains adverbes

1. Bien

↺ *Renvoi*
Pour *mieux / le mieux*, voir pages 291 et 294.

Bien est le contraire de *mal*.

■ John est en France depuis trois mois et il parle déjà très **bien** français.

Ne dites pas
■ ~~C'est un homme bien connu.~~
mais ➙ C'est un homme **très connu**.

Bien a aussi le sens de *très*.

■ Je suis **bien** étonné de ce que vous me dites.

Bien s'emploie pour renforcer un comparatif.

■ Leur nouvel appartement est **bien plus** ensoleillé **que** l'ancien. (= beaucoup plus)

Remarque
bon et *bien* peuvent avoir le même sens.
■ Votre devoir est très **bon** / très **bien**.

Bien a quelquefois la valeur d'un adjectif, surtout à l'oral.

■ Lis ce livre, il est très **bien**. (= très intéressant)
■ Stéphanie était très **bien** avec cette robe. (= très jolie)
■ On est très **bien** ici ! (= content, à l'aise)
■ C'est un homme **bien**. (= honnête, on peut lui faire confiance)

On le trouve dans la formule : *c'est bien de* + infinitif.

■ **C'est bien d'**aider les gens en difficulté.
■ **C'est bien de** pratiquer un sport régulièrement.

Attention
Ne confondez pas
je voudrais bien (= je souhaite)
avec *je veux bien* (= j'accepte).
■ Veux-tu nous accompagner à la piscine ? Oui, je veux **bien**.

Bien renforce une affirmation.

■ Les Morel n'habitent plus ici ? Mais non, tu sais **bien** qu'ils sont partis à l'étranger.
■ Je voudrais **bien** vivre à la campagne !

2. Beaucoup

Beaucoup peut être employé avec un verbe.

Ne dites pas
■ ~~J'aime beaucoup de café.~~

■ Mon père voyage **beaucoup** pour son travail.
■ J'aime **beaucoup** le café.

Beaucoup de + nom joue le rôle d'un déterminant.

- Mon père fait **beaucoup de** voyages.
- Je bois **beaucoup de** café.

Beaucoup s'emploie aussi devant un comparatif et devant *trop*.

- Je vais acheter ces chaussures. Elles sont **beaucoup plus** confortables **que** celles que j'ai essayées avant.
- Ces chaussures sont **beaucoup trop** petites pour moi.

3. Peu / un peu

Ces deux adverbes expriment une petite quantité mais *peu* a un sens **négatif** et *un peu* a un sens **positif**.

Avec un verbe
Comparez :
- Monsieur Laforêt, je le connais **peu.**

  (= je ne le vois pas très souvent)
et Monsieur Laforêt, je le connais **un peu.**

  (= je le vois de temps en temps)

Avec un nom
Peu de s'emploie devant un nom comptable ou non comptable, mais *un peu de* s'emploie seulement devant un nom non comptable.
- Il fait froid ; il y a **peu de** promeneurs dans les rues. (comptable)
- Rajoute **un peu de** sel dans la sauce. (non comptable)

Comparez :
- Il a **peu de** patience. (sens négatif = pas beaucoup)
et Aie donc **un peu de** patience ! (sens positif = une petite quantité)

4. Très

Très + adjectif / adverbe
- Claire est **très** jolie et **très** intelligente.
- Comment allez-vous ? **Très** bien, merci.

On emploie aussi *très* dans les expressions : *faire attention, avoir faim (soif, envie, besoin,* etc.).
- J'ai **très** faim et **très** soif.
- Il faut faire **très** attention en traversant cette rue.

Ne confondez pas *très / trop.*

Comparez :

- Ce café est **très** chaud. (mais on peut le boire)

et Ce café est **trop** chaud. (on ne peut pas le boire)

- C'est un bébé **très** fragile.

et C'est un bébé **trop** fragile pour aller à la crèche.

↻ *Renvoi*
Pour *trop pour* et *trop pour que*
qui introduisent une conséquence,
voir pages 242-243.

5. Même

Cet adverbe s'emploie pour **insister sur un mot** ou pour marquer une **gradation.**

- C'est dans cette maison **même** que Jeanne d'Arc est née. (insistance)
- Le ministre lui-**même** inaugurera ce lycée. (insistance)
- Jean est très doué pour les langues. Il parle l'anglais, l'allemand et **même** le chinois. (gradation)
- Tout le monde s'est baigné, **même** Zoé qui n'aime pas nager. (gradation)

Remarque
L'adverbe *voire* en deuxième partie de phrase renforce une affirmation. *(langue soutenue)*
- Il faudra des mois, **voire** des années avant que cette région dévastée soit reboisée.
(= peut-être même)

6. Alors

Alors = *à ce moment-là* (dans le passé ou dans le futur)

- Max finira ses études de médecine dans deux ans. Il aura **alors** 30 ans.
- En 1983, mon père travaillait à Nice et nous habitions **alors** près de la gare.

Alors = *donc*

- Il y avait la queue pour avoir un taxi ; **alors**, j'ai pris le métro.

À l'oral, *alors* s'emploie pour marquer une réaction affective.

- **Alors**, tu viens ? (impatience)
- Ça **alors** ! (surprise)

7. Aussi

Aussi (= *également*) n'est jamais en tête de phrase.

- Pierre fait du judo et il fait **aussi** de l'équitation.

Aussi (= *par conséquent*), placé en tête de phrase, entraîne l'inversion du sujet *(langue soutenue)*.

- C'était le centenaire de la mort d'Émile Zola ; **aussi** de nombreuses commémorations **ont-elles été** organisées un peu partout.

Ne dites pas
- J'ai visité le musée du Louvre, aussi le musée d'Orsay.
mais → J'ai visité le musée du Louvre **ainsi que** le musée d'Orsay. *(langue soutenue)*
J'ai visité le musée du Louvre, **et aussi** le musée d'Orsay. (langue courante)

Aussi s'emploie dans un comparatif d'égalité.
- Il est **aussi** grand **que** son père.

8. Ainsi

Ainsi = de cette manière
- « Salut ! » On ne s'adresse pas **ainsi** à une personne âgée !

Ainsi (= par conséquent) placé en tête de phrase peut entraîner l'inversion du sujet dans la **langue soutenue**.
- Un contrôle très strict a été établi à l'entrée du stade. **Ainsi**, on espère / **Ainsi** espère-t-on que le match se déroulera sans incident.

9. Plutôt

- Ne viens pas ce soir ! Viens **plutôt** demain ! (= de préférence)
- Prenez l'autoroute **plutôt** que les petites routes ! Vous irez plus vite !

Attention
Ne confondez pas *plutôt* et *plus tôt* (le contraire de *plus tard*).
- Alain est rentré **plus tôt** que d'habitude.

10. Ici et là

Ici et *là* s'emploient pour opposer un lieu proche (*ici*) à un lieu éloigné (*là*).
- La bibliothécaire m'a dit : « C'est **ici** qu'on rend les livres et c'est **là** qu'on les emprunte. »

Mais quand il n'y a pas d'opposition, *là* est plus fréquent qu'*ici*.
- Asseyez-vous **là** ! (= ici)
- Pourrais-je parler à madame Robin ? Non, elle n'est pas **là**. (= ici)

Remarque
Pour insister sur l'éloignement, on emploie *là-bas*.
- Asseyez-vous **là-bas** ! (= plus loin, pas près d'ici)

11. Tout

L'adverbe *tout* signifie *complètement, entièrement, très*.
- Les enfants de nos voisins sont **tout** petits. (= très)
- Elle portait une robe **toute** blanche. (= entièrement)

↻ *Renvoi*
Pour les emplois et l'accord de *tout* adverbe, voir pages 71-72.

12. En fait / en effet

- Je pensais que c'était de la confiture d'oranges ; **en fait**, c'était de la confiture d'abricots. (= en réalité, mais)
- Il a cessé de jouer du violon ; **en effet**, il est complètement absorbé par ses études. (= parce que, explication)

13. D'ailleurs / par ailleurs

- Éteins la télévision ! Tu l'as assez regardée aujourd'hui.
  D'ailleurs, il est temps d'aller te coucher. (= et de plus)
- Je n'ai plus faim. Je ne prendrai pas de dessert. **D'ailleurs**,
  je n'aime pas beaucoup les gâteaux. (= et de plus)
- Cette femme est souvent désagréable ; mais, **par ailleurs**,
  elle est très compétente dans son travail. (= d'un autre point de vue)

14. Au moins / du moins

- Muriel Dubois a l'air jeune mais elle a **au moins** 55 ans.
  (= au minimum)
- Il a fait le tour du monde en bateau à voile, **du moins**
  c'est ce qu'il raconte. (introduit une réserve, une restriction)

Place des adverbes

Quand l'adverbe modifie un adjectif ou un autre adverbe :
il est placé devant ce mot.

- Cette histoire est **parfaitement** exacte.
- Vous conduisez **trop** vite.

Ne dites pas

- ~~Toujours il vient à midi.~~
mais → Il vient **toujours** à midi.
- ~~Je souvent fais cette faute.~~
mais → Je fais **souvent** cette faute.

Quand l'adverbe modifie un verbe

– à un temps simple, l'adverbe est placé après le verbe ;

- Il arrivera **demain**.
- Notre chien couche **dehors**.
- La vieille dame marchait **lentement**.

Ne dites pas

- ~~J'ai mangé beaucoup.~~
mais → J'ai **beaucoup** mangé.
- ~~Ils sont sortis souvent ensemble.~~
mais → Ils sont **souvent** sortis
ensemble.

– à un temps composé, l'adverbe se trouve généralement entre
l'auxiliaire et le participe passé. C'est le cas en particulier des
adverbes de quantité ainsi que des adverbes *souvent, toujours,
bien, mal, déjà*, etc.

- Nous avons **beaucoup** ri en voyant ce film.
- Le maire a **bien** expliqué son projet.
- L'avion est **déjà** arrivé.

Mais lorsque l'adverbe est un mot long, il peut aussi se placer après
le participe passé.

- Nous avons déjeuné **rapidement**.

Quand l'adverbe modifie une phrase, sa place est variable selon l'importance qu'on lui donne.

- Dans ce jardin, $\left\{\begin{array}{l}\text{il y a des fleurs } \textbf{partout}.\\ \text{il y a } \textbf{partout} \text{ des fleurs.}\\ \textbf{partout} \text{ il y a des fleurs.}\end{array}\right.$

- **Demain**, le magasin ouvrira à 10 heures.
  Le magasin ouvrira **demain** à 10 heures.

LES DIFFÉRENTS TYPES DE PHRASES

LA PHRASE INTERROGATIVE

Il y a deux types d'interrogation :

- **une interrogation totale** qui appelle la réponse « oui » ou « non » ;
  → – Est-ce qu'on peut acheter des billets de train dans votre agence ?
  – Non monsieur, c'est impossible. Il faut aller à la gare.

- **une interrogation partielle** qui porte sur un élément de la phrase.
  → – Quand partez-vous pour l'Italie ?
  – Demain après-midi.

Les formes de l'interrogation varient selon le niveau de langue : langue familière (l.f.), langue courante (l.c.) et langue soutenue (l.s.).

La phrase interrogative se termine toujours par un point d'interrogation (?).

I. L'INTERROGATION TOTALE

L'interrogation porte sur toute la phrase. La réponse est « oui » ou « non ».

I. Les structures interrogatives

Il y a trois structures interrogatives.

Intonation → la voix monte : langue familière.
- Vous savez conduire ? Oui, bien sûr !
- Tu as compris ce que j'ai dit ? Non, pas très bien !
- On peut entrer ? Oui, je vous en prie.

***Est-ce que... +* forme affirmative :** langue courante.
- **Est-ce que** vous savez conduire ? Oui, bien sûr !
- **Est-ce que** tu as compris ce que j'ai dit ? Non, pas très bien !
- **Est-ce qu'**on peut entrer ? Oui, je vous en prie.

Inversion du sujet : langue soutenue.
Il y a un trait d'union entre le verbe et le pronom.
- Avez-**vous** lu le dernier article de Jean Dupont ? Oui, je l'ai lu hier.
- Peut-**on** tolérer la violence ? Non, en aucun cas !

Remarques
1. À la place de *oui*, on entend souvent : *tout à fait, totalement, effectivement, absolument.*
- Vous habitez bien ici ?
Tout à fait.

2. *N'est-ce pas* en fin de phrase implique que l'on est presque sûr de la réponse.
- Vous avez des enfants, **n'est-ce pas ?** Oui, j'en ai deux.
- Vous n'êtes pas marié, **n'est-ce pas** ? Non, pas encore.

3. *Je peux* devient *Puis-je.*
- **Puis-je** vous poser une question ?

Lorsque le verbe se termine par une voyelle, il faut intercaler un -*t* entre le verbe et le pronom personnel sujet pour faciliter la prononciation.

- Y a-**t**-il quelqu'un dans la maison ?
- Ta sœur, quand arrive-**t**-elle ?

Quand le sujet est un nom, il reste placé devant le verbe mais il est repris par un pronom personnel.

- Cette table est-**elle** à vendre ? Non, elle est déjà vendue.
- Le directeur accepte-t-**il** de recevoir un client après 19 heures ? Oui, parfois !
- Ce violoniste a-t-**il** joué dans l'orchestre de Radio-France ? Oui, en 2001.

Ne dites pas
- ~~A joué ce violoniste dans l'orchestre...?~~

2. La forme interro-négative

La forme interrogative peut se combiner avec la forme négative. Lorsque la question est négative, la réponse affirmative n'est pas « oui » mais « si ».

- Vous **n'**avez **pas** d'enfants ? **Si**, j'en ai deux.
- Est-ce que ce **n'**est **pas** monsieur Verdier, l'actuel ministre des Sports ? **Si**, c'est lui.
- La forteresse de la Bastille **n'**était-elle **pas** une prison avant la Révolution ? **Si**, c'est bien connu.

Comparez :
- Tu viens déjeuner ? **Oui**, j'arrive.

et Tu ne viens pas déjeuner ? **Si**, j'arrive.

II. L'INTERROGATION PARTIELLE

La réponse n'est jamais « oui » ni « non ». **L'interrogation porte sur un élément de la phrase** : le sujet, le complément d'objet ou les compléments circonstanciels. Elle se fait au moyen de mots interrogatifs : pronoms, adjectifs, adverbes.

Pronoms interrogatifs

Les pronoms sont différents selon qu'on interroge sur une personne ou sur une chose.

1. Qui

Qui s'emploie pour poser une question sur **l'identité d'une ou de plusieurs personnes**.

Identification
- **C'est qui**, cette jeune fille ? (l.f.)
- *ou* Cette jeune fille, **qui est-ce** ? (l.c.) ⎱
- *ou* **Qui est** cette jeune fille ? (l.s.) ⎰ C'est ma sœur Anne.

Sujet : *qui / qui est-ce qui*
- **Qui est-ce qui** a téléphoné ? (l.c.) ⎱
- *ou* **Qui** a téléphoné ? (tous niveaux de langue) ⎰ C'est Alain.

Ne dites pas
- ~~Qui a-t-il téléphoné ?~~

Complément d'objet : *qui / qui est-ce que*
- Vous avez vu **qui** ? (l.f.)
- *ou* **Qui est-ce que** vous avez vu ? (l.c.) ⎱ Le directeur du magasin.
- *ou* **Qui** avez-vous vu ? (l.s.) ⎰

- Paul a rencontré **qui** ? (l.f.)
- *ou* **Qui est-ce que** Paul a rencontré ? (l.c.) ⎱ Son amie Virginie.
- *ou* **Qui** Paul a-t-il rencontré ? (l.s.) ⎰

Complément avec une préposition : préposition + *qui / + qui est-ce que*
- Vous écrivez **à qui** ? (l.f.)
- *ou* **À qui est-ce que** vous écrivez ? (l.c.) ⎱ À mon professeur.
- *ou* **À qui** écrivez-vous ? (l.s.) ⎰

- Paul est sorti **avec qui** ? (l.f.)
- *ou* **Avec qui** est sorti Paul ? (l.c.) ⎱
- *ou* **Avec qui est-ce que** Paul est sorti ? (l.c.) ⎱ Avec son amie.
- *ou* **Avec qui** Paul est-il sorti ? (l.s.) ⎰

Remarque
Notez la répétition de la préposition dans la réponse.
- **Pour** qui sont ces gâteaux ?
Pour les enfants.

2. Que / quoi

Que et *quoi* s'emploient pour poser une question sur **une chose** ou sur **une idée**.

Identification

- **C'est quoi**, cet appareil ? (l.f.)
- *ou* Cet appareil, **qu'est-ce que c'est** ? (l.c.) ⎫ C'est un télécopieur.
- *ou* Cet appareil, **qu'est-ce** ? (l.s.) ⎭

Sujet : *qu'est-ce qui* (forme unique à tous les niveaux de langue)
- **Qu'est-ce qui** a causé l'accident ? C'est un camion qui a dérapé.
- On entend une alarme. **Qu'est-ce qui** se passe ?

Complément d'objet : *que / qu'est-ce que*

- — **Qu'est-ce qu'**ils veulent ? (l.c.)
ou **Que** veulent-ils ? (l.s.)
  — Ils veulent des informations.

- — **Qu'est-ce qu'**a répondu l'accusé ? (l.c.)
ou **Qu'est-ce que** l'accusé a répondu ? (l.c.)
ou **Qu'**a répondu l'accusé ? (l.s.)
  — Je ne suis pas coupable.

Dans la langue familière, on emploie fréquemment *quoi* à la place de *que*. La voix monte.

- Ils veulent **quoi** ?
- L'accusé a répondu **quoi** ?

Complément avec une préposition : préposition + *quoi*

- Vous parlez **de quoi** ? (l.f.)
ou **De quoi est-ce que** vous parlez ? (l.c.) ⎫ Des vacances.
ou **De quoi** parlez-vous ? (l.s.) ⎭

- Ces gens discutent **de quoi** ? (l.f.)
ou **De quoi** discutent ces gens ? (l.c.) ⎫
ou **De quoi est-ce que** ces gens discutent ? (l.c.) ⎬ De politique.
ou **De quoi** ces gens discutent-ils ? (l.s.) ⎭

- Ils jouent **à quoi** ? (l.f.)
ou **À quoi est-ce qu'**ils jouent ? (l.c.) ⎫ Aux échecs.
ou **À quoi** jouent-ils ? (l.s.) ⎭

	personnes	choses
sujet	**qui** **qui est-ce qui**	**qu'est-ce qui**
COD	**qui** **qui est-ce que**	**que** **qu'est-ce que**
complément avec préposition	**à** **par** **qui** **avec** etc.	**à** **par** **quoi** **avec** etc.

3. Lequel, laquelle, lesquels, lesquelles

Ces pronoms représentent une ou plusieurs personnes ou choses déjà nommées. Ils impliquent un choix.

Sujet
- — Vous connaissez les sœurs Lenoir. **Laquelle** est la plus jeune ?
  (= quelle sœur est la plus jeune ?)
  — C'est Aline.

Complément d'objet
- Il y a deux menus ;
  - vous choisissez **lequel** ? (l.f.)
  - **lequel est-ce que** vous choisissez ? (l.c.)
  - **lequel** choisissez-vous ? (l.s.)

Ne dites pas
- ~~Lequel livre voulez-vous ?~~
mais → **Quel** livre voulez-vous ?
ou **Lequel de ces livres** voulez-vous ?

Avec une préposition
- Il y a plusieurs portes dans l'hôpital.
  On doit entrer **par laquelle** pour les urgences ? (l.f.)
ou **Par laquelle est-ce qu'**on doit entrer pour les urgences ? (l.c.)
ou **Par laquelle** doit-on entrer pour les urgences ? (l.s.)

Attention à la contraction avec la préposition :
à + lequel, lesquels, lesquelles → auquel, auxquels, auxquelles ;
- Il y a trois guichets. **Auquel** dois-je m'adresser ?

de + lequel, lesquels, lesquelles → duquel, desquels, desquelles.
- Il y a trois frères Legrand médecins. **Duquel** parlez-vous ?

Adjectifs interrogatifs

Quel, quelle, quels, quelles + nom

- **Quel** est votre nom de famille ? C'est « Laforêt ».
  (tous niveaux de langue)
- — **Quels** sont les journalistes qui ont participé à cette enquête ?
  — Ce sont des journalistes de *France-Soir*. (tous niveaux de langue)

- — Vous pratiquez **quels sports** ? (l.f.)
ou **Quels sports est-ce que** vous pratiquez ? (l.c.)
ou **Quels sports** pratiquez-vous ? (l.s.)
    — Je fais du ski et de la plongée sous-marine.

- — Votre frère travaille **pour quelle entreprise** ? (l.f.)
ou **Pour quelle entreprise est-ce que** votre frère travaille ? (l.c.)
ou **Pour quelle entreprise** travaille votre frère ? (l.c.)
ou **Pour quelle entreprise** votre frère travaille-t-il ? (l.s.)
    — Il travaille pour la société Legrain.

Adverbes interrogatifs

Où, quand, combien, pourquoi, comment, etc.

Attention
Avec *pourquoi* il n'y a pas
d'inversion du nom sujet.

Ne dites pas
~~Pourquoi pleure le bébé ?~~
mais → Pourquoi le bébé
pleure-t-il ? (l.s.)
ou Pourquoi est-ce que
le bébé pleure ? (l.c.)

Forme interrogative avec un pronom sujet
- On peut acheter des timbres **où** ? (l.f.)
ou **Où est-ce qu'**on peut acheter des timbres ? (l.c.) ⎫
ou **Où** peut-on acheter des timbres ? (l.s.) ⎬ À la poste.
⎭

Forme interrogative avec un nom sujet
- Frédéric arrivera **quand** ? (l.f.)
ou **Quand** arrivera Frédéric ? (l.c.) ⎫
ou **Quand est-ce que** Frédéric arrivera ? (l.c.) ⎬ La semaine
ou **Quand** Frédéric arrivera-t-il ? (l.s.) ⎭ prochaine.

Les adverbes *où, quand, combien* peuvent être précédés d'une préposition.

- **Depuis combien de temps** étudiez-vous le français ?
  Depuis six mois.
- **Jusqu'à quand** dure la foire de Paris ? Jusqu'au 15 mai.
- **Par où** les voleurs sont-ils passés ? Par la lucarne du grenier.

> **Remarque**
> Notez la répétition de la préposition dans la réponse.

Remarques générales sur l'interrogation partielle

L'inversion est très courante dans des questions courtes.

- Où vas-tu ? Quelle heure est-il ? Quel âge avez-vous ?
  Comment allez-vous ? Quel temps fait-il ?

Il n'y a pas d'inversion du nom sujet lorsque le verbe est suivi d'un complément.

Comparez :
- Avec qui **sort Marie** ? (inversion)
et Avec qui est-ce que **Marie va** au cinéma ? (inversion impossible)
et Avec qui **Marie va-t-elle** au cinéma ? (inversion impossible)

L'infinitif peut être employé dans une phrase interrogative pour apporter une nuance d'hésitation, de délibération.

- À qui s'adresser ? Pourquoi refuser ? Que dire ?
  Comment faire ?

LA PHRASE NÉGATIVE

Une phrase négative est le contraire d'une phrase affirmative. La négation la plus fréquente se compose de deux termes : *ne* et *pas*.

Adrien aime les romans de science-fiction.

→ Adrien **n'**aime **pas** les romans de science-fiction.

Ne peut se combiner avec des adverbes ou des mots indéfinis pour exprimer diverses nuances de sens.

→ Je **ne** regarde **jamais** les émissions de jeux à la télévision.

Les adverbes négatifs

1. Non

Non est **une réponse négative à une question**.

- Veux-tu du café ? **Non**, merci. (= je ne veux pas de café)

Il peut aussi remplacer **une proposition**.

- On ne sait pas encore si le taux de croissance de cette année atteindra ou **non** 2 %. (= ou s'il n'atteindra pas)
- Le directeur me propose de partir à l'étranger : à ton avis, j'accepte ou **non** ? (= ou je n'accepte pas)

Non, pas et *non pas* servent à exprimer **une opposition**. Ils sont souvent en corrélation avec *mais* ou *et*. Leur sens est équivalent.

- Le champagne se boit frais mais **non** glacé.
- La petite Camille veut un gâteau au chocolat et **pas** un autre.
- Le mot *ici* est un adverbe et **non pas** une préposition.

Non et *pas* associés à un pronom personnel tonique s'emploient en réponse à une question pour marquer l'opposition.

- J'aime danser et toi ? Moi **non** / **Pas** moi. (= je n'aime pas danser)

Non plus a le sens de *aussi* dans un contexte négatif.

- Elle veut se marier, lui aussi.
- → Elle ne veut pas se marier, lui **non plus**.
- Je n'aime pas danser et toi ? Moi **non plus**. (= je n'aime pas danser)

> **Remarque**
> sinon = si... ne pas.
> - Il faut arriver avant 20 h, **sinon** la porte de la salle sera fermée. (= si on n'arrive pas avant 20 h)
> - Appelle-moi, **sinon** je m'inquiéterai. (= si tu ne m'appelles pas)

> *Ne dites pas*
> - Il n'est pas français, moi aussi.
> mais → Il n'est pas français, moi **non plus**.

2. Ne... pas

Cette négation encadre :

– le verbe aux temps simples,
- Jean **n'**aime **pas** voyager.
- **Ne** parlez **pas** si fort ! On ne s'entend plus.

– l'auxiliaire aux temps composés.
- Hier, il pleuvait et les enfants **ne** sont **pas** sortis.
- Pardon ! Je **n'**ai **pas** compris votre question.

À l'infinitif, les deux termes négatifs sont placés devant le verbe.
- On demande aux visiteurs de **ne pas** prendre de photos dans le musée.
- Excusez-moi de **ne pas** vous avoir répondu plus tôt !

Pour renforcer *ne... pas*, on ajoute *du tout*.
- Je **ne** comprends **pas du tout** ton attitude.

3. Ne... plus

C'est la négation de *encore* et de *toujours*.
- – Est-ce que vous travaillez **encore** dans le laboratoire Legrand ?
  – Non, je **n'**y travaille **plus** depuis longtemps.
  (= mais j'y travaillais avant)
- – Est-ce que tes amis allemands habitent **toujours** dans ton immeuble ? (toujours = encore)
  – Non, ils **n'**y habitent **plus**, ils ont déménagé.
- Avant je fumais, mais j'ai décidé de **ne plus** fumer.

Pour renforcer *ne...plus*, on ajoute *du tout*.
- Depuis son accident, il **ne** fait **plus du tout** de sport.

4. Ne... pas encore

C'est la négation de *déjà*.
- Les résultats sont-ils **déjà** affichés ? Non, ils **ne** le sont **pas encore**. (= mais ils le seront plus tard)
- Est-ce que le TGV Paris-Marseille existait **déjà** en 1960 ? Non, il **n'**existait **pas encore**.

---

5. Ne... jamais

C'est une négation totale.

C'est la négation de *toujours, souvent, quelquefois, parfois.*

- Sabine habite dans ton quartier. Est-ce que tu la rencontres **quelquefois** ? Non, je **ne** la rencontre **jamais**.
- Je **ne** vais **jamais** voir les films en version française ; je choisis **toujours** les films en version originale.
- Est-ce qu'on entend **souvent** parler de cet écrivain ? Non, on **n'**entend **jamais** parler de lui.

Jamais peut aussi être la négation de *déjà.*

Comparez :

- — Êtes-vous **déjà** allé au Mont-Saint-Michel ?
  — Non, je **n'**y suis **pas encore** allé.
  (= je n'y suis jamais allé mais je pense y aller)
et — Je **n'**y suis **jamais** allé. (= pas une seule fois dans le passé)

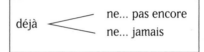

> **Remarque**
> *Ne... jamais* n'est pas la seule négation de *toujours* ni de *souvent.*
> On peut dire :
> - Je ne vais **pas toujours** voir les films en version originale.
>   (= pas à chaque fois)
> - On n'entend **pas souvent** parler de lui. (= on entend parler de lui de temps en temps)
>   Dans ce cas, la négation n'est pas totale.

> **Remarque**
> *Jamais* employé sans *ne* a une valeur positive dans une phrase comparative, interrogative ou après un *si* d'hypothèse.
> - Son examen approche. Il travaille plus que **jamais**. (= plus qu'avant)
> - Avez-vous **jamais** entendu une histoire pareille ? (= déjà)
> - Si **jamais** il y a un problème, n'hésitez pas à m'appeler !
>   (= si un jour, si par hasard)

6. Ne... ni... ni

C'est la négation de *et* et de *ou.*

- Mon frère et moi, nous aimons le rock **et** le rap.
  → Mon frère et moi, nous **n'**aimons **ni** le rock **ni** le rap.

L'article indéfini ou partitif est omis.

- Il y a **une** école **et une** mairie dans ce village.
  → Il **n'**y a **ni** école **ni** mairie dans ce village.
- Je prendrai **du** café **ou du** thé.
  → Je ne prendrai **ni** café **ni** thé.

On peut également dire *pas de... ni de.*

- Il n'y a **pas d'**école **ni de** mairie dans ce village.
- Je ne prendrai **pas de** café **ni de** thé.

7. Omission d'un des éléments de la négation

On omet *ne* dans une phrase sans verbe.

- Accident sur la ligne 4 du métro. **Pas** de trains entre Châtelet et Gare du Nord.
- Le facteur est déjà passé ? Non, **pas** encore.
- Est-ce que tu as déjà rencontré cette femme ? Non, **jamais.**

On omet *pas*, dans la **langue soutenue**, après les verbes *oser, savoir, cesser* et *pouvoir*.

- Je **ne** cesse de vous le répéter. (= je ne cesse pas)
- Je **n'**ose lui dire la vérité. (= je n'ose pas)

> *Remarque*
> À l'oral, dans la langue familière, comme *ne* n'est pas tonique, on a tendance à le supprimer.
> - C'est **pas** vrai.
> - J'ai **rien** entendu.
> - Je sais **pas**.
> - Il y avait **personne**.

Autres constructions négatives

1. Forme interro-négative

- On ferait bien d'interdire la circulation dans le centre de la ville. Vous **n'**êtes **pas** de cet avis ? **Si**, bien sûr !

↺ *Renvoi*
Pour la forme interro-négative, voir page 181.

2. Négation et indéfini

ne... personne
ne... rien
ne... aucun(e)
ne... nulle part

- Je **ne** connais **personne** dans cette ville.

↺ *Renvoi*
Pour les indéfinis, voir pages 60 et suivantes.

3. Sans

Cette préposition fait porter la négation sur un nom, un pronom ou un infinitif.

- Il est parti **sans** argent.
- Partez **sans** moi !
- Il est parti **sans** faire de bruit.

Sans peut être employé avec *jamais, ni* et les indéfinis négatifs.

- Il fait tout ce qu'on lui demande **sans jamais** protester.
- Les explorateurs perdus dans la montagne sont restés deux jours **sans** boire **ni** manger.
- Il est parti **sans rien** dire, **sans aucun** mot de remerciement, **sans** dire au revoir à **personne**.

↺ *Renvoi*
Pour l'absence ou la modification de l'article, voir pages 46-47 et pages 43-44.

Ne dites pas
- Il est parti sans dire quelque chose.
mais → Il est parti **sans rien** dire.
- Il est parti sans voir quelqu'un.
mais → Il est parti **sans** voir **personne**.
- Il reste sans bouger et parler.
mais → Il reste **sans** bouger **ni** parler.

4. Ne... que

Ne... que exprime une restriction.

- Il **ne** reste **qu'**une place sur le vol Paris-Madrid du 17 mai.
(= il reste seulement une place)
- As-tu de la monnaie ? Non, je **n'**ai **qu'**un billet de 20 euros.
- On trouve maintenant des plats tout préparés. Il **n'**y a **qu'**à les réchauffer. (= la seule chose à faire, c'est de les réchauffer)

L'expression *n'avoir qu'à* + infinitif exprime un conseil ou un reproche.

- Tu es pressé ? Tu **n'**as **qu'**à prendre un taxi. (= tu devrais prendre un taxi)
- Elle a eu une amende pour excès de vitesse. C'est de sa faute, elle **n'**avait **qu'**à rouler moins vite. (= elle aurait dû rouler moins vite)

5. Combinaisons de négations

ne... plus ne... encore	jamais	**Ne** fais **plus jamais** ça ! On **n'**a **encore jamais** vu ça !
ne... plus ne... jamais ne... encore	ni... ni	Elle **ne** boit **plus ni** thé **ni** café. Il **ne** mange **jamais ni** viande **ni** poisson. Je **n'**ai **encore** bu **ni** vin rouge **ni** vin blanc.
ne... plus ne... jamais ne... encore	rien personne aucun	Je **ne** vois **plus rien**. Je **ne** vois **plus personne**. Je **n'**ai **plus aucun** espoir. Il **ne** me dit **jamais rien**. Il **ne** parle **jamais** à **personne**. Il **n'**a **jamais** eu **aucun** problème. Elle **n'**a **encore rien** fait. Elle **n'**a **encore** vu **personne**. Elle **n'**a **encore** eu **aucun** problème.
ne... encore ne... plus	que	Il est 9 h. Il **n'**y a **encore que** deux clients dans le magasin. Il est 20 h. Il **n'**y a **plus que** deux personnes dans le magasin.

6. Constructions négatives à valeur affirmative

La forme négative permet d'atténuer une affirmation.

- Ce serait une bonne idée de faire une promenade.
  - → Ce **ne** serait **pas** une mauvaise idée de faire une promenade.
  (atténuation)
- J'aime bien prendre un apéritif de temps en temps.
  - → Je **ne** déteste **pas** prendre un apéritif de temps en temps.
- Cet hôtel est très cher.
  - → Cet hôtel **n'**est **pas** bon marché.

7. Non et pas

Ils peuvent être employés comme des préfixes devant un nom et un adjectif.

Non
- La non-violence
- Un non-voyant
- Une lettre non signée
- des citrons non traités
- de l'eau non potable

etc.

Pas
- Un livre pas cher
- Du linge pas repassé
- un travail pas soigné

etc.

8. Le ne explétif *(langue soutenue)*

Il existe un *ne* dit « explétif » qui n'a pas de valeur négative et dont l'emploi est facultatif.

Comparez :
- On craint qu'il y ait une crise dans l'immobilier.
- *et* On craint qu'il (**n'**) y ait une crise dans l'immobilier.
  (les deux phrases ont exactement le même sens, malgré la présence du *ne* explétif).

Remarque
Le *ne* explétif figure toujours entre parenthèses dans les exemples de cet ouvrage.

On le rencontre dans une proposition subordonnée après :

— les verbes *craindre, avoir peur, redouter, éviter, empêcher* ;
- Il faut éviter que cet incident (**ne**) se produise.

— les conjonctions *avant que, à moins que, de crainte que, de peur que.*
- Partez avant qu'il (**ne**) soit trop tard.

On le rencontre également dans les phrases comparatives d'inégalité avec *plus... que, moins... que, autre... que.*
- C'est plus difficile que je (**ne**) le pensais.
- Je trouve que ce spectacle est moins bon qu'on (**ne**) le dit dans la presse.

LA PHRASE EXCLAMATIVE

La phrase exclamative permet d'exprimer des sentiments divers : joie, surprise, admiration, indignation, regret, etc. C'est souvent une phrase sans verbe qui peut comporter ou non un mot exclamatif.

À l'oral, l'exclamation est marquée par l'intonation, à l'écrit par un point d'exclamation à la fin de la phrase (!).

→ Bientôt les vacances ! Quelle chance !
→ Bravo ! Vous avez gagné !

Phrases avec un mot exclamatif

Le mot exclamatif permet d'exprimer **l'intensité d'un sentiment**.

1. Quel(s), quelle(s) + nom

Cet adjectif s'accorde avec le nom.

- « Les feuilles mortes » de Prévert et Kosma, **quelle** belle chanson !
- Nous devions partir en pique-nique mais il pleut. **Quel** dommage !
- J'ai arrêté mes études ; **quelle** erreur !
- **Quels** jolis bouquets il y a chez ce fleuriste !

2. Que

Cet adverbe s'emploie avec :

— un verbe,

- Ta fille, **qu'**elle est mignonne avec cette robe !
- Ce ténor, **qu'**il chante bien !

— un nom précédé de *de*.

- **Que de** monde ! Qu'est-ce qui se passe ?
- Un déménagement ! **Que de** soucis !

> **Remarque**
> Dans la langue familière, on emploie souvent :
> — *ce que* ou *qu'est-ce que*
> à la place de *que* ;
> - Ta fille, **ce qu'**elle est mignonne ! / **qu'est-ce qu'**elle est mignonne !
> — *qu'est-ce que... comme*
> à la place de *que de*.
> - **Qu'est-ce qu'**il y a **comme** monde !

3. Comme

- Bonjour Henri ! **Comme** tu as grandi !
- **Comme** ce serait bien d'être sur une plage au soleil !
- Ce beau temps, **comme** c'est agréable !

4. Tellement / tant / si / un tel

↻ *Renvoi*
Ces adverbes sont aussi employés dans l'expression de la conséquence. Voir pages 239-240.

Tellement de + nom / *tant de* + nom
- Serge fait rire tout le monde. Il a **tant d'**humour !

Verbe + *tellement / tant*
- Je n'ai pas reconnu Mathieu sur la photo. Il a **tellement** changé !

Si + adjectif
- Vous permettez ? J'enlève ma veste. Il fait **si** chaud !

Un(e) tel(le), de tel(le)s + nom
- Vous permettez ? J'enlève ma veste. Il fait **une telle** chaleur !

5. Pourvu que + subjonctif

Il exprime un souhait avec la crainte que le contraire se produise.
- Le train part dans dix minutes. **Pourvu que** nous arrivions à temps ! (= je souhaite que nous arrivions à temps mais je crains que nous arrivions en retard)
- **Pourvu qu'**elle n'ait pas oublié notre rendez-vous !

6. Si + imparfait ou plus-que-parfait

Il exprime un regret.
- Ah ! **Si** elle m'aimait !
- Ah ! **Si** j'avais su !

L'adverbe *seulement* placé après *si* renforce l'expression du regret.
- Tu as raté ton examen. **Si seulement** tu avais travaillé davantage !
- Ma fille n'en fait qu'à sa tête. **Si seulement** elle m'écoutait quelquefois !

Phrases exclamatives avec une interjection

Les interjections sont nombreuses et elles appartiennent généralement à la langue familière : *Ah ! Aïe ! Chut ! Quoi ! Oh là là ! Tant
pis ! Hélas ! Hein ! Ouf ! Stop ! Bref ! Ça alors ! Tiens !*

Certaines (*ah ! oh ! eh !*, etc.) peuvent s'employer dans des contextes
variés.

- **Ah !** Quelle bonne surprise !
- **Ah !** Quelle horreur !

D'autres ont un sens plus précis.

- **Aïe !** Je me suis coupé le doigt. (douleur)
- Les enfants dorment. **Chut !** Taisez-vous ! (demande de silence)
- Julien a gagné 10 000 euros ! **Ça alors !** (surprise)
- Il ne peut pas venir. **Tant pis !** (= ça ne fait rien)
- **Hélas !** Cendrillon n'entendit pas sonner les douze coups
  de minuit ! (regret)

> **Remarque**
> Dans la langue familière,
> les expressions exclamatives
> sont très nombreuses et souvent
> liées à un phénomène de mode.
> - Pas possible ! C'est pas vrai !
> Dis donc ! Super !

Phrases sans mot exclamatif

Ce sont des phrases parfois réduites à un seul mot : impératif,
adverbe, adjectif, etc.

- **Attention !** (= fais attention !)
- **Tiens !** Tu es là ! Je te croyais parti. (surprise)
- **À demain !**
- Papa nous emmène au cirque. **Génial !**
- **Tu es fou !** Tu pars seul en montagne !
- Tant d'argent dépensé pour cette horrible construction !
  C'est un scandale !
- Il est midi. **Déjà !**

LA MISE EN RELIEF

La mise en relief permet d'insister sur un élément de la phrase :
— en le déplaçant ;
→ **Magnifique**, la pyramide du Louvre !

— en le reprenant par un pronom ;
→ La pyramide du Louvre, on **l'**a beaucoup critiquée, maintenant, on **l'**admire.

— en le soulignant par le présentatif *c'est*.
→ **C'est** l'architecte I. M. Pei **qui** a construit la pyramide du Louvre.

La mise en relief est d'un emploi très fréquent, particulièrement à l'oral.

Déplacement en tête de phrase d'un mot, d'une partie de la phrase

L'élément déplacé peut être :
— un adjectif ;
- Les vacances sont *finies*. Quel dommage !
  → **Finies**, les vacances ! Quel dommage !
- Cette mise en scène est *superbe*.
  → **Superbe**, cette mise en scène !
Ce procédé est fréquent dans la langue familière.

— un adverbe ;
- L'éditeur n'aurait *jamais* cru que ce roman remporterait un tel succès !
  → **Jamais** l'éditeur n'aurait cru que ce roman remporterait un tel succès !
- « **Ici** se trouvait l'ancien palais des Tuileries », expliquait le guide.

— un complément circonstanciel.
- Les habitants du quartier réclament *depuis des années* l'aménagement d'un espace de jeux pour les enfants.
  → **Depuis des années**, les habitants du quartier réclament l'aménagement d'un espace de jeux pour les enfants.
- **Pour faire du bon vin**, il faut cueillir le raisin quand il est bien mûr !

25

Reprise d'un mot, d'un groupe de mots par un pronom

1. Reprise par un pronom personnel

Le pronom personnel reprend **un nom ou un pronom**.

- *Cette actrice* est vraiment belle.
  - → *Cette actrice*, **elle** est vraiment belle.
  - → **Elle** est vraiment belle, *cette actrice*.
- En Hollande au printemps, on voit partout *des tulipes*.
  - → En Hollande au printemps, *des tulipes*, on **en** voit partout !
  - → En Hollande au printemps, on **en** voit partout, *des tulipes* !
- J'aurais dit ça ! Ce n'est pas vrai !
  - → **Moi**, j'aurais dit ça ! Ce n'est pas vrai !
  - → J'aurais dit ça, **moi** ! Ce n'est pas vrai !

Les pronoms neutres *le, en* ou *y* reprennent **une proposition subordonnée complétive** placée en tête de phrase. Dans ce cas, le verbe de la subordonnée est toujours au subjonctif.

- Jacques aime beaucoup s'occuper d'enfants.
  Je crois vraiment qu'il **deviendra** un bon instituteur.
  - → Qu'il **devienne** un bon instituteur, je **le** crois vraiment !
  Je suis sûr qu'il **deviendra** un bon instituteur.
  - → Qu'il **devienne** un bon instituteur, j'**en** suis sûr !
- Jacques ne s'intéressait pas particulièrement aux enfants. Je ne m'attendais pas à ce qu'il **devienne** un aussi bon instituteur.
  - → Qu'il **devienne** un aussi bon instituteur, je ne m'**y** attendais pas !

2. Reprise par un pronom démonstratif neutre

Le pronom démonstratif *ce / c'* ou *cela / ça* reprend :
— un nom ;
- *La musique*, **c'**est sa passion.
- *La meilleure équipe de football*, **c'**est la nôtre, bien sûr !
- *Les manipulations génétiques*, **cela** demande une sérieuse réflexion.

— un infinitif.
- *Danser la salsa*, elle adore **ça** !
- *Travailler dans des conditions pareilles*, **ça** non, je ne veux pas !
- *Conduire dans les embouteillages*, j'ai horreur de **ça** !

Remarque
L'élément mis en relief est isolé, à l'écrit par la ponctuation, à l'oral par une pause de la voix.

Ne dites pas
- ~~Qu'il est follement amoureux, je le sais.~~
mais → Qu'il **soit** follement amoureux, je le sais.
- ~~Qu'il aime cette fille, je suis sûr.~~
mais → Qu'il aime cette fille, j'**en** suis sûr.

↻ *Renvoi*
Pour l'emploi du pronom personnel,
voir page 85.

↻ *Renvoi*
Pour l'emploi de *ce* ou *cela*,
voir pages 51-52.

— une subordonnée complétive.

Elle est alors placée en tête de phrase. Le verbe de la subordonnée est toujours au subjonctif. *Il est* devient *c'est*.

- **Il est** évident que ce problème ne **peut** pas être réglé en un jour.
  → Que ce problème ne **puisse** pas être réglé en un jour, **c'est** évident !

- **Il est** normal que ce problème ne **puisse** pas être réglé en un jour.
  → Que ce problème ne **puisse** pas être réglé en un jour, **c'est** normal !

Constructions avec c'est

Le présentatif *c'est* accompagné d'un pronom relatif ou de la conjonction *que* est un moyen très courant de mise en relief.

A. Le présentatif *c'est* et le pronom relatif

Les constructions sont variées.

○ Renvoi
Pour l'emploi des pronoms relatifs, voir pages 204 à 206.

1. C'est... qui / c'est... que / c'est... dont

- Préservons la nature ! *Notre avenir* est en cause.
  → Préservons la nature ! **C'est** *notre avenir* **qui** est en cause.

Remarque
D'autres présentatifs sont employés en relation avec des pronoms relatifs : *il y a... qui / que*, etc. ; *voici / voilà... qui / que*, etc.
- **Il y a** une personne **qui** voudrait vous voir.
- **Voilà** une question **que** je ne m'étais jamais posée.

- Je ne veux pas voir *un vendeur* mais le chef de rayon.
  → **Ce n'est pas** *un vendeur* **que** je veux voir, mais le chef de rayon !

- La Bourse de Paris est en baisse. Tout le monde parle de *ce sujet* en ce moment.
  → La Bourse de Paris est en baisse, **c'est** *un sujet* **dont** tout le monde parle en ce moment.

2. C'est ce qui / c'est ce que / c'est ce dont / c'est ce à quoi

Deux constructions sont possibles pour chaque pronom :
– *c'est ce qui...* ou *ce qui... c'est...*
- *Regarder la télévision* lui a permis de faire des progrès en français.
  → Regarder la télévision, **c'est ce qui** lui a permis de faire des progrès en français.
  → **Ce qui** lui a permis de faire des progrès en français, **c'est** de *regarder la télévision*.

— c'est ce que... ou *ce que... c'est...*

- Les habitants de la ville réclament *l'ouverture d'une nouvelle ligne de tramway.*

  → *L'ouverture d'une nouvelle ligne de tramway,* **c'est ce que** réclament les habitants de la ville.

  → **Ce que** réclament les habitants de la ville, **c'est** *l'ouverture d'une nouvelle ligne de tramway.*

— c'est ce dont... ou *ce dont... c'est...*

- Après cette période très stressante, Joseph a besoin *de calme et de repos.*

  → *De calme et de repos,* **c'est ce dont** Joseph a besoin après cette période très stressante. (avoir besoin de)

  → **Ce dont** Joseph a besoin après cette période très stressante, **c'est** *de calme et de repos.*

— c'est ce + préposition *+ quoi...* ou *ce +* préposition *+ quoi... c'est...*

- En montagne, les promeneurs aspirent à *profiter de l'air pur et de la nature.*

  → En montagne, *profiter de l'air pur et de la nature,* **c'est ce à quoi** aspirent les promeneurs.

  → En montagne, **ce à quoi** aspirent les promeneurs, **c'est** *profiter de l'air pur et de la nature.* (aspirer à)

- J'ai été interrogé à l'examen sur les migrations internationales.

  → *Les migrations internationales,* **c'est ce sur quoi** j'ai été interrogé à l'examen. (être interrogé sur qqch)

  → **Ce sur quoi** j'ai été interrogé à l'examen, **ce sont** *les migrations internationales.*

B. Le présentatif *c'est* et la conjonction *que*

1. C'est que reprend un nom

Le choix du mode — indicatif ou subjonctif — après *c'est que* dépend du sens du nom.

↻ *Renvoi*
Pour l'emploi de l'indicatif
ou du subjonctif, voir pages 213 et 216.

— Noms suivis de l'indicatif : *la vérité, le résultat, l'ennui, le problème, l'avantage, l'inconvénient,* etc., ... *c'est que.*

- Julien a trouvé un travail qui lui plaît beaucoup, mais il y a *un problème,* il est très mal payé.

  → Julien a trouvé un travail qui lui plaît beaucoup, mais il y a *un problème,* **c'est qu'**il **est** très mal payé.

■ Cet appartement n'est pas très grand. *L'avantage*, **c'est qu'**il **est** dans le centre-ville.

– Noms suivis du subjonctif : *l'essentiel, l'étonnant, le mieux, le but, l'important*, etc., ... *c'est que*.

■ – Pour arriver à l'heure à la gare, qu'est-ce qui est *le mieux* ?
– *Le mieux*, **c'est que** vous **preniez** le métro.

■ Pour beaucoup de parents, *l'important*, **c'est que** leurs enfants **fassent** de bonnes études.

2. C'est... que encadre un mot ou un groupe de mots

– Un complément précédé d'une préposition

■ Maman, dit l'enfant, j'ai fait ce dessin *pour toi*.
→ Maman, dit l'enfant, **c'est** *pour toi* **que** j'ai fait ce dessin.

■ Tiens ! Vous voilà, je pensais justement *à vous*.
→ Tiens ! Vous voilà, **c'est** justement *à vous* **que** je pensais.

■ Avec Internet, nous assistons à *une profonde transformation de la société*.
→ Avec Internet, **c'est** *à une profonde transformation de la société* **que** nous assistons.

Ne dites pas
■ ~~C'est à Bordeaux où je pars~~.
mais → C'est à Bordeaux **que** je pars.

– Une circonstance de l'action

■ Le Conseil de sécurité de l'ONU se réunira *demain*.
→ **C'est** *demain* **que** se réunira le Conseil de sécurité de l'ONU.

■ Pasteur est né *à Dole, dans le Jura*.
→ **C'est** *à Dole, dans le Jura*, **que** Pasteur est né.

■ Je me suis coupé le doigt *en bricolant*.
→ **C'est** *en bricolant* **que** je me suis coupé le doigt.

■ Matthias, **c'est** *à cause de toi* **que** nous sommes en retard !

– Une proposition subordonnée de cause, de temps, etc.

■ Il a été gravement blessé dans l'accident *parce qu'il n'avait pas attaché sa ceinture*.
→ **C'est** *parce qu'il n'avait pas attaché sa ceinture* **qu'**il a été gravement blessé dans l'accident.

■ *Quand il a allumé le four*, l'installation électrique a sauté.
→ **C'est** *quand il a allumé le four* **que** l'installation électrique a sauté.

C. *Si... c'est*

Si... c'est met en relief une circonstance de cause ou de but.

Cause
- Ton gâteau est délicieux. **Si** j'en reprends, **c'est** vraiment par gourmandise.
- **S'**il fait froid à Avignon malgré le soleil, **c'est** parce que le mistral souffle dans la vallée du Rhône.

But
- **Si** Alexis travaille dans un supermarché cet été, **c'est** pour payer ses études.
- **Si** on taille les rosiers, **c'est** pour que les fleurs soient plus belles.

LA PHRASE COMPLEXE

LA PROPOSITION SUBORDONNÉE RELATIVE

La proposition subordonnée relative est introduite par un pronom relatif. Ce pronom remplace un nom ou un pronom appelé « antécédent ». La forme des pronoms relatifs varie selon leur fonction.

→ Le chat est un animal domestique **qui** aime la compagnie de l'homme.

La proposition subordonnée relative :
– précise le sens de l'antécédent ;

→ L'article **que** je viens de lire présente un point de vue intéressant sur le clonage humain.
– apporte une explication ;

→ Ma sœur, **qui** parle très bien le chinois, a trouvé facilement du travail.
– sert à décrire.

→ Nous avons visité un vieux château d'**où** on domine toute la vallée.

Les pronoms relatifs

1. Qui : sujet

L'antécédent (c'est-à-dire le mot que le pronom relatif remplace) est un animé (personne ou animal) ou un inanimé (chose ou idée).

L'antécédent est un nom.
- Le diamant et l'émeraude sont **deux pierres précieuses**. **Elles** coûtent très cher.

    → Le diamant et l'émeraude sont deux pierres précieuses **qui** coûtent très cher.

- Un spéléologue est **un homme**. **Cet homme** explore les cavernes et les grottes souterraines.

    → Un spéléologue est un homme **qui** explore les cavernes et les grottes souterraines.

L'antécédent est un pronom.
- Adressez-vous à l'employé du guichet n° 5, **celui qui** s'occupe des passeports. (celui = l'employé)
- Plusieurs projets ont été présentés ; c'est **le mien qui** a été choisi. (le mien = mon projet)
- La politesse, c'est **quelque chose qui** facilite les relations humaines.

Ne dites pas
- Les enfants qu'ils sont sages auront des bonbons.
mais → Les enfants **qui** sont sages auront des bonbons.
- J'ai un ami lequel est russe.
mais → J'ai un ami **qui** est russe.

Attention
Il n'y a jamais d'élision du pronom *qui*.
Ne dites pas
L'homme qu'explore...

Ne dites pas
- ~~C'est nous qui sont arrivés les premiers.~~
mais → C'est **nous** qui **sommes** arrivés...

Lorsque l'antécédent est un pronom personnel, le verbe est à la même personne que ce pronom.
- C'est **moi** qui **ai** fait ça.

Remarque
Qui = *celui qui* dans les proverbes et les expressions figées.
- **Qui** dort, dîne.
- **Qui** vivra, verra.

Dans la ***langue soutenue*** ou juridique, on emploie parfois *lequel* à la place de *qui*.
- On a interrogé les témoins de l'accident, **lesquels** ont donné différentes versions des faits.

Parfois le pronom relatif *qui* ne suit pas directement l'antécédent.
- Où est Paul ? Je **l'**ai vu il y a cinq minutes **qui** sortait de l'appartement.
- Le train a du retard. Mais non, **le** voilà **qui** arrive.

Remarques
1. *Que* peut être attribut.
- L'amateur de vin **que** vous êtes appréciera sûrement ce merveilleux bordeaux. (que = amateur de vin)
- Des milliers de touristes visitent ce magnifique château **qu'**est Versailles. (qu' = ce magnifique château)

2. Dans la ***langue soutenue***, on peut dire *que l'on* au lieu de *qu'on* pour faciliter la prononciation.
- *Naguère* est un mot **que l'on/qu'on** emploie peu.

2. Que : complément d'objet direct

L'antécédent est un animé ou un inanimé.

L'antécédent est un nom.
- Nous avons **des cousins brésiliens**. Nous voyons **ces cousins** très rarement.
  → Nous avons des cousins brésiliens **que** nous voyons très rarement.
- C'est **de la confiture de framboise**, je l'ai faite avec les fruits du jardin.
  → C'est de la confiture de framboise **que** j'ai faite avec les fruits du jardin.

↻ **Renvoi**
Pour l'élision, voir page 305.

Attention à l'élision devant une voyelle ou un *h* muet : *que* → *qu'*.
- Voilà le livre **qu'**il m'a offert.

↻ **Renvoi**
Pour l'accord du participe passé, voir pages 157-158.

L'antécédent est un pronom.
- Voilà Adrienne Lefort. C'est **elle que** j'ai proposée pour le poste d'assistante de direction.
- Parmi tous les romans de Jules Verne, il y en a **certains que** j'aime moins que les autres.
- Dans un village, le boulanger est **quelqu'un que** tout le monde connaît.

3. Dont remplace un complément introduit par de

L'antécédent est un animé ou un inanimé.

Dont peut être :

— complément du nom ;

■ Je suis très content de mon téléphone portable. L'écran **de ce téléphone portable** est très lisible.

→ Je suis très content de mon téléphone portable **dont** l'écran est très lisible.

■ Nous avons un ami américain. **Son** nom de famille est d'origine française. (son = le nom **de** cet ami)

→ Nous avons un ami américain **dont le** nom de famille est d'origine française.

Ne dites pas
■ ... ~~un ami américain dont son nom de famille est d'origine française.~~

— complément du verbe ;

■ J'ai écouté avec plaisir ce pianiste. On m'avait beaucoup parlé **de ce pianiste**. (parler de)

→ J'ai écouté avec plaisir ce pianiste **dont** on m'avait beaucoup parlé.

Remarque
■ J'ai acheté trois pull-overs **dont** un en cachemire et soie. (= un de ces pulls est en...)

■ Lucile a offert à sa fille la montre **dont** elle avait très envie. (avoir envie de)

Ne dites pas
■ ... ~~la montre qu'elle avait envie.~~

— complément de l'adjectif.

■ J'ai acheté un ordinateur. Je suis très satisfait **de cet ordinateur**.

→ J'ai acheté un ordinateur **dont** je suis très satisfait. (être satisfait de)

↻ *Renvoi*
Dans certains cas, *dont* doit être remplacé par *de qui, duquel*, voir page 208.

4. Ce + qui / que / dont

L'antécédent est le pronom neutre *ce*. Le sens de *ce* est indiqué par le contexte.

■ Voici le menu. Choisis **ce qui** te plaît. (ce = les plats ; qui : sujet du verbe)

■ Écoutez bien **ce que** je vais dire. (ce = les paroles ; que : complément d'objet direct)

■ J'ai trouvé tout **ce dont** j'avais besoin dans cette boutique de mode. (ce = les vêtements ; dont : complément du verbe *avoir besoin de*)

Ne dites pas
■ ... ~~tout ce que j'avais besoin.~~

Le pronom *ce* peut aussi reprendre la phrase qui précède.

■ Les Dufort nous ont invités à dîner dimanche, **ce qui** nous a fait plaisir. (ce = les Dufort nous ont invités à dîner)

- Beaucoup de piétons traversent hors des passages protégés, **ce que** je trouve très dangereux.

  (ce = traverser hors des passages protégés)
- Jules et Marie viennent d'acheter une maison à la campagne, **ce dont** ils rêvaient depuis bien longtemps !

  (ce = acheter une maison à la campagne)

5. Où : complément de lieu ou de temps

Complément de lieu

- La Bourgogne et le Bordelais sont des régions ; on produit de très bons vins **dans ces régions**.

  → La Bourgogne et le Bordelais sont des régions **où** on produit de très bons vins.
- L'appartement de Sophie a une terrasse **où** elle a installé un barbecue.

Où s'emploie aussi après les adverbes *là* et *partout* qui sont les antécédents.
- Tournez à droite, **là où** il y a une station d'essence.
- **Partout où** Julien va, il se fait des amis.

Où s'emploie aussi avec les prépositions *de* et *par*.

- Montez au dernier étage de la tour Eiffel **d'où** vous aurez une vue magnifique sur Paris. (d'où = du dernier étage)
- Indiquez-moi la route **par où** il faut passer. (par où = par quelle route)

Complément de temps

L'antécédent est un nom qui indique le temps : l'époque, l'instant, le moment, l'heure, le mois, la saison, etc.
- Nous étions aux États-Unis **l'année où** il y a eu un violent tremblement de terre en Californie.
- Je suis arrivé **un jour où** il y avait beaucoup d'embouteillages à cause d'une manifestation d'agriculteurs.

6. Préposition + qui ; préposition + lequel / laquelle / lesquels / lesquelles

L'antécédent est une personne : préposition + *qui / lequel.*
- C'est un ami ; je vais souvent faire du vélo **avec cet ami**.

  → C'est un ami { **avec qui** je vais souvent faire du vélo.
  { **avec lequel** je vais souvent faire du vélo.

- Alice est **une jeune fille sur qui** je peux vraiment compter pour garder les enfants. (compter sur qqn)
- J'aime beaucoup **les cousins chez qui** nous sommes invités samedi.

L'emploi de « préposition + *qui* » est plus fréquent que celui de « préposition + *lequel* ». Mais l'emploi de *qui* est obligatoire quand l'antécédent est *quelqu'un* ou *personne*.

- C'est vraiment **quelqu'un en qui** on peut avoir confiance. (avoir confiance en qqn)
- Je ne connais **personne à qui** tu pourrais demander cela.

L'antécédent est un animal ou un inanimé : préposition + *lequel / laquelle / lesquels / lesquelles*.

- Au zoo, il y a des animaux. Il est interdit de donner de la nourriture **à ces animaux**.
  → Au zoo, il y a des animaux **auxquels** il est interdit de donner de la nourriture.
- Voici des photos **sur lesquelles** on peut voir toute ma famille.
- Une tondeuse est une machine **avec laquelle** on coupe l'herbe des pelouses.

Notez les contractions avec *à* ou *de*.

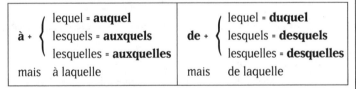

à +	lequel = **auquel**	de +	lequel = **duquel**
	lesquels = **auxquels**		lesquels = **desquels**
	lesquelles = **auxquelles**		lesquelles = **desquelles**
mais	à laquelle	mais	de laquelle

De qui / duquel **à la place de** *dont*.
Il est impossible d'employer *dont* après les prépositions composées : *à côté de, près de, à cause de, au cours de, au milieu de, au-dessus de*, etc.

- Les enfants n'ont pas cessé de rire et de parler ; j'étais assis **à côté de ces enfants** pendant le spectacle.
  → Les enfants **à côté de qui / à côté desquels** j'étais assis pendant le spectacle n'ont pas cessé de rire et de parler.
- Il y a souvent des concerts dans l'église. J'habite **en face de cette église.**
  → Il y a souvent des concerts dans l'église **en face de laquelle** j'habite.

- Dans leur salon, il y a un canapé ; ils ont placé un lampadaire **près de ce canapé**.
  → Dans leur salon, il y a un canapé **près duquel** ils ont placé un lampadaire.

7. Préposition + quoi

L'antécédent est *ce, quelque chose, rien*.
- Les droits de l'homme, c'est **ce pour quoi** nous nous battons.
  (ce = les droits de l'homme)

↻ *Renvoi*
Pour l'emploi du subjonctif,
voir page 210.

- La violence à l'école, c'est **quelque chose contre quoi** il faut lutter.
- Mes vacances, il n'y a **rien à quoi** je tienne davantage !

Dans certaines expressions, l'antécédent est la phrase qui précède.
- Range tes affaires, **après quoi** tu pourras jouer !
- Mes fenêtres sont exposées au sud, **grâce à quoi** j'ai un balcon très fleuri.
- Félix n'a que dix minutes de retard ; il n'y a pas **de quoi** s'inquiéter.
- N'oublie pas ta carte d'étudiant, **faute de quoi** on ne te laissera pas entrer.

La proposition subordonnée relative

1. La place du sujet

Dans la proposition subordonnée relative, généralement le sujet précède le verbe, mais lorsque le sujet est un nom et que le verbe n'a pas de complément, l'inversion est fréquente.

- Le bruit { que **fait cette machine** est insupportable.
  { que **cette machine fait** est insupportable.

- À Guernesey, j'ai visité la maison { où **a vécu Victor Hugo**.
  { où **Victor Hugo a vécu**.

2. La subordonnée relative incise

Remarque
On peut mettre la proposition relative explicative entre virgules quand elle n'est pas indispensable au sens de la phrase.
■ Mon arrière-grand-mère, **qui a 102 ans**, vit seule chez elle.

La proposition subordonnée relative peut être « incise », c'est-à-dire placée à l'intérieur d'une autre proposition. On ne sépare pas le pronom relatif de son antécédent.

- Le satellite **qu'on vient de lancer** permettra de recevoir dix chaînes de télévision de plus.

- Ce champ est fréquemment inondé ; il borde la rivière.
  → Ce champ **qui borde la rivière** est fréquemment inondé.

3. Le mode dans la proposition subordonnée relative

Le mode dans la proposition subordonnée relative est généralement **l'indicatif**. Mais on peut employer **le conditionnel** dans une phrase qui exprime l'hypothèse.

Comparez :
- Je connais un guide qui **peut** nous emmener au sommet du mont Blanc. (information certaine)
- *et* Je connais un guide qui **pourrait** nous emmener au sommet du mont Blanc. (s'il était libre)

- Nous avons très envie d'acheter cette maison de campagne qui nous **permettrait** d'accueillir nos amis pendant le week-end. (si nous l'achetions)

Le subjonctif s'emploie dans une phrase :

— qui exprime le désir, la demande ;

Comparez :
- J'**ai trouvé** un hôtel où les chiens **sont** acceptés. (c'est une réalité)
- *et* Je **cherche** un hôtel où les chiens **soient** acceptés. (c'est un désir)

- Je **connais** quelqu'un qui **sait** parler le coréen. (c'est une réalité)
- *et* Y a-t-il parmi vous quelqu'un qui **sache** parler le coréen ? (c'est une demande)

— qui implique une exception, une restriction
après un superlatif ou des expressions comme *le seul, l'unique, le premier* ;
- C'est **le plus beau** film que j'**aie vu** cette année.
- Neil Armstrong est **le premier** homme qui **ait marché** sur la Lune.

après une expression négative *rien, personne, aucun(e), pas un(e), pas de, ne... que*, etc.
- On **n'a pas encore** trouvé de médicament qui **puisse** guérir cette maladie.
- Il **n'y a que** le titulaire qui **connaisse** le code de sa carte de crédit.

Remarques
1. On doit employer l'indicatif lorsque la subordonnée exprime une simple constatation de la réalité.
Comparez :
- Ils habitent dans la plus haute tour que vous **trouverez** à gauche en sortant du métro. (constatation)
- *et* C'est la plus haute tour qu'on **ait** construite à Paris. (restriction)

2. Le verbe au subjonctif peut être renforcé par *jamais*.
- C'est la plus belle mise en scène de *Carmen* que j'**aie jamais vue**. (= que j'ai vue jusqu'à ce jour)

L'infinitif s'emploie pour insister sur l'idée de possibilité après un pronom relatif précédé d'une préposition ou après le pronom *où*. Il a le même sujet que le verbe principal.

- Elle est seule. Elle n'a personne **à qui parler**.
  (= à qui elle pourrait parler)
- Pedro aimerait trouver deux étudiants **avec qui partager** son appartement. (= avec qui il pourrait partager...)
- Il cherchait un endroit calme **où passer** ses vacances.
  (= où il pourrait passer ses vacances)

Il s'emploie aussi dans les phrases impersonnelles.
- **Il n'est pas facile** de trouver un restaurant **où dîner** après une heure du matin.

Tableau des pronoms relatifs

fonction	antécédent animé (personne)	antécédent inanimé (chose et animal)	antécédent neutre (ce, quelque chose, rien)
sujet	**qui**	**qui**	**qui**
complément d'objet direct	**que**	**que**	**que**
complément introduit par *de*	**dont**	**dont**	**dont**
prépositions composées avec *de* (*à cause de, à côté de, près de*...)	à côté de **qui** (à côté duquel...)	à côté **duquel** à côté **de laquelle** à côté **desquel(le)s**	à côté de **quoi**
complément introduit par d'autres prépositions (*avec, pour, devant*...)	pour **qui** (pour lequel...)	pour **lequel** pour **laquelle** pour **lesquel(le)s**	pour **quoi**
complément introduit par *à*	à **qui** (auquel)	**auquel** à **laquelle** **auxquel(le)s**	à **quoi**
complément de lieu	chez **qui**	**où**	
complément de temps		**où**	

LES PROPOSITIONS SUBORDONNÉES COMPLÉTIVES INTRODUITES PAR « QUE »

Les propositions subordonnées introduites par la conjonction *que* sont appelées « propositions complétives » parce qu'elles complètent la proposition principale. Elles sont à l'indicatif ou au subjonctif selon le sens du verbe principal.

> → **Je trouve que** la vie dans une grande ville **est** stressante.
> → **Je regrette que** la vie dans une grande ville **soit** si stressante.

Emploi de l'indicatif

L'indicatif étant le mode qui présente un fait comme certain, il s'emploie dans la proposition subordonnée complétive lorsque la proposition principale exprime **une déclaration**, **une opinion**, **une constatation**.

La proposition subordonnée complétive peut dépendre :
— d'un verbe ;

- Je **pense** que tu **as** raison d'aller passer un an à l'étranger.
- Certains **croient** qu'on **pourra** vivre un jour sur une autre planète.
- On **a annoncé** que le Président **avait nommé** monsieur Leduc Premier ministre.

↻ *Renvoi*
Pour la concordance des temps, voir pages 133-134.
- John **dit** qu'il **restera** à Paris jusqu'à Noël.
- John **a dit** qu'il **resterait** à Paris jusqu'à Noël.

— d'une construction impersonnelle ;
- **Il paraît** que les effets spéciaux de ce film **sont** extraordinaires.
- **C'était évident** que personne ne **savait** exactement ce qui s'était passé.
- **Il est probable** que les résultats financiers de l'entreprise **seront** meilleurs cette année.

Remarque
On peut employer **le conditionnel** à la place de l'indicatif quand on veut apporter une nuance d'éventualité ou d'hypothèse.
Comparez :
- Je pense qu'un livre lui **fera** très plaisir. (certitude → indicatif)
et Je pense qu'un livre lui **ferait** très plaisir. (hypothèse → conditionnel)

— d'un adjectif ;
- Je suis **sûr** que tu **trouveras** vite un travail avec ce diplôme d'informatique.
- Tout le monde était **persuadé** que M. Leclerc **serait** réélu député, mais il a été battu par Mme Dupont.

– d'un nom ;

- Sabine avait **l'impression** que tout le monde la **regardait**.
- Les policiers ont **l'espoir** que l'assassin **sera** très vite **identifié**.
- Ce temps magnifique est très agréable. **L'inconvénient** est que je n'**ai** aucune envie de travailler.

– d'un adverbe : *bien sûr, évidemment, heureusement, peut-être, probablement, sans doute,* etc.

Ne dites pas
- Peut-être on pourra faire du bateau cet après-midi.

- Le vent se lève. **Peut-être** qu'on pourra faire du bateau cet après-midi.

Principaux verbes et expressions suivis de l'indicatif

Ne dites pas
- Je connais que la Poste ferme à midi le samedi.
mais ➔ Je **sais** que la Poste ferme à midi le samedi.

Verbes : *affirmer, ajouter, annoncer, s'apercevoir, apprendre, assurer, avertir, avouer, certifier, confirmer, constater, convenir, crier, croire, décider, déclarer, découvrir, se douter, s'écrier, entendre dire, espérer, estimer, faire remarquer, faire savoir, garantir, hurler, ignorer, s'imaginer, informer, juger, jurer, montrer, noter, objecter, oublier, parier, penser, préciser, prévenir, promettre, prouver, raconter, se rappeler, reconnaître, remarquer, se rendre compte, répéter, répliquer, répondre, savoir, sentir, souligner, soutenir, se souvenir, supposer, trouver, vérifier, voir,* etc. *que...*

↺ *Renvoi*
Pour ces verbes, voir page 217.

Verbes qui peuvent être également suivis du subjonctif : *admettre, comprendre, dire, écrire, entendre, expliquer, imaginer, supposer, se plaindre, prétendre, téléphoner, être d'avis,* etc.

Noms : *avoir la certitude, la conviction, l'espoir, l'impression, la preuve, l'idée,* etc. *que...*
La vérité, le résultat, l'ennui, le problème, l'avantage, l'inconvénient est que...

Adjectifs : *être certain, convaincu, persuadé, sûr,* etc. *que...*

Constructions impersonnelles : *il / c'est certain, clair, convenu, évident, exact, incontestable, probable, sûr, visible, vrai, vraisemblable,* etc. *que...*
On dirait, il paraît, il me / te / lui... semble, etc. *que...*

27

Emploi du subjonctif

Le subjonctif étant le mode qui exprime **une appréciation** ou **l'inter-prétation d'un fait**, il s'emploie dans la proposition subordonnée complétive lorsque le verbe de la proposition principale exprime les nuances suivantes :

↻ *Renvoi*
Pour l'emploi des temps du subjonctif, voir pages 137 à 139.

1. La volonté, l'obligation, le conseil

La proposition subordonnée complétive peut dépendre :
– d'un verbe ;
- Les parents de Julie **veulent** qu'elle **fasse** des études de droit.
- Il **a demandé** que le courrier **soit** prêt pour 18 heures.
- La direction du magasin **propose** que les horaires de travail **soient** modifiés.

– d'une construction impersonnelle.
- L'hiver approche. **Il faut** que vous vous **fassiez** vacciner contre la grippe.
- **Il est préférable** que vous **réfléchissiez** encore avant de donner votre réponse.
- **Il vaudrait mieux** que tu lui **dises** la vérité.

2. Un sentiment, un jugement

La proposition subordonnée complétive peut dépendre :
– d'un verbe ;
- Tout le monde **regrette** que le spectacle **ait été annulé**.
- Je **déteste** que les gens **soient** en retard et qu'ensuite ils ne s'**excusent** pas !
- Marie **s'inquiète** que ses enfants ne **soient** pas encore **rentrés**.

– d'une construction impersonnelle ;
- Pierre n'est pas là ? **C'est incroyable** qu'il **ait oublié** notre rendez-vous.
- La gare n'est pas loin ; **il suffit** que nous **partions** à 20 heures.
- **Ça m'étonne** qu'elle ne **sache** pas conduire.

– d'un adjectif ;
- Je suis **désolé** que tu n'**aies** pas **reçu** ma carte postale de Bali.
- Au XIXe siècle, on trouvait **normal** que les jeunes filles ne **fassent** pas d'études supérieures et qu'elles se **marient** très tôt.
- Julien est bien **déçu** que Virginie ne **veuille** pas sortir avec lui.

Remarque
Avec les verbes *avoir peur, craindre, empêcher, éviter, redouter,* l'emploi du *ne* explétif est facultatif.
- On craint que le tremblement de terre (**n'**)ait fait de nombreuses victimes.

↻ *Renvoi*
Pour le *ne* explétif, voir pages 192-193.

LA PHRASE COMPLEXE

– d'un nom.

- Quel **dommage** que tu t'en **ailles** déjà et que tu ne **puisses** pas dîner avec nous !
- Ils ont eu de la **chance** que l'accident n'**ait** pas **été** plus grave.
- As-tu **besoin** que nous te **prêtions** un peu d'argent ?
- Marie était très timide. **L'étonnant** est qu'elle **ait réussi** à devenir présentatrice à la télévision.

3. La possibilité, le doute

La proposition subordonnée complétive peut dépendre :
– d'un verbe ;

- **Je doute** qu'il **connaisse** le code de la porte d'entrée.

– d'une construction impersonnelle.

- **Il se peut** que madame Lescaut **soit élue** présidente de notre association. (= il est possible...)
- **Il arrive** qu'il y **ait** de la neige à Nice en hiver.

Principaux verbes et expressions suivis du subjonctif

Verbes : *accepter, aimer, aimer mieux, apprécier, attendre, conseiller, craindre, défendre, demander, déplorer, désirer, détester, douter, empêcher, s'étonner, éviter, exiger, s'inquiéter, interdire, mériter, ordonner, permettre, préférer, proposer, recommander, redouter, refuser, regretter, souhaiter, suggérer, supporter, vouloir, etc. que...*

Constructions impersonnelles : *il / c'est désolant, ennuyeux, essentiel, étonnant, étrange, impensable, important, indispensable, invraisemblable, naturel, nécessaire, normal, obligatoire, peu probable, préférable, regrettable, ridicule, surprenant, urgent, etc. que...*

Il arrive, il faut, il est question, il suffit, il semble, il est temps, il se peut, il est dommage, il y a des chances, il vaut mieux, peu importe, etc. que...

Cela / ça m'agace, m'arrange, m'ennuie, m'est égal, m'étonne, me fait plaisir, me gêne, m'inquiète, me plaît, etc. que...

Cela / ça vaut la peine que...

Remarque

Certains verbes se construisent avec *à ce que* au lieu de *que : veiller, s'attendre, être habitué, s'opposer, s'engager, consentir, être disposé, tenir, être résigné, faire attention, etc. à ce que...*

- La direction **tient à ce que** les employés du magasin **aient** une tenue correcte.

- On ne **s'attendait** pas **à ce qu'**il y **ait** une telle foule à cette manifestation.

Adjectifs : *trouver bizarre, dangereux, drôle, étonnant, génial, honteux, insensé, normal, regrettable, ridicule, scandaleux, stupide, utile, etc. que...*

Être choqué, content, déçu, désolé, ému, ennuyé, étonné, furieux, heureux, malheureux, mécontent, ravi, scandalisé, stupéfait, surpris, touché, triste, vexé, etc. que...

Noms : *avoir besoin, envie, honte, peur, horreur, etc. que...*
Trouver dommage que...

Le but, l'essentiel, l'étonnant, l'important, le mieux, etc. est que...

Indicatif ou subjonctif ?

Le subjonctif est employé à la place de l'indicatif dans certains cas.

1. Verbes d'opinion à la forme négative ou interrogative

Certains verbes construits avec l'indicatif sont généralement suivis du subjonctif quand ils sont à la forme négative ou à la forme interrogative avec inversion du sujet : *avoir l'impression, croire, espérer, penser, trouver, affirmer, dire, garantir, imaginer, etc. ; être sûr, certain, convaincu, persuadé, etc. ; il est sûr, certain, évident, etc.*
Comparez :
- Les sauveteurs **sont certains** qu'il y **a** encore des survivants.
et Les sauveteurs **ne sont pas certains** qu'il y **ait** encore des survivants.

- L'expert **ne garantit pas** que le tableau **soit** authentique.
- **Croyez-vous** que la situation politique **puisse** évoluer dans les mois à venir ?
- **Trouvez-vous** que cela **vaille** la peine d'aller voir cette exposition ?

> **Remarque**
> L'emploi du subjonctif correspond à un *niveau de langue plus soutenu.* C'est pourquoi dans la langue courante, on peut dire :
> - Je ne crois pas qu'elle **viendra**.
> - Est-ce que vous croyez qu'elle **pourra** venir dimanche ?

2. Proposition subordonnée en tête de phrase

Quand la proposition subordonnée précède la proposition principale, son verbe est toujours au subjonctif. Ce procédé est une mise en relief.
- Tout le monde reconnaît que ce cinéaste **est** un grand artiste.
  → Que ce cinéaste **soit** un grand artiste, tout le monde le reconnaît.

↻ *Renvoi*
Pour la mise en relief, voir page 197.

3. Verbes qui changent de sens

Certains verbes n'ont pas le même sens selon qu'ils sont suivis de l'indicatif ou du subjonctif : *admettre, comprendre, dire, écrire, entendre, expliquer, imaginer, supposer, se plaindre, prétendre, téléphoner, être d'avis,* etc.

Comparez :
Dire, écrire, téléphoner

■ Le directeur a dit qu'il **allait** engager quatre informaticiens.
   (= le directeur a déclaré)

et Dites à monsieur Leblond qu'il **soit** là à 14 heures précises.
   (= donnez l'ordre)

Comprendre

■ Nous avons longtemps parlé et j'ai compris qu'il **était** dans une situation très difficile. (= j'ai constaté)

et Je comprends que vous **soyez** fatigués après ce long voyage.
   (= je trouve normal)

Supposer, imaginer

■ Je suppose / j'imagine que le mariage de Georges et Julie **aura lieu** à la campagne. (= je pense)

et Supposez / imaginez qu'il **pleuve** le jour du mariage !
   Que fera-t-on ? (= faites l'hypothèse)

Admettre

■ Tout le monde admet aujourd'hui qu'on ne **peut** pas travailler sans ordinateur. (= tout le monde reconnaît)

et Je n'admets pas qu'on **mette** en doute ma parole !
   (= je refuse, je n'accepte pas)

Expliquer

■ Le ministre de l'Économie a expliqué que la situation **nécessitait** des mesures exceptionnelles. (= le ministre a dit)

et La violence de la tempête explique que le bateau **ait fait** naufrage. (= la violence de la tempête fait comprendre)

4. Ne confondez pas

Espérer (+ indicatif) et *souhaiter* (+ subjonctif)
- Jean espère qu'on **viendra** le voir à l'hôpital. (= il croit vraiment)
et Jean souhaite qu'on **vienne** le voir à l'hôpital. (= il désire)

Probable (+ indicatif) et *possible* (+ subjonctif)
- Il est probable que le Conseil des ministres se **tiendra**
  exceptionnellement vendredi. (= c'est presque sûr)
et Il est possible que le Conseil des ministres se **tienne**
  exceptionnellement vendredi. (= ce n'est pas sûr)

Paraître (+ indicatif) et *sembler* (+ subjonctif)
- Il paraît que le malade **va** mieux. (= on dit que)
et Il semble que le malade **aille** mieux.
  (= on a l'impression mais on n'est pas sûr)

Il me semble (+ indicatif) et *il semble* (+ subjonctif)
- Il me semble que c'**est** une bonne idée. (= je pense que)
et Il semble que ce **soit** une bonne idée. (= il est possible)

Se douter (+ indicatif) et *douter* (+ subjonctif)
- Il y a un monde fou pendant le festival ; je me doute bien que
  nous **aurons** du mal à trouver une chambre d'hôtel. (= je suis sûr)
et Je doute qu'il y **ait** encore de la place dans les hôtels
  à cette date-là. (= je ne suis pas sûr)

Remarque générale sur les propositions subordonnées complétives

Quand il y a deux propositions subordonnées complétives, on doit
obligatoirement répéter la conjonction *que*.
- Je sais **qu'**il est tard et **que** je dois prendre l'avion demain
  à 6 heures mais je vous accompagnerai quand même
  au restaurant.
- Je voudrais bien **qu'**il fasse beau et **qu'**il y ait du vent pour
  faire de la planche à voile.

Transformation infinitive

Dans certains cas, la proposition subordonnée complétive est remplacée par un infinitif.

1. Proposition subordonnée au subjonctif

La transformation infinitive **est obligatoire** :
— lorsque le sujet est le même dans la proposition principale et dans la proposition subordonnée ;

Ne dites pas
- ~~j'aimerais d'avoir...~~
- ~~nous préférons de réserver...~~

- ~~J'aimerais que j'aie une voiture électrique qui ne pollue pas.~~
  → J'aimerais **avoir** une voiture électrique qui ne pollue pas.

- ~~En général, nous préférons que nous réservions notre table au restaurant.~~
  → En général, nous préférons **réserver** une table au restaurant.

- ~~François est désolé qu'il soit en retard.~~
  → François est désolé **d'être** en retard.

- ~~Je suis ennuyé que j'aie perdu mon portefeuille.~~
  → Je suis ennuyé **d'avoir perdu** mon portefeuille.

Remarque
Quand le complément d'objet indirect est un nom, la transformation infinitive n'est pas obligatoire.
- Il a demandé **aux élèves de faire** moins de bruit.
ou Il a demandé **aux élèves** qu'**ils fassent** moins de bruit. (mais cette construction est moins fréquente)

— quand le complément du verbe principal et le sujet de la subordonnée sont la même personne.

- ~~Il **m'**a demandé que **j'**aille chez lui demain soir.~~
  → Il **m'**a demandé d'**aller** chez lui demain soir.
  (une seule personne : moi)

- ~~Cela **m'**ennuie que **je** parte.~~
  → Cela **m'**ennuie de **partir**. (une seule personne : moi)
  mais Cela **m'**ennuie que **tu** partes. (deux personnes)

- ~~Marc ne fume pas et cela **le** dérange qu'**il** respire la fumée des autres.~~
  → Marc ne fume pas et cela **le** dérange de **respirer** la fumée des autres. (une seule personne : Marc)
  mais Cela dérange **Marc** que **quelqu'un** fume à côté de lui. (deux personnes)

Ne dites pas
- ~~Je te souhaite que tu réussisses.~~
  mais → Je te souhaite **de réussir**.

2. Proposition subordonnée à l'indicatif

La transformation infinitive **n'est pas obligatoire** lorsque le sujet
est le même dans la principale et dans la subordonnée.

- Nous espérons **que nous arriverons** à midi.
  Nous espérons **arriver** à midi.
- Lucien a décidé **qu'il resterait** à Rome.
  Lucien a décidé **de rester** à Rome.
- Je suis sûr **que j'ai** déjà **rencontré** cet homme.
  Je suis sûr **d'avoir** déjà **rencontré** cet homme.

Remarques générales sur la transformation infinitive

Notez l'emploi de la préposition *de* après tous les adjectifs
et après certains verbes.

- Je suis **heureux de** faire votre connaissance.
- Il **a promis** aux enfants **de** les emmener au zoo.

Notez la répétition de la préposition.

- Je lui ai demandé **d'**arroser les plantes et **de** nourrir mon chat.

○ *Renvoi*
Pour l'emploi de la préposition,
voir les constructions verbales
pages 333 à 358.

LE DISCOURS RAPPORTÉ

On appelle « discours rapporté » une situation de communication dans laquelle une personne énonce une phrase qui rapporte les paroles dites par elle-même ou par une autre personne.

Il y a deux sortes de discours rapporté :
- **le discours direct**,
  → La maîtresse a dit aux enfants : « Je vais vous lire une histoire. »
- **le discours indirect**.
  → La maîtresse a dit aux enfants **qu'elle allait leur** lire une histoire.

Le discours direct ou indirect peuvent aussi se présenter sous la forme :
- **d'une interrogation directe**,
  → La maîtresse a demandé aux enfants : « Voulez-vous que je vous lise une histoire ? »
- **d'une interrogation indirecte**.
  → La maîtresse a demandé aux enfants **s'ils voulaient qu'elle leur** lise une histoire.

Du discours direct au discours indirect

Comparez :

le discours direct
- La semaine dernière, la célèbre actrice Chloé Dubois a déclaré à la télévision : « Je suis très fière du césar que j'ai reçu hier mais j'ai décidé de faire une pause dans ma carrière d'actrice. La semaine prochaine, je partirai me reposer dans une île de la Méditerranée et j'écrirai un livre sur le monde du cinéma. »

et **le discours indirect**
- La semaine dernière, la célèbre actrice Chloé Dubois a déclaré à la télévision **qu'elle était** très fière du césar **qu'elle avait reçu la veille** mais **qu'elle avait décidé** de faire une pause dans **sa** carrière d'actrice. **Elle a ajouté que la semaine suivante elle partirait se** reposer dans une île de la Méditerranée et **qu'elle écrirait** un livre sur le monde du cinéma.

Le passage du discours direct au discours indirect entraîne divers changements :

Ne dites pas
- Il m'a dit il avait compris.
mais → Il m'a dit **qu'**il avait compris.

— **la subordination par la conjonction** *que* : elle doit être répétée devant chaque verbe ;
- **qu'**elle avait reçu mais **qu'**elle avait décidé...

– **la suppression de la ponctuation** (deux-points, guillemets) ;

– **le changement de personne des pronoms personnels et des mots possessifs** ;

- **je** suis très fière → **elle** était très fière
- **ma** carrière d'actrice → **sa** carrière d'actrice
- **j'**écrirai → **elle** écrirait

– **le changement des temps** puisque le verbe introducteur est au passé ;

- suis fière → **était** fière
- ai reçu → **avait reçu**
- partirai → **partirait**

– **la modification des expressions de temps**.

- hier → **la veille**
- la semaine prochaine → **la semaine suivante**

1. Les verbes introducteurs

Le verbe *dire* est le verbe de déclaration le plus courant, mais il en existe beaucoup d'autres : *affirmer, ajouter, annoncer, apprendre, assurer, avertir, avouer, certifier, confirmer, constater, crier, déclarer, s'écrier, entendre dire, faire remarquer, faire savoir, garantir, hurler, indiquer, informer, jurer, objecter, préciser, prévenir, promettre, raconter, reconnaître, remarquer, répéter, répliquer, répondre, souligner, soutenir,* etc.

Le choix du verbe introducteur permet de nuancer le discours rapporté.

- L'homme **a avoué** que c'était bien lui qui avait volé la voiture.
  (= a reconnu que...)
- Lucie **a promis** à son père qu'elle rentrerait avant minuit.
  (= a assuré que...)
- Il **a précisé** à ses amis que le lieu de rendez-vous était le café Voltaire près de l'arrêt de l'autobus 22. (= a indiqué clairement que...)

Place du verbe introducteur

Au discours direct, le verbe est placé avant, après, ou à l'intérieur de la citation.

— Verbe placé avant

- L'homme **dit** : « Je voudrais envoyer un paquet à la Martinique. »

— Verbe placé après ou à l'intérieur (dans la langue écrite)
Il y a obligatoirement inversion du sujet.

- « Je voudrais envoyer un paquet à la Martinique », **dit** l'homme.
  « Je voudrais, **dit** l'homme, envoyer un paquet à la Martinique. »

Au discours indirect, le verbe est toujours placé avant.

- L'homme **dit** qu'il voudrait envoyer un paquet à la Martinique.

2. Modifications des modes et des temps

Les verbes du discours direct sont à l'indicatif.
— Quand le verbe introducteur est au présent ou au futur, les temps ne changent pas.

- Il me dit : « Je n'**ai** pas bien **noté** ce que vous venez d'expliquer. »
  → Il me dit qu'il n'**a** pas bien **noté** ce que je viens d'expliquer.

- Si on m'interroge, je dirai : « Je ne **suis** pas au courant de cette affaire. »
  → Si on m'interroge, je dirai que je ne **suis** pas au courant de cette affaire.

— Quand le verbe introducteur est à un temps du passé (passé composé, passé simple, imparfait, plus-que-parfait), on modifie les temps selon **les règles de la concordance des temps**.

discours direct		discours indirect
présent	→	imparfait
passé composé	→	plus-que-parfait
futur simple	→	futur du passé (forme du conditionnel présent)
futur antérieur	→	futur antérieur du passé (forme du conditionnel passé)
futur proche	→	imparfait du verbe *aller* + infinitif
passé récent	→	imparfait du verbe *venir* + *de* + infinitif

- Antoinette **dit**
  - qu'elle **a rencontré** l'homme de sa vie.
  - qu'elle **vient** de se fiancer.
  - qu'elle **va** se marier.
  - qu'elle se **mariera** quand elle **aura terminé** ses études mais qu'elle n'**est** pas pressée.

- Antoinette **a dit**
  - qu'elle **avait rencontré** l'homme de sa vie.
  - qu'elle **venait** de se fiancer.
  - qu'elle **allait** se marier.
  - qu'elle se **marierait** quand elle **aurait terminé** ses études mais qu'elle n'**était** pas pressée.

Les verbes du discours direct sont à un autre mode.

— **Au subjonctif**, les temps ne changent pas puisque, dans la langue courante, on n'observe pas la règle de la concordance des temps.

- Elle m'a dit : « Il faut que tu **ailles** à la Poste pour signaler ton changement d'adresse. »
  → Elle m'a dit qu'il fallait que j'**aille** à la Poste pour signaler mon changement d'adresse.

— **Au conditionnel**, les temps ne changent pas.

- Elle m'a dit : « Il **faudrait** repeindre la chambre des enfants. »
  → Elle m'a dit qu'il **faudrait** repeindre la chambre des enfants.

— Cas particulier de **l'impératif**

L'impératif est remplacé par *de* + infinitif, quel que soit le temps du verbe introducteur (passé, présent ou futur).

- Il a répété aux élèves : « Arrivez à l'heure le jour de l'examen ! »
  → Il a répété aux élèves **d'arriver** à l'heure le jour de l'examen.
- Le médecin m'a conseillé : « Ne consommez pas d'alcool pendant la durée du traitement ! »
  → Le médecin m'a conseillé **de ne pas consommer** d'alcool pendant la durée du traitement.

3. Modifications des expressions de temps

Les expressions de temps sont modifiées si le verbe introducteur est au passé.

- Nos voisins nous avaient prévenus : « Nous recevrons des amis **samedi prochain** et nous ferons probablement du bruit. »
  → Nos voisins nous avaient prévenus qu'ils recevraient des amis **le samedi suivant** et qu'ils feraient probablement du bruit.

discours direct		discours indirect
aujourd'hui	→	ce jour-là
ce matin	→	ce matin-là
ce soir	→	ce soir-là
en ce moment	→	à ce moment-là
ce mois-ci	→	ce mois-là
hier	→	la veille
hier soir	→	la veille au soir
avant-hier	→	l'avant-veille
dimanche prochain	→	le dimanche suivant
dimanche dernier	→	le dimanche précédent
il y a trois jours	→	trois jours plus tôt / avant
demain (matin, soir)	→	le lendemain (matin, soir)
après-demain	→	le surlendemain
dans trois jours	→	trois jours plus tard / après

On ne modifie pas les expressions de temps si elles se réfèrent à un moment proche du présent. Mais on doit respecter la règle de la concordance des temps.

lien avec le présent	pas de lien avec le présent
Ce matin, le gardien m'a dit que la piscine **était** fermée pour travaux **jusqu'à demain**.	**Il y a dix jours**, le gardien m'a dit que la piscine **était** fermée pour travaux **jusqu'au lendemain**.

De l'interrogation directe à l'interrogation indirecte

Comparez :

l'interrogation directe

■ Il faisait chaud dans la pièce et un des employés a demandé :
« Est-ce que **je peux** ouvrir la fenêtre qui **est** près de
mon bureau ? »

et **l'interrogation indirecte**

■ Il faisait chaud dans la pièce et un des employés a demandé
s'il pouvait ouvrir la fenêtre qui **était** près de **son** bureau.

Le passage de l'interrogation directe à l'interrogation indirecte entraîne les changements suivants :

– **la subordination par la conjonction** *si* **ou par un mot interrogatif** (*comment, quand, pourquoi, quel,* etc.) ;

– **la suppression de la forme interrogative** ;
suppression de *est-ce que* ou rétablissement du sujet devant le verbe, suppression du point d'interrogation, des deux-points et des guillemets.

– les mêmes **changements de temps, de pronoms personnels et de mots possessifs**, la même **modification des expressions de temps** que dans le passage du discours direct au discours indirect.

1. Les verbes introducteurs

Ils sont suivis d'une proposition subordonnée introduite par *si* ou par un mot interrogatif.

Le verbe le plus courant est *demander*. Mais beaucoup d'autres verbes peuvent aussi impliquer une question : *comprendre, dire, ignorer, indiquer, s'informer, interroger, savoir, chercher à savoir, vouloir savoir,* etc.

- J'**ignore si** le musée sera ouvert lundi. (= est-ce que le musée sera ouvert lundi ?)
- **Indiquez-moi où** se trouve la mairie ! (= où la mairie se trouve-t-elle ?)
- Je **ne sais pas comment** on écrit ce mot. (= comment est-ce qu'on écrit ce mot ?)

2. La subordination

L'interrogation totale, c'est-à-dire une question appelant la réponse *oui* ou *non*, est introduite par *si*.

Intonation
Inversion   } → *si*
Est-ce que

- Elle m'a demandé :
  « Vous connaissez les chansons de Barbara ? »
  « Connaissez-vous les chansons de Barbara ? »
  « Est-ce que vous connaissez les chansons de Barbara ? »
  → Elle m'a demandé **si** je connaissais les chansons de Barbara.

Remarque
Quand le mode est l'infinitif, il y a simplement suppression du point d'interrogation et des guillemets.
- Il se demandait : « Que penser de tout cela ? Quelle décision prendre ? Comment faire ? »
→ Il se demandait que penser de tout cela, quelle décision prendre, comment faire.

Ne dites pas
~~interroger si / pourquoi~~
mais → interroger **pour savoir si** / **pour savoir pourquoi**
- Le policier a interrogé la gardienne **pour savoir si** elle avait entendu du bruit à 4 heures du matin.

Attention
Si doit être répété devant chaque subordonnée.
- Il m'a demandé **si** je parlais anglais et **si** je pouvais traduire ce texte.

Remarque
Oui et *non* sont introduits par *que* dans le discours indirect.
- J'ai dit **que oui**. / J'ai dit **que non**.

L'interrogation partielle

— **Les adverbes** *où, quand, comment, pourquoi, combien,* etc. sont maintenus.

- Il m'a demandé :
  - « Comment tu t'appelles ? »
  - « Comment t'appelles-tu ? »
  - « Comment est-ce que tu t'appelles ? »

  → Il m'a demandé **comment** je m'appelais.

- Je voudrais savoir :
  - « Pourquoi vous riez ? »
  - « Pourquoi riez-vous ? »
  - « Pourquoi est-ce que vous riez ? »

  → Je voudrais savoir **pourquoi** vous riez.

— **Les adjectifs** et **pronoms interrogatifs** *quel, lequel,* etc. sont maintenus.

- Il m'a demandé : « Quelle heure est-il ? »

  → Il m'a demandé **quelle** heure il était.

- Je lui ai demandé : « Lequel de ces lave-vaisselle est le moins bruyant ? »

  → Je lui ai demandé **lequel** de ces lave-vaisselle était le moins bruyant.

— Cas des **pronoms interrogatifs** *qui, que, quoi*

Personnes	
qui *ou* qui est-ce qui	
qui *ou* qui est-ce que	→ **qui**
préposition + qui	→ **préposition + qui**

- Il a demandé : « Qui est-ce qui veut venir avec moi ? »
  « Qui veut venir avec moi ? »

  → Il a demandé **qui** voulait venir avec lui.

- Elle m'a demandé : « Qui est-ce que tu invites à dîner ? »
  « Qui invites-tu à dîner ? »

  → Elle m'a demandé **qui** j'invitais à dîner.

- À l'agence de voyages, on m'a demandé :
  « Avec qui voyagez-vous ? »
  « Avec qui est-ce que vous voyagez ? »

  → À l'agence de voyages, on m'a demandé **avec qui** je voyageais.

Choses		
que *ou* qu'est-ce qui	→	**ce qui**
que *ou* qu'est-ce que	→	**ce que**
préposition + quoi	→	**préposition + quoi**

Remarque
Pour identifier une chose :
■ Il a demandé : « Qu'est-ce que c'est ? »
→ Il a demandé **ce que c'était**.

■ Tout le monde se demande : « Que se passe-t-il ? »
    « Qu'est-ce qui se passe ? »
    → Tout le monde se demande **ce qui** se passe.

■ Il voulait savoir : « Qu'est-ce que tu lis ? »
    « Que lis-tu ? »
    → Il voulait savoir **ce que** je lisais.

■ Il m'a demandé : « À quoi s'intéresse votre fils ? »
    « À quoi votre fils s'intéresse-t-il ? »
    → Il m'a demandé **à quoi** s'intéressait mon fils.

Ne dites pas
■ ~~Je ne sais pas qu'est-ce qui est dans la boîte~~.
mais → Je ne sais pas **ce qui** est dans la boîte.

Remarque sur l'emploi du pronom neutre *le*

Ce pronom qui reprend une interrogation partielle disparaît dans l'interrogation indirecte.

■ Comment marche ton lecteur de DVD ? Explique-**le**-moi.
  (le = comment marche ton lecteur de DVD)
    → Explique-moi comment marche ton lecteur de DVD.
■ Quelles sont vos dates de vacances ? J'ai besoin de **le** savoir le plus vite possible. (le = quelles sont vos dates de vacances)
    → J'ai besoin de savoir quelles sont vos dates de vacances.

Le style indirect libre

Le style indirect libre est un procédé stylistique employé dans la **langue littéraire**. Il présente certains aspects du discours direct (ponctuation, interjections) et certains aspects du discours indirect (changement des pronoms et des mots possessifs, concordance des temps, modification des adverbes de temps). Il est caractérisé par l'absence de verbe introducteur et de subordination.

Le style indirect libre s'intègre au récit. La langue parlée et la langue écrite sont rapprochées, sans intervention de l'auteur. Il permet de mieux exprimer les émotions et les sentiments.

Comparez :

le discours direct,

- Elle le regarda et lui dit : « Oui, je t'ai aimé, beaucoup aimé. Ah, comme j'étais naïve ! Mais tu étais follement jaloux et tu m'as privée de ma liberté. Dès aujourd'hui, je veux commencer une nouvelle vie. »

le discours indirect,

- Elle le regarda et lui dit qu'elle l'avait beaucoup aimé. Elle reconnut qu'elle était bien naïve. Elle lui expliqua qu'il était follement jaloux et qu'il l'avait privée de sa liberté. Elle ajouta que dès ce jour-là elle voulait commencer une nouvelle vie.

et **le discours indirect libre**.

- Elle le regarda. Oui, elle l'avait aimé, beaucoup aimé. Ah, comme elle était naïve ! Mais il était follement jaloux et il l'avait privée de sa liberté. Dès aujourd'hui elle voulait commencer une nouvelle vie.

Le discours indirect libre est un procédé stylistique couramment employé par les romanciers.

- « Il se disait qu'on la sauverait sans doute ; les médecins trouveraient un remède, c'était sûr ! » (Flaubert, *Madame Bovary*)

L'EXPRESSION DE LA CAUSE

Exprimer la cause, c'est donner une explication, indiquer la raison d'une action ou d'un fait.

Différents moyens permettent d'exprimer la cause.

→ La rue Danton est interdite à la circulation **parce qu'**un incendie s'est déclaré dans un magasin. (proposition subordonnée)

→ La rue Danton est interdite à la circulation **en raison d'**un incendie qui s'est déclaré dans un magasin. (préposition + nom)

→ La rue Danton est interdite à la circulation **car** un incendie s'est déclaré dans un magasin. (mot de liaison)

I. LES PROPOSITIONS SUBORDONNÉES À L'INDICATIF

L'indicatif qui présente un fait comme certain est le mode généralement employé dans les propositions subordonnées de cause. Les subordonnées sont introduites par différentes conjonctions.

1. Parce que

Cette conjonction répond à la question « pourquoi ? » exprimée ou non. La subordonnée suit la principale.

- — Pourquoi es-tu en retard ?
  — **Parce que** mon réveil n'a pas sonné.
- Il rêvait de devenir pilote. Mais il a dû renoncer à son rêve **parce qu'**il était très myope. (la question *Pourquoi n'est-il pas devenu pilote ?* est sous-entendue)
- Il y a des contrôles sanitaires à l'aéroport **parce qu'**on redoute une épidémie.

> *Remarque*
> Pour mettre en relief la cause, on peut employer *c'est parce que* ou *c'est que.*
> - — Pourquoi la voiture a-t-elle dérapé ?
> — **C'est parce qu'**il y avait du verglas. / **C'est qu'**il y avait du verglas.
>
> *Ne dites pas*
> ~~C'est la raison que...~~
> mais → C'est parce que...

2. Puisque

Cette conjonction présente la relation entre la cause et la conséquence comme évidente ; la cause est généralement un fait connu de l'interlocuteur. La subordonnée précède souvent la principale.

- **Puisque** vous avez beaucoup de bagages, prenez donc un taxi !
- Tu vas pouvoir voter aux prochaines élections **puisque** tu es majeur.

Comparez :

- — Combien de langues parles-tu ?

  — **Puisque** je suis suédois, je parle évidemment le suédois et je parle aussi l'espagnol.

  — Ah oui ! Pourquoi ?

  — **Parce que** ma mère est chilienne.

3. Comme

Cette conjonction souligne la relation entre la cause et la conséquence. La subordonnée précède toujours la principale.

- **Comme** il faisait très beau, les gens étaient installés à la terrasse des cafés.
- **Comme** il a obtenu une médaille aux jeux Olympiques, cet athlète sera décoré de la Légion d'honneur.
- **Comme** c'est le 1er Mai, les banques sont fermées.

4. Étant donné que / du fait que / vu que

Ces conjonctions introduisent un fait dont la réalité est indiscutable. La subordonnée précède généralement la principale.

- **Étant donné que** beaucoup de monuments sont menacés par la pollution, on remplace souvent les statues par des copies.
- **Du fait que** vous avez moins de 26 ans, vous paierez votre billet de train moins cher.
- **Vu que** le prix du tabac a fortement augmenté, les gens fument moins.

5. Sous prétexte que

Cette conjonction signifie que la cause est contestée par le locuteur.

- Alain a quitté son bureau **sous prétexte qu'**il avait un rendez-vous important. (je pense qu'en réalité il n'avait plus envie de travailler)
- **Sous prétexte qu'**elle avait beaucoup de travail, Lisa n'est pas venue à notre fête de famille. (je crois qu'en réalité elle n'avait pas envie de venir)

29

6. Du moment que

Cette conjonction signifie *puisque*. En général, la subordonnée est en tête de phrase.

- **Du moment que** Caroline est là pour garder les enfants, nous pouvons partir. (= puisque Caroline est là, nous pouvons partir)
- **Du moment qu'**il a promis de venir, je suis sûr qu'il viendra.
  (= puisqu'il a promis de venir, je suis sûr qu'il viendra)

7. D'autant que
D'autant moins / d'autant plus (de)... que

Ces conjonctions renforcent la cause.

- Merci ! Je ne prendrai pas de gâteau **d'autant que**
  je suis un régime. (= surtout parce que)
- Les spectateurs ont **d'autant plus** applaudi **que** c'était
  la dernière représentation de la pièce. (= encore plus parce que)
- On a **d'autant plus de** problèmes de santé **qu'**on prend
  de l'âge. (= encore plus parce que)
- Elle a **d'autant moins** envie de sortir **qu'**il fait un temps
  épouvantable. (= encore moins parce que)

Remarques générales

— Quand il y a deux subordonnées, la seconde est introduite par *que*.

- **Comme** il n'y avait plus de place dans le train et **que** nous
  devions être à Nice le soir même, nous avons pris l'avion.

— L'emploi du conditionnel à la place de l'indicatif introduit une nuance d'hypothèse.

Comparez :

- Ne dis pas ça parce qu'on se **moquera** de toi. (certitude)
- *et* Ne dis pas ça parce qu'on se **moquerait** de toi. (hypothèse)

8. La proposition subordonnée relative

Elle peut aussi exprimer la cause.

- Dans notre jardin, le vieux sapin, **qui menaçait de tomber**,
  a dû être abattu. (= parce qu'il menaçait de tomber)
- Mes grands-parents ont vendu leur voiture **qu'ils n'utilisaient
  plus**. (= parce qu'ils ne l'utilisaient plus)

II. LES PROPOSITIONS SUBORDONNÉES AU SUBJONCTIF

Lorsque la cause est un fait possible et non pas certain, la subordonnée est au subjonctif.

1. Soit que... soit que

Deux causes sont possibles.

- Robert n'est pas venu au rendez-vous, **soit qu'**il ait oublié l'heure, **soit qu'**il ait dû rester au bureau plus longtemps.
  (= parce qu'il a oublié l'heure ou parce qu'il a dû rester...)

2. Ce n'est pas que... mais
Non que / non pas que... mais

Une cause possible est écartée et elle est suivie de la vraie raison. La subordonnée suit la principale.

Remarque
On trouve également *ce n'est pas parce que* + indicatif.
- N'allez pas voir cette pièce, **ce n'est pas parce qu'**elle **est** mal jouée, **mais** le texte n'est pas intéressant.

- N'allez pas voir cette pièce, **ce n'est pas qu'**elle soit mal jouée, **mais** le texte n'est pas intéressant.

Non que et *non pas que... mais* s'emploient dans la **langue soutenue**.
- Les familles nombreuses sont rares, **non que** les Français n'en aient pas le désir **mais** les conditions de vie dans les grandes villes sont difficiles.

III. AUTRES MOYENS D'EXPRIMER LA CAUSE

Mot de liaison

Ne dites pas
- ~~Car je suis malade, je reste à la maison.~~
mais → Je reste à la maison **car** je suis malade.

Les mots de liaison ne sont jamais placés en tête de phrase mais après la première proposition.

1. Car / en effet

Remarque
En effet peut s'employer seul avec le sens de *assurément, effectivement*.
- — Marc n'est pas encore là !
  — Ah oui, **en effet** !

Ces mots de liaison introduisent l'explication d'un fait qu'on vient de mentionner. *En effet* est surtout employé à l'écrit.
- On trouve des cactus et des palmiers sur la Côte d'Azur, **car** la température y reste douce en hiver.
- Les salariés sont inquiets ; **en effet** les profits de leur entreprise ont fortement diminué.

2. Tellement / tant

Ces mots de liaison introduisent une explication à laquelle s'ajoute une idée d'intensité. *Tellement* est plus fréquent que *tant*.

- On ne pouvait pas entrer au stade de France, **tellement** il y avait de monde. (= parce qu'il y avait beaucoup de monde)
- Il s'est endormi à table, **tellement** il était fatigué !
- Tous les pays doivent lutter ensemble contre le SIDA, **tant** ce problème est grave.

Préposition + nom ou infinitif

1. À cause de / en raison de / par suite de + nom

À cause de + nom ou pronom
Cette préposition introduit une cause généralement négative.

- On a fermé cette route de montagne **à cause des** chutes de pierres.
- Nous sommes arrivés en retard au cinéma **à cause de** lui.

En raison de et *par suite de* s'emploient surtout à l'écrit.

- **En raison du** prix des appartements, il est très difficile de se loger à Paris.
- **Par suite de** la faiblesse de la croissance, la consommation est en baisse.

Ne dites pas
- ~~... à cause qu'il fait froid.~~
mais → ... **parce qu'**il fait froid / **à cause du** froid
- ~~... à cause d'avoir faim~~
mais → ... **parce que** j'ai faim

2. Grâce à + nom ou pronom

Cette préposition introduit une cause positive.

- Nous avons facilement trouvé votre maison **grâce au** plan que vous nous aviez envoyé.
- Tu m'as donné de bons conseils. **Grâce à** toi, j'ai pu débloquer mon ordinateur.

Comparez :

- **À cause de** la pluie, le chemin était impraticable.
- et **Grâce à** la pluie, la pelouse de notre jardin est bien verte.

Ne dites pas
- ~~À cause de lui, j'ai trouvé un travail.~~
mais → **Grâce à** lui, j'ai trouvé un travail.

3. Faute de

Faute de signifie *par manque de.*

Faute de + nom

Ne dites pas
■ ..... faute de l'argent.

- Ils ne sont pas allés aux sports d'hiver **faute de** temps et **d'**argent. (= parce qu'ils manquaient de temps et d'argent)

↻ *Renvoi*
Pour l'omission de l'article, voir page 46.

- **Faute de** crédits, on ne rénovera pas la salle des fêtes cette année.

Faute de + infinitif
L'infinitif a le même sujet que le verbe principal.
- **Faute d'**avoir fait renouveler son passeport, il n'a pas pu partir en Russie. (= parce qu'il n'avait pas fait renouveler son passeport)

4. À force de

Cette préposition introduit une idée d'intensité.

À force de + nom sans déterminant est employé dans certaines expressions : *à force de travail, courage, patience, gentillesse*, etc.
- **À force de** volonté, il a pu recommencer à marcher après son accident. (= parce qu'il a eu beaucoup de volonté)

À force de + infinitif
L'infinitif a le même sujet que le verbe principal.
- **À force de** critiquer tout le monde, il a perdu beaucoup d'amis. (= parce qu'il critique tout le monde)

5. Étant donné / du fait de / compte tenu de / vu + nom

La cause est incontestable.
- **Étant donné** la pression des écologistes, les constructeurs automobiles fabriquent des moteurs moins polluants.
- **Du fait de** son infirmité, il bénéficie d'une carte de priorité.
- **Compte tenu de** la tension internationale, le Président a annulé tous ses déplacements.
- **Vu** les embouteillages, nous ferions mieux de prendre le métro pour arriver à l'heure.

6. Sous prétexte de + infinitif

La cause est contestée. L'infinitif a le même sujet que le verbe principal.

- Il est entré dans le bureau de Martine **sous prétexte de** lui demander un renseignement.

  (je pense qu'en réalité il voulait l'inviter à dîner)

7. Pour

Pour + nom

- Merci **pour** ton aide ! Grâce à toi, j'ai enfin compris comment résoudre ce problème de maths.

  (= parce que tu m'as aidé)

- La ville de Lyon est très connue **pour** sa gastronomie.

  (= parce qu'on y mange très bien)

Pour + infinitif passé

- Françoise a eu une amende **pour** avoir garé sa voiture sur le trottoir.

  (= parce qu'elle avait garé sa voiture sur le trottoir)

- Il a reçu une décoration **pour** avoir sauvé un enfant de la noyade.

  (= parce qu'il avait sauvé un enfant de la noyade)

8. Par + nom

Par + nom sans déterminant est employé dans certaines expressions : *par curiosité, gourmandise, amour, haine, paresse, peur, intérêt*, etc.

- Elle a fait cela **par amitié** pour moi.
- **Par timidité**, la petite fille n'a pas pu réciter son poème à la fête de l'école.

Participe

1. Gérondif : en + participe présent

↺ *Renvoi*
Pour le participe, voir page 154.

Il a le même sujet que le verbe principal.
- J'ai trouvé un emploi **en consultant** les annonces sur Internet.
  (= parce que j'ai consulté les annonces sur Internet)
- Il est devenu millionnaire **en créant** une entreprise d'informatique.
  (= parce qu'il a créé une entreprise d'informatique)

2. Participe présent ou passé

On le trouve surtout à l'écrit.

Le participe se rapporte à un nom ou à un pronom.
- Les cambrioleurs, **surpris** par le concierge, ont pris la fuite.
  (= les cambrioleurs, parce qu'ils ont été surpris...)
- **Voyant** que les touristes étaient fatigués de marcher, le guide
  a proposé une promenade en bateau-mouche sur la Seine.
  (= comme le guide voyait que les touristes étaient fatigués...)

Le participe a son propre sujet. C'est une **proposition participiale**.
- La nuit **tombant**, les gardiens ferment les grilles du jardin.
  (= comme la nuit tombe...)
- Le volcan **étant entré** en éruption, les villages avoisinants
  ont été évacués. (= comme le volcan est entré en éruption...)

Juxtaposition

Deux propositions placées l'une à côté de l'autre sont séparées par
deux-points ou par un point-virgule. C'est le contexte qui permet de
comprendre la relation de cause.
- Ils sont très heureux ; ils viennent d'avoir un bébé.
  (= parce qu'ils viennent d'avoir un bébé)
- Le docteur Legrand ne restera pas dîner avec nous ; il a été
  appelé pour une urgence.
  (= parce qu'il a été appelé pour une urgence)

Expression de la cause

conjonctions	prépositions		autres moyens
+ indicatif	+ nom	+ infinitif	
parce que **puisque** **comme**	**à cause de** **en raison de** **par suite de** **grâce à** **faute de** **à force de** **pour** **par**	 **faute de** **à force de** **pour** + infinitif passé	mots de liaison **car** **en effet** **tellement** **tant**
étant donné que **vu que** **du fait que** **sous prétexte que** **du moment que** **d'autant que** **d'autant plus... que** **d'autant moins... que** **surtout que**	**étant donné** **vu** **du fait de** **compte tenu de**	 **sous prétexte de**	 participe juxtaposition proposition subordonnée relative
+ subjonctif			
soit que... soit que **ce n'est pas que... mais** **non que... mais** **non pas que... mais**			

L'EXPRESSION DE LA CONSÉQUENCE

La conséquence indique le résultat d'une cause exprimée dans la première partie de la phrase.

Différents moyens permettent d'exprimer une conséquence.

→ Notre fils aime **tellement** les animaux **que** nous lui avons acheté un chien. (proposition subordonnée)

→ Notre fils aime beaucoup les animaux, **alors** nous lui avons acheté un chien. (mot de liaison)

I. LES PROPOSITIONS SUBORDONNÉES À L'INDICATIF

L'indicatif est le mode de la proposition subordonnée de conséquence quand le résultat est présenté comme certain.

Mots en corrélation avec que

La subordonnée, annoncée dans la principale par un adverbe ou l'adjectif *tel*, est introduite par la conjonction *que*.

Ces constructions permettent d'exprimer une idée d'intensité ou de quantité.

1. Verbe + tellement / tant + que

Attention
La place de *tant* ou de *tellement* aux temps composés est la suivante : auxiliaire + *tant* / *tellement* + participe passé + *que*.
■ Il a **tellement** parlé **qu'**il n'a plus de voix.

■ Les Dubreuil aiment **tellement** / **tant** la mer **qu'**ils passent toutes leurs vacances sur leur bateau. (= ils aiment beaucoup la mer ; résultat : ils passent toutes leurs vacances sur leur bateau)

■ Les associations de parents d'élèves ont **tellement** / **tant** protesté **qu'**elles ont fini par obtenir l'ouverture d'une classe supplémentaire.

2. Si / tellement + adjectif / adverbe + que

■ Ce gros camion roule **si** / **tellement** vite **que** je n'arrive pas à le dépasser. (= ce camion roule très vite ; résultat : je ne peux pas le dépasser)

■ Baptiste est **tellement** / **si** distrait **qu'**il ne sait jamais où il met ses affaires. (Baptiste est très distrait ; résultat : il ne sait jamais où il met ses affaires)

Attention à l'emploi de *si* et de *tant* devant le participe passé.

Ne dites pas
■ La rivière est tant polluée...

Devant un participe passé-adjectif, on emploie *si* ou *tellement*.

■ La rivière est **si polluée** qu'on n'y trouve plus de poissons.

Devant un participe passé-verbe conjugué avec avoir, on emploie *tant* ou *tellement*.

- L'usine chimique a **tant pollué** la rivière qu'on n'y trouve plus de poissons.

3. Tant de / tellement de + nom + que

Cette construction insiste sur l'idée de quantité.

- Balzac a écrit **tant de** romans **que** peu de gens les ont tous lus.
  (= Balzac a écrit beaucoup de romans ; résultat : peu de gens les ont lus)
- Il y a **tellement de** brouillard **que** les voitures roulent à 20 km à l'heure.

Avec les expressions *avoir peur* (*envie, besoin, soif,* etc.), on emploie *si / tellement* et non pas *tellement de / tant de*.

- Il a eu **si / tellement** peur qu'il est devenu tout pâle.

4. Un(e) tel(le), de tel(le)s + nom + que

Cette construction insiste sur l'idée d'intensité.

- Le vent soufflait avec **une telle** violence qu'il était dangereux de sortir en mer. (= le vent soufflait avec une très grande violence ; résultat : il était dangereux de sortir en mer)
- La marée noire a causé **de tels** dégâts qu'il faudra des années pour nettoyer les plages.

Remarque
Être tel(le) / tel(le)s que est une structure moins fréquente.
- La violence du vent **était telle** qu'il était dangereux de sortir en mer.

Conjonctions de subordination

1. Si bien que

Cette conjonction présente la conséquence sans nuance particulière.

- On a laissé la porte de la cage ouverte **si bien que** l'oiseau s'est échappé et **que** le chat l'a mangé.
- L'instabilité politique se développe dans ce pays, **si bien que** les agences de tourisme ont annulé leurs voyages.

Tant et si bien que est une forme d'insistance.
- L'enfant se balançait sur sa chaise, **tant et si bien qu'**il est tombé.

Attention
Ne confondez pas *si bien que* avec *bien que*.
Comparez :
- Il viendra **bien qu'**il soit malade. (opposition)
et Il est malade **si bien qu'**il ne viendra pas. (conséquence)

2. De (telle) manière que / de (telle) sorte que / de (telle) façon que

↻ *Renvoi*
De sorte que / de manière que / de façon que + subjonctif expriment le but. Voir page 248.

Ces conjonctions insistent sur la manière d'agir.

- Les enfants de ce vieux monsieur s'entendaient bien, **de sorte qu'**il n'y a eu aucun problème de succession après sa mort.
- Cet homme politique s'est exprimé **de telle façon que** même les membres de son parti ont été choqués.
- L'appartement de cette personne handicapée est organisé **de telle manière qu'**elle peut y vivre complètement seule.

3. Au point que / à tel point que

Ces conjonctions insistent sur l'intensité.

- Le vieux château menaçait de s'écrouler **au point qu'**on a été obligé d'en interdire l'accès aux visiteurs.
- Le malade souffrait **à tel point que** le médecin a dû lui faire une injection de morphine.

Remarque générale sur les propositions subordonnées à l'indicatif

Le conditionnel peut être employé à la place de l'indicatif pour exprimer l'éventualité, le désir.

Comparez :

- J'ai une telle envie de dormir que je **vais me coucher** tout de suite. (fait réel → indicatif)
- *et* J'ai une telle envie de dormir que je **me coucherais** bien tout de suite. (désir → conditionnel)

II. LES PROPOSITIONS SUBORDONNÉES AU SUBJONCTIF

Quand la conséquence est liée à une appréciation qui la présente comme irréalisable ou éventuelle, on emploie le subjonctif.
Le verbe principal et le verbe subordonné ne doivent pas avoir le même sujet.

I. Assez... pour que / trop... pour que

Assez / trop, en corrélation avec *pour que*, expriment une appréciation. On les emploie avec :

– un verbe,

- Il pleut **trop pour que** le match de tennis commence à 15 heures comme prévu. (= il pleut beaucoup, donc le match ne pourra pas commencer à 15 heures)

- C'est un excellent juriste. Il connaît **assez** la question **pour qu'**on lui fasse totalement confiance.

– un adjectif ou un adverbe,

- Le lac n'est pas **assez** gelé **pour qu'**on aille patiner aujourd'hui. (= le lac n'est pas assez gelé ; donc on n'ira pas patiner)

- Vous parlez **trop** vite **pour qu'**on vous comprenne. Pourriez-vous parler plus lentement ?

– un nom (*assez de / trop de*)

- Il y a **trop de** différences entre pays riches et pays pauvres **pour que** le monde soit en paix ! (= il y a beaucoup de différences entre pays..., donc le monde n'est pas en paix)

- Il y a **assez de** lumière dans ton appartement **pour que** cette plante tropicale s'y plaise.

2. Si... que / tellement... que / tant... que / tel(le)(s)... que / au point que

Ces conjonctions sont suivies du subjonctif lorsque la principale est **interrogative** ou **négative**. La phrase exprime alors une restriction.

- Il ne fait pas **un tel** froid **qu'**il soit nécessaire d'allumer le chauffage. (= il ne fait pas assez froid pour qu'il soit nécessaire d'allumer le chauffage)

- Le malade a-t-il le cœur fragile **au point qu'**on doive renoncer à toute opération ?

ou Le malade a-t-il le cœur **si** fragile **qu'**on doive renoncer à toute opération ?

Remarque générale sur les propositions subordonnées à l'indicatif et au subjonctif

Quand il y a deux subordonnées, la seconde est introduite par *que*.

- Ce journal est vraiment **trop** partial **pour que** je le lise et **que** je puisse le recommander.

Remarques
1. Ces constructions appartiennent à la *langue soutenue*.

2. D'autres constructions impliquent une restriction.
- Il **suffit** d'une tasse de café **pour que** je ne dorme pas. (= une tasse, c'est assez pour que je ne dorme pas)
- Il **n'**y a **aucune** raison **pour que** vous vous inquiétiez.
- **Que se passe-t-il pour qu'**il ne soit pas là ? (= que se passe-t-il d'assez grave pour qu'il ne soit pas là ?)

III. AUTRES MOYENS D'EXPRIMER LA CONSÉQUENCE

Préposition + infinitif

La proposition subordonnée est remplacée par une préposition suivie d'un infinitif quand **le verbe de la subordonnée a le même sujet que le verbe de la principale**.

1. Assez / trop... pour

La transformation infinitive de la proposition subordonnée introduite par *assez / trop... pour que* + subjonctif est **obligatoire**.

- En ce moment, **j'ai trop de** travail ~~pour que j'aie le temps de sortir~~. (= j'ai beaucoup de travail ; donc je n'ai pas le temps de sortir)
  → En ce moment, j'ai **trop de** travail **pour avoir** le temps de sortir.
- **Ma fille** est **assez** bonne en maths ~~pour qu'elle fasse des études d'ingénieur~~.
  → Ma fille est **assez** bonne en maths **pour faire** des études d'ingénieur.
- Cette thèse, j'en ai assez, mais j'ai **trop** travaillé **pour** y renoncer.

2. Au point de

La transformation infinitive de la proposition subordonnée introduite par *au point que* + indicatif est **facultative**.
On peut dire :
- Il ne supporte pas les huîtres, **au point d'**être malade s'il en mange.

ou Il ne supporte pas les huîtres, **au point qu'**il est malade s'il en mange.

Mot de liaison

1. Donc

La place de *donc* est variable.
- Le 14 Juillet est un vendredi,
  { **donc** il y aura un week-end de trois jours.
  { il y aura **donc** un week-end de trois jours.

- Paul a été nommé magistrat à Bordeaux,
  { **donc** il va s'y installer avec sa famille.
  { il va **donc** s'y installer avec sa famille.

2. Alors

- Certains touristes n'étaient pas à l'heure au rendez-vous,
  alors le guide a décidé de commencer la visite sans eux.
- Il n'y avait plus de veste rouge à ma taille, **alors** j'en ai pris
  une bleue.

↻ *Renvoi*
Pour les autres sens de *alors*,
voir les adverbes page 175.

3. C'est pourquoi / c'est pour cela que / c'est pour ça que

Ces mots de liaison introduisent une explication. *C'est pour ça que*
est employé dans la langue familière.

- Le Québec est une ancienne possession française ;
  c'est pourquoi on y parle le français.
- Le climat de la Côte d'Azur est très doux ; **c'est pour cela
  que** beaucoup de gens y prennent leur retraite.
- Tu n'as pas bien fermé le robinet, **c'est pour ça qu'**il n'y a plus
  d'eau chaude.

4. Par conséquent / en conséquence

- Le toit de l'église du village est en mauvais état ;
  par conséquent, il faut prévoir sa réfection.

En conséquence est employé dans la *langue soutenue*.

- L'auteur du crime est un mineur ; **en conséquence**, le procès
  se tient à huis clos.

Ne dites pas
■ ~~par conséquence~~
mais ➔ par conséquent

5. Ainsi / comme ça

La place de *ainsi* est variable.
- Le port de la ceinture de sécurité est obligatoire.
  Ainsi, on réduit la gravité des accidents. / On réduit **ainsi**
  la gravité des accidents.

Comme ça est employé dans la langue familière.
- Prends une clé, **comme ça**, tu pourras entrer même si je ne suis
  pas là.

Remarque
À l'écrit, *ainsi* en tête de phrase
peut entraîner l'inversion du sujet
(*langue soutenue*).
■ … **Ainsi** réduit-on la gravité
des accidents.

6. D'où / de là

Ces deux mots de liaison sont généralement suivis d'un nom.
- Le président de cette association caritative a détourné beaucoup d'argent, **d'où** un énorme scandale !
- La direction parle de fermer l'entreprise, **de là** l'inquiétude des salariés.

7. Du coup

Du coup exprime une conséquence immédiate. Il s'emploie dans la langue familière.
- Il m'a parlé sur un ton désagréable, **du coup** je me suis fâché.
- Anne a eu une crise d'appendicite, **du coup** nous avons dû annuler nos vacances.

8. Aussi

Aussi, placé en tête phrase, est toujours suivi de l'inversion du sujet. Il s'emploie dans la *langue soutenue*.
- La lumière d'Île-de-France est d'une grande douceur ; **aussi a-t-elle** inspiré les peintres impressionnistes.
- Cette émission de télévision a eu un très grand succès ; **aussi a-t-on** décidé de la rediffuser.

Juxtaposition

Deux propositions placées l'une à côté de l'autre sont séparées par un point-virgule ou par deux-points. C'est le contexte qui permet de comprendre la relation de conséquence.
- Il n'a pas plu depuis longtemps dans cette région ; le préfet a interdit l'arrosage des pelouses. (= donc le préfet a interdit...)
- Ce médicament avait d'importants effets secondaires ; on l'a retiré de la vente. (= donc on l'a retiré...)

Expression de la conséquence

conjonctions	prépositions + infinitif	
+ indicatif		mots de liaison
verbe + { **tellement + que** / **tant + que**		**donc** **alors**
tellement } + adjectif / adverbe + **que** **si**		**c'est pourquoi** **c'est pour cela que** **c'est pour ça que**
tellement de } + nom + **que** **tant de**		**par conséquent** **en conséquence**
un(e) tel(le) + nom + **que** **de tel(le)s** + nom + **que**		**ainsi** **comme ça**
si bien que		**d'où** **de là**
de (telle) manière que **de (telle) façon que** **de (telle) sorte que**		**du coup** **aussi**
au point que **à tel point que**	**au point de**	
+ subjonctif		juxtaposition
assez + verbe / adjectif / adverbe **trop** + verbe / adjectif / adverbe **assez de** + nom **trop de** + nom } **pour que**	**assez... pour** **trop... pour**	
au point que **si... que** **tellement... que** **tant... que** } avec un verbe principal négatif ou interrogatif		

L'EXPRESSION DU BUT

Pour exprimer une intention, un objectif, pour indiquer un résultat que l'on voudrait obtenir, il existe différents moyens.

→ Il y a toujours un agent de police devant l'école **pour que les enfants puissent traverser la rue en toute sécurité**. (proposition subordonnée)

→ **Pour renouveler votre passeport**, adressez-vous à la mairie de votre domicile. (préposition + infinitif)

→ **Pour le renouvellement de votre passeport**, adressez-vous à la mairie de votre domicile. (préposition + nom)

I. LES PROPOSITIONS SUBORDONNÉES AU SUBJONCTIF

Le subjonctif est le mode de la subordonnée de but puisqu'elle exprime un fait non réalisé. Elle suit généralement la proposition principale. La principale et la subordonnée ne doivent pas avoir le même sujet.

1. Pour que / afin que

Attention
Ne confondez pas *parce que* et *pour que*.

Ne dites pas
▪ Je reste à la maison pour que je suis fatigué.
mais → **parce que** je suis fatigué.

▪ Mets cette affiche ici **pour que** tout le monde la voie.
▪ **Pour qu'**il y ait beaucoup de monde à leur spectacle, les jeunes du groupe théâtral ont distribué des tracts dans le quartier.

Afin que s'emploie dans la **langue soutenue**.
▪ Le responsable des ventes a toujours un téléphone portable **afin qu'**on puisse le joindre en permanence.

Que (= pour que)
On peut trouver la conjonction *que* seule, après un verbe à l'impératif.
▪ « Ouvrez la bouche **que** je voie votre gorge », a dit le médecin.
▪ « Avancez un peu, s'il vous plaît, **que** les gens puissent monter », a dit le conducteur d'autobus.

31

2. De peur que... (ne) / de crainte que... (ne)

Ces conjonctions indiquent un résultat qu'on cherche à éviter. Elles appartiennent à la **langue soutenue**.

- Ils parlent tout bas **de peur qu'**on (ne) les entende.

  (= ils ont peur qu'on les entende)

- Le médecin a prescrit l'isolement **de crainte que** le patient (ne) contamine son entourage.

  (= le médecin a peur que le patient contamine...)

- Pour son anniversaire, il a envoyé ses invitations deux mois à l'avance **de peur que** ses amis (ne) soient déjà pris ce soir-là. (= il avait peur que ses amis...)

⟳ *Renvoi*
L'emploi du *ne* explétif est facultatif.
Voir pages 192-193.

Attention
Ne confondez pas le *ne* explétif avec la négation.

Ne dites pas
- J'ai pris un parapluie
~~de peur qu'il ne pleuve pas.~~
mais → ...**de peur qu'**il (ne) pleuve.

3. De sorte que / de façon (à ce) que / de manière (à ce) que

Ces conjonctions insistent sur la manière d'agir pour atteindre le but souhaité.

- La secrétaire range les dossiers **de façon (à ce) qu'**on puisse les retrouver facilement.
- L'accès à la bibliothèque municipale a été modifié **de manière (à ce) que** les handicapés puissent y accéder.

De manière que, de façon que, de sorte que sont suivis de l'indicatif, quand ils expriment la conséquence.

Comparez :
- Le conférencier parlait dans un micro, de sorte que chacun l'**entende** clairement. (= pour que)
- *et* Le conférencier parlait dans un micro, de sorte que chacun l'**entendait** clairement. (= si bien que)

⟳ *Renvoi*
Pour l'expression de la conséquence, voir page 241.

Remarque générale sur les propositions subordonnées au subjonctif

Quand il y a deux subordonnées, la seconde est introduite par *que*.

- J'ai laissé ma voiture chez le garagiste **pour qu'**il vérifie les freins et **qu'**il change les pneus.

LA PHRASE COMPLEXE

Renvoi
Pour l'emploi du subjonctif dans les propositions relatives, voir page 210.

4. Propositions subordonnées relatives au subjonctif

On emploie le subjonctif lorsque la proposition principale exprime une demande, un souhait.

- Nous aimerions trouver un appartement **où** les enfants **aient** chacun leur chambre.
- Cette entreprise recherche une assistante de direction **qui soit** parfaitement trilingue.

II. AUTRES MOYENS D'EXPRIMER LE BUT

Préposition + infinitif

Une proposition subordonnée est remplacée par une préposition suivie d'un infinitif quand **le verbe de la proposition subordonnée a le même sujet que le verbe de la proposition principale**.

Subordonnée (sujets différents)	Infinitif (même sujet)
pour que	**pour**
afin que	**afin de**
de peur que	**de peur de**
de crainte que	**de crainte de**
de façon que	**de façon à**
de manière que	**de manière à**

Ne dites pas
- Je ferme la fenêtre ~~pour que je n'aie pas froid~~.

mais → ... pour ne pas **avoir** froid.

- Elle a téléphoné au secrétariat **pour** prendre rendez-vous avec le directeur.

et non pas : ... ~~pour qu'elle prenne rendez-vous avec le directeur~~.

- Ce joueur de tennis s'entraîne intensément **pour** être sélectionné au prochain championnat.
- On va installer une très grande antenne de télévision **afin d'**améliorer la réception des images en montagne.

- Je ne lui ai pas dit la vérité **de peur de** le vexer.

et non pas : ... ~~de peur que je le vexe~~.

- Elle passera au secrétariat de l'université **de façon à** se renseigner sur les dates des examens.

Après certains verbes de mouvement (*aller, partir, retourner, venir, passer, sortir, monter, descendre, courir*, etc.) et après le verbe *rester*, la préposition *pour* est fréquemment omise.

- Après le dîner, je **passerai vous dire** « au revoir ».
  (= pour vous dire « au revoir »)
- **Viens voir** ! J'ai trouvé un très gros champignon ! (= viens pour voir)

Les prépositions *en vue de, dans le but de, dans l'intention de* ont le même sens que *pour* et s'emploient dans un contexte administratif.

- Il suit des cours du soir **en vue d'**obtenir un diplôme d'expert-comptable.
- Le maire a réuni le conseil municipal **dans l'intention de** discuter un projet de nouveau centre sportif.

Préposition + nom

1. Pour

- **Pour** le nettoyage de vos objets en argent, employez Argex !
- Cette organisation humanitaire se bat **pour** le respect des droits de l'homme.

2. En vue de

Cette préposition exprime une intention, un projet.

- Nous voudrions consulter des prospectus **en vue d'**un voyage en Australie.
- Les athlètes s'entraînent **en vue des** Jeux Olympiques.

3. De peur de / de crainte de

- La visibilité était mauvaise ; il roulait lentement **de peur d'**un accident.

De crainte de s'emploie dans la **langue soutenue**.

- Un périmètre de sécurité a été installé autour de l'ambassade **de crainte d'**un attentat.

Expression du but

conjonctions	prépositions		autre moyen
+ subjonctif	+ nom	+ infinitif	
pour que **afin que** **que** (après impératif)	**pour** **en vue de**	**pour** **afin de**	subordonnée relative au subjonctif
de peur que **de crainte que**	**de peur de** **de crainte de**	**de peur de** **de crainte de**	
de sorte que **de façon (à ce) que** **de manière (à ce) que**		**de façon à** **de manière à**	
		en vue de **dans le but de** **dans l'intention de**	

L'EXPRESSION DU TEMPS

Pour situer un événement dans le temps, situer deux événements l'un par rapport à l'autre, indiquer la durée, l'habitude, etc. il existe différents moyens.

→ Tatiana partira **demain** en vacances. (adverbe)

→ J'aimerais voir Tatiana **avant qu'elle parte en vacances**. (proposition subordonnée)

→ Tatiana sera en vacances **pendant trois semaines**. (préposition + nom)

→ **En partant**, Tatiana a confié son chat à sa grand-mère. (gérondif)

I. LOCALISATION DANS LE TEMPS

Adverbes et expressions diverses

– Ils expriment la localisation, la succession, la durée, la répétition, l'habitude, la simultanéité.

La localisation : *hier, aujourd'hui, demain, à ce moment-là, en ce moment, tout à l'heure, tout de suite, maintenant, de jour, de nuit, par temps de pluie*, etc.

La succession : *d'abord, puis, ensuite, enfin*, etc.

La durée : *longtemps, de toute la semaine*, etc.

La répétition et l'habitude : *quelquefois, souvent, toujours, tout le temps*, etc.

La simultanéité : *en même temps, au même moment*, etc.

- **En ce moment**, c'est la saison des fraises ; profitons-en !
  (= localisation)
- Je n'aime pas conduire **de nuit**. (= localisation)
- **Par beau temps**, on aperçoit les côtes de l'Angleterre.
  (= localisation)
- **D'abord**, le professeur lira le texte, **puis** il expliquera les mots difficiles, **enfin**, il les traduira en français. (= succession)
- Je suis resté **longtemps** à contempler la mer. (= durée)
- Mon grand-père était sourd ; il parlait **tout le temps** très fort.
  (= habitude)

Ne dites pas
- ~~Au même temps~~
mais → **en** même temps

– Certaines expressions de temps présentent des difficultés d'emploi.

1. Toujours

- Elle boit **toujours** son café sans sucre. (= tout le temps, chaque fois)
- Ils habitent **toujours** à Aix-en-Provence. (= encore maintenant)

2. Tout à l'heure

- Attendez un peu ! Le docteur vous recevra **tout à l'heure**.
  (= dans peu de temps)
- J'ai rencontré Clotilde **tout à l'heure**. Elle allait chercher sa fille à l'école. (= il y a peu de temps)

3. Tout de suite

- Le réveil a sonné et je me suis levé **tout de suite**.
  (= immédiatement)
- Restez ici. La vendeuse va venir **tout de suite** s'occuper de vous. (= dans quelques minutes)

4. En ce moment / à ce moment-là

En ce moment fait référence au moment présent.
- **En ce moment**, on parle beaucoup de la politique européenne.
  (= maintenant)

À ce moment-là fait référence à un moment passé ou futur.
- Van Gogh a peint dans le midi de la France. **À ce moment-là**, il travaillait avec son ami Gauguin.
- Nous irons à Rio de Janeiro en mars prochain ; le carnaval aura lieu **à ce moment-là**.

5. An / année — soir / soirée — matin / matinée — jour / journée

Le suffixe -*ée* insiste sur la durée.

Comparez :
- Il est parti il y a quatre **jours**.
et Il a fait l'aller-retour dans la **journée**.

- J'ai passé la **soirée** à travailler.
et Je fais de la danse deux **soirs** par semaine.

- Le jour du nouvel **an**, on se souhaite une bonne **année**.

6. Auparavant / dorénavant

- Vous serez opéré le 15 mai. **Auparavant**, il faudra faire un certain nombre d'examens. (= avant cette date)
- Cette porte est définitivement fermée. **Dorénavant,** tous les visiteurs passeront par l'entrée principale.
  (= à partir de maintenant)

L'heure, la date, la saison

- Le facteur est passé **à 8 heures du matin / à midi / à 15 heures / à 3 heures de l'après-midi**.
- Muriel est née **le 1ᵉʳ janvier 2002**.
- Le général de Gaulle est mort **en 1970**.
- Ce livre a paru **en mai 2000 / au mois de mai 2000**.
- Le jazz est né aux États-Unis **dans les années 1920**.
- **Au xxᵉ siècle**, il y a eu deux guerres mondiales.
- Nous sommes { **au printemps**.
  en été / en automne / en hiver.

Ne dites pas
- ~~Dans le vingtième siècle~~
mais ➞ **au** vingtième siècle

L'habitude et la périodicité

1. Tous les mois, ans…
Toutes les heures, semaines…

Habitude
- J'achète le journal **tous les** jours. (= chaque jour)

Périodicité
- On paie les factures de téléphone **tous les** deux mois.
  (= un mois oui, un mois non)
- Sur l'autoroute, on conseille aux automobilistes de faire une pause **toutes les** deux heures. (= on roule deux heures, on s'arrête, on roule deux heures…)

Ne dites pas
- ~~chaque deux heures~~

2. Le matin, le soir, l'après-midi, les jours de la semaine

- Dans cette école, **le matin** est consacré à l'enseignement général et **l'après-midi** au sport. (= chaque matin, chaque après-midi)
- Comme je ne travaille pas **le mercredi**, je vais à la piscine.
  (= tous les mercredis)

Remarque
Notez la présence de l'article défini.

LA PHRASE COMPLEXE

3. Sur + nombre

- Dans mon cours de langue, nous regardons une vidéo et nous écoutons des chansons **un jour sur deux**. (= un jour oui, un jour non)
- Vous avez **une chance sur mille** de gagner !

4. Par + jour, semaine, mois...

- Je joue au tennis deux fois **par semaine**. (= chaque semaine)
- Ce médecin assure une garde un dimanche **par mois**.

II. LES PROPOSITIONS SUBORDONNÉES DE TEMPS

Les propositions subordonnées de temps permettent de **situer deux événements l'un par rapport à l'autre**.

Le sens de la conjonction ainsi que le mode et le temps déterminent les rapports temporels. On distingue trois rapports de temps.

La simultanéité

L'action de la proposition principale et celle de la subordonnée ont lieu **en même temps**. Pour exprimer la simultanéité, on emploie l'indicatif.

- Quand il **fait** beau, je **vais** au bureau à pied.
- Quand il m'**a vu**, il m'**a souri**.

L'antériorité

L'action de la subordonnée a lieu **avant** celle de la principale. Le verbe de la subordonnée est un temps composé de l'indicatif.

- Quand l'auteur **aura présenté** son livre, le public **pourra** poser
  (action 1)   (action 2)

  des questions.

La postériorité

L'action de la subordonnée a lieu **après** celle de la principale. On emploie le subjonctif.

- Le garagiste **va vérifier** l'état de la voiture avant que
  (action 1)

  nous **partions** en vacances.
  (action 2)

Remarque générale sur les subordonnées à l'indicatif et au subjonctif

Quand il y a deux subordonnées, la seconde est introduite par *que*.

- Il faut se méfier du verglas **quand** le temps est pluvieux et **que** le thermomètre descend au-dessous de zéro.

- Restez couché **jusqu'à ce que** la fièvre soit tombée et **que** la douleur ait disparu.

Propositions subordonnées à l'indicatif

Après les conjonctions suivantes, on emploie l'indicatif parce que le fait est présenté comme certain. Plusieurs de ces conjonctions peuvent exprimer **la simultanéité** ou **l'antériorité**.

I. Quand / lorsque

Simultanéité

— Dans le présent

- **Quand** je **prends** l'avion, j'**ai** peur !

— Dans le passé

- **Quand** l'alarme **s'est déclenchée**, le cambrioleur **s'est enfui**.
- **Lorsque** mes parents **voyageaient**, ils **consultaient** toujours le guide Michelin vert.

Au passé, il peut y avoir deux temps différents, l'un exprimant la durée ou l'état : l'imparfait ; l'autre un fait ponctuel : le passé composé.

- **Quand** nous **étions** au Maroc, nous **avons appris** la naissance d'Amélie. (durée dans la subordonnée, fait ponctuel dans la principale)
- Nous **étions** au Maroc **quand** nous **avons appris** la naissance d'Amélie. (durée dans la principale, fait ponctuel dans la subordonnée)
- **Quand** je me **suis réveillé**, il **était** midi.

— Dans le futur

- Je te **prêterai** ma voiture **quand** tu **auras** ton permis de conduire.

Antériorité

- **Lorsque** la banque **aura donné** son accord, vous **pourrez** encaisser le chèque. (action 1) (action 2)
- Marc voyageait beaucoup. **Quand** il **était arrivé** dans son hôtel, il n'**oubliait** jamais de téléphoner à sa femme.

2. Dès que / aussitôt que

Dès que et *aussitôt que* signifient *tout de suite après que.*

Simultanéité presque immédiate

- **Aussitôt que** Marie **rentrait** chez elle, elle **écoutait** les messages sur son répondeur téléphonique. (= tout de suite après son retour...)
- Dans ma famille, **dès qu'**on **parle** de politique, on **se dispute** !

Antériorité immédiate

- J'habite encore chez mes parents. Mais **dès que** j'**aurai trouvé** (action 1)
  un travail, je **chercherai** un appartement.
  (action 2)
- **Aussitôt que** les enfants **étaient sortis** de l'école, ils **couraient** à la boulangerie s'acheter un pain au chocolat.

3. Une fois que

Simultanéité = *quand*
- **Une fois qu'**il **sera** à la retraite, mon père **suivra** des cours d'aquarelle.

Antériorité = *après que*
- **Envoyez** la lettre **une fois qu'**elle **aura été signée** par
  (action 2) (action 1)
  le Directeur !

4. Après que

Antériorité obligatoire

- L'assistant dentaire **stérilise** les instruments **après qu'**ils **ont servi.** (action 2) (action 1)
- Il **faudra** tout remettre en place **après que** les invités **seront partis.**

L'antériorité avec *quand, lorsque, dès que, aussitôt que, une fois que, après que*				
Elle est exprimée par un temps composé dont l'auxiliaire est au même temps que le verbe principal.				
Dès que la petite Rosalie	**a pris** son bain, (passé composé)	son père lui	**donne** son biberon. (présent)	
	avait pris (plus-que-parfait)		**donnait** (imparfait)	
	aura pris (futur antérieur)		**donnera** (futur simple)	
Emplois plus rares.				
Dès que l'orage	**eut cessé**, (passé antérieur)	un bel arc-en-ciel	**apparut**. (passé simple)	
	a eu cessé (passé surcomposé)		**a apparu** (passé composé)	

La forme passive qui indique le résultat d'une action peut aussi exprimer l'antériorité. Dans ce cas, les deux verbes sont au même temps.

- Nous **emménagerons** (futur actif) dans notre nouvel appartement aussitôt que la cuisine **sera installée** (futur passif).
- Une fois que sa décision **a été prise** (passé composé passif), elle n'**a** plus jamais **changé** d'avis (passé composé actif).

5. Au moment où

Simultanéité à un moment précis

- Au théâtre, **au moment où** le rideau **se lève**, le silence **se fait** dans la salle.
- **Au moment où** je **sortais** de la banque, je **me suis aperçu** que j'avais oublié mon chéquier au guichet.

Remarque
On trouve également *jusqu'au moment où, à partir du moment où*.
- Les élèves jouent dans la cour **jusqu'au moment où** la cloche sonne.
- Elle recommencera à travailler **à partir du moment où** son dernier fils ira à l'école.

6. Comme

Cette conjonction qui est toujours suivie de l'imparfait appartient à la *langue soutenue*. Elle signifie *au moment où*. La subordonnée précède la principale.

- **Comme** la fusée **atteignait** la stratosphère, l'un des moteurs **explosa**.
- **Comme** le cortège présidentiel **arrivait** place de la Concorde, la Garde républicaine **se mit** à jouer *la Marseillaise*.

↻ *Renvoi*
Pour les autres sens de *comme*, voir le tableau page 303.

7. Pendant que

Cette conjonction indique la simultanéité et insiste sur la durée.

- **Va** acheter le pain **pendant que** je **fais** la queue à la boucherie !
- Cet été, des amis **s'installeront** chez nous **pendant que** nous **serons** en voyage en Italie.
- **Pendant que** nous **étions assis** à la terrasse d'un café, nous **avons vu** passer l'acteur Gérard Depardieu.

8. Alors que / tandis que

⟳ *Renvoi*
Pour *tandis que* et *alors que* dans l'expression de l'opposition, voir page 270.

Ces deux conjonctions ont le même sens que *pendant que* mais avec une nuance d'opposition.

- Julien **est arrivé** sans prévenir **alors que** nous **étions** à table.
- **Tandis que** le ministre **parlait** aux députés, on **entendit** des protestations sur les bancs de l'opposition.

9. Chaque fois que / toutes les fois que

Ces conjonctions expriment la répétition et l'habitude.

- **Chaque fois que** je **joue** au Loto et **que** je perds, je me **promets** de ne plus jouer !
- Julien **dînait** avec moi **toutes les fois que** son travail l'**amenait** à Nantes.

10. Tant que / aussi longtemps que

Simultanéité

Les deux faits ont exactement la même durée. On emploie le même temps dans les deux propositions.

- Les personnes âgées, **tant qu'**elles **sont** encore valides, **préfèrent** vivre chez elle. (= pendant tout le temps où elles sont encore valides)
- Dans le midi, les risques d'incendie **seront** importants **tant qu'**il ne **pleuvra** pas.

⟳ *Renvoi*
Ne confondez pas avec *tant que* exprimant la conséquence. Voir page 242.

- Nous **sommes restés** sur la plage **aussi longtemps qu'**il y **a eu** du soleil. (= pendant tout le temps où il y a eu du soleil)

Antériorité

Tant que et *aussi longtemps que* peuvent aussi introduire un fait antérieur à celui de la principale. Dans ce cas-là, la subordonnée est négative.

- Je ne **partirai** pas **tant que** tu **n'auras pas répondu** à ma question ! (= je resterai jusqu'à ce que tu répondes)
- **Aussi longtemps qu'**on **n'aura pas trouvé** de vaccin contre cette maladie, l'épidémie **progressera**. (= l'épidémie progressera jusqu'à ce qu'on trouve un vaccin)

11. À mesure que / au fur et à mesure que

Les deux faits progressent proportionnellement l'un à l'autre. Les deux verbes sont au même temps.

- **À mesure que** je **fais** des progrès en français, je me **sens** moins étranger en France. (= plus je fais des progrès, moins je me sens étranger)
- L'espoir de retrouver vivant le navigateur disparu **diminuait au fur et à mesure que** le temps **passait**. (= plus le temps passait, moins on avait d'espoir)

12. Depuis que

Cette conjonction indique le point de départ d'une situation qui se prolonge. Le verbe de la subordonnée peut exprimer la simultanéité ou l'antériorité.

Simultanéité

- **Depuis qu'**il **prend** ce médicament, François n'**a** plus d'allergie au pollen.
- **Depuis qu'**elle **sort** avec Joseph, Alice **est** beaucoup plus souriante.

Antériorité

- **Depuis qu'**un restaurant chinois **a ouvert** près de chez nous, nous y **dînons** souvent.
- **Depuis qu'**il **s'était cassé** la jambe, mon oncle **marchait** avec une canne.

Ne dites pas
- ~~Dès qu'il prend des cours de tennis, il a fait des progrès.~~
mais → **Depuis qu'**il prend des cours de tennis, il a fait des progrès.

---

13. Maintenant que / à présent que

Ces conjonctions ont le même sens que *depuis que* mais elles expriment aussi une idée de cause.

■ La rue **est** rouverte à la circulation **maintenant que** les travaux de voirie **sont finis**. (= depuis que et parce que les travaux de voirie sont finis)

■ **À présent que** les Legrand **ont** une maison de campagne, ils y **vont** presque tous les week-ends.

14. À peine… que

Antériorité immédiate dans la principale

■ Le soir, Jean **est à peine rentré qu'**il **se met** au piano.
(= dès que Jean est rentré, il se met au piano)

■ J'**étais à peine sorti que** la pluie **a commencé** à tomber.
(= dès que je suis sorti, la pluie a commencé à tomber)

■ Ma sœur **voyait à peine** une araignée **qu'**elle **hurlait**.
(= dès qu'elle voyait une araignée…)

Dans la *langue soutenue*, *à peine* placé en tête de phrase, entraîne l'inversion du sujet.

■ Le soir, à peine **Jean est-il rentré** qu'il se met à jouer du piano.

Propositions subordonnées au subjonctif

Après les conjonctions suivantes, on emploie le subjonctif parce que le fait exprimé dans la subordonnée n'est pas encore réalisé et donc incertain.

1. Avant que… (ne)

↻ *Renvoi*
L'emploi du *ne* explétif est facultatif.
Voir pages 192-193.

■ **Dépêchons**-nous de rentrer **avant qu'**il (ne) **pleuve** !

■ L'écureuil **avait disparu** dans un arbre **avant que** les enfants (n') **aient pu** le voir.

■ **Avant que** la réunion (ne) **commence**, le Directeur **veut** absolument vous parler !

2. En attendant que

- Jean **a loué** une voiture **en attendant que** la sienne **soit réparée**.
- **En attendant que** le dentiste le **reçoive**, le patient **feuillette** des magazines.

3. Le temps que

- **Attends**-moi **le temps que** je **mette** cette lettre à la poste et **que** je **passe** à la pharmacie ! (= pendant le temps nécessaire pour que j'aille à...)
- Le tunnel **sera interdit** à la circulation **le temps que** le camion accidenté **soit dégagé**.

4. Jusqu'à ce que

Cette conjonction indique une limite dans le futur.
- Ce réfugié politique **a décidé** de rester en exil **jusqu'à ce que** la liberté de la presse **soit rétablie** dans son pays.
- Caroline, **reste** ici **jusqu'à ce que** je **revienne** te chercher !

5. D'ici (à ce) que

Cette conjonction insiste sur la durée à venir.
- **D'ici à ce qu'**on **sache** la vérité sur ce scandale immobilier, il **se passera** beaucoup de temps. (= beaucoup de temps passera avant qu'on sache la vérité)
- **D'ici (à ce) que** notre vieux pont **soit reconstruit**, il **faudra** des années. (= des années passeront avant qu'il soit reconstruit)

Attention

Quand la principale et la subordonnée introduite par *avant que, en attendant que, le temps que* ont le même sujet, on emploie l'infinitif. Voir page 150.

Ne dites pas
- ~~Je vais passer à la poste avant que je rentre.~~
mais → ... **avant de rentrer.**

Ne dites pas
- ~~jusqu'à je revienne~~

III. AUTRES MOYENS D'EXPRIMER LE TEMPS

Préposition + indication d'une durée

1. Pendant

Cette préposition indique la durée dans le présent, le passé et le futur.
- La bibliothèque de l'école est ouverte **pendant** les vacances.

LA PHRASE COMPLEXE

Pendant est fréquemment omis devant un nombre.

- J'étais mort de fatigue. J'ai dormi (**pendant**) dix heures !
- Ma mère restera à Paris (**pendant**) quelques jours.

2. Durant + nom / au cours de + nom

Ces prépositions, qui ont le sens de *pendant*, s'emploient surtout à l'écrit.

- Ce joueur de rugby s'est blessé **au cours du** match France / Angleterre.
- **Durant** son exil à Jersey, Victor Hugo écrivit *Les Misérables*.

3. Pour

Cette préposition indique **une durée prévue**.

- Le château est fermé aux visiteurs **pour** deux ans en raison de travaux de restauration. (= les travaux dureront deux ans)
- Mon cousin Luc était parti **pour** un an à l'étranger mais il a dû rentrer parce qu'il ne supportait pas le climat. (= il avait l'intention de rester un an)

Ne confondez pas *pendant* et *pour*.

Comparez :

- Elle est partie **pendant** trois semaines.
  (= elle a été absente : durée)

et Elle est partie **pour** trois semaines.
  (= elle sera absente : durée prévue)

4. En

Cette préposition indique **la durée nécessaire** pour accomplir une action.

- Quel livre passionnant ! Je l'ai lu **en** deux jours.
  (= j'ai mis deux jours pour le lire)
- On peut obtenir une carte d'identité **en** une semaine.
  (= il faut une semaine pour obtenir...)

5. Dans

Cette préposition s'emploie seulement dans un contexte futur.

- Dépêchez-vous de vous asseoir ! Le film va commencer **dans** cinq minutes ! (= cinq minutes à partir de maintenant)
- Lundi, le garagiste m'a dit que ma voiture serait réparée **dans** trois jours. (= trois jours à partir de lundi)

6. Il y a

Il y a s'emploie seulement dans un contexte passé.

- J'ai rencontré mon professeur de français dans la rue
  il y a trois jours. (= trois jours avant maintenant)
- Patrick était en Espagne avec toute sa famille **il y a** deux mois.
  (= deux mois avant aujourd'hui)

7. De... à / depuis... jusqu'à

- Le bureau sera ouvert { **de** 14 heures **à** 18 heures.
  depuis 14 heures **jusqu'à** 18 heures.
- Le directeur sera absent { **du** 3 mai **au** 15 juin.
  depuis le 3 mai **jusqu'au** 15 juin.

8. Au bout de

Au bout de indique la fin d'une durée.

- **Au bout de** deux années à Madrid, Juliette parlait
  parfaitement espagnol.
- Cyrille et moi, nous avions rendez-vous à 17 heures.
  Au bout d'une demi-heure, il n'était pas là, alors je suis partie.

9. Depuis

Cette préposition indique le point de départ d'une action qui se
prolonge dans le présent ou le passé.

Avec un présent ou un imparfait

- Vous **attendez** depuis longtemps ? Non, **depuis** cinq minutes
  seulement !
- Il **neigeait depuis** plus de trois jours et toutes les routes
  étaient bloquées.

Avec un passé composé ou un plus-que-parfait, *depuis* s'emploie
– avec des **verbes conjugués avec être** ;

- Allô ! Est-ce que je peux parler à Paul ? Non, désolé, il **est parti
  depuis** une demi-heure. (= il n'est plus là)
- Les élèves **étaient arrivés depuis** une semaine en classe de
  nature quand il a enfin cessé de pleuvoir. (= ils étaient là depuis
  une semaine)

LA PHRASE COMPLEXE

— avec certains **verbes conjugués avec *avoir*** quand :

a. Ils sont à la forme négative,

- Il **n'**a **pas** fait de ski **depuis** trois ans.
- Elle **n'**avait **pas** dormi **depuis** deux jours et elle était très fatiguée.

Ne dites pas
- ~~Je l'ai rencontré depuis deux ans.~~
mais → Je **ne** l'ai **pas** rencontré depuis deux ans.

Attention
Ne confondez pas *dès* et *depuis*.
- À 9 heures, **dès** son arrivée au bureau, il branche son ordinateur. (= immédiatement après son arrivée)
- Il est 10 heures. **Depuis** son arrivée au bureau, il lit et répond à ses courriels. (= à partir de son arrivée)

b. Ils indiquent une progression (*grandir, augmenter, progresser, grossir*, etc.) ou impliquent un changement (*commencer, finir, quitter, disparaître*, etc.).

- Il **avait** beaucoup **vieilli depuis** sa maladie. (= il avait l'air beaucoup plus vieux qu'avant sa maladie)
- Elle **a abandonné** l'étude du violon **depuis** deux ans. (= voilà deux ans qu'elle ne fait plus de violon)

10. Il y a… que / ça fait… que

Toujours placées en tête de phrase, ces expressions ont le même sens que *depuis*. Elles ne s'emploient qu'avec une durée chiffrée. C'est **une mise en relief de la durée**.

- **Il y a** / **ça fait** un quart d'heure **que** nous attendons l'autobus. (= nous attendons l'autobus depuis un quart d'heure)
- **Il y avait** / **ça faisait** trois jours **qu'**un épais brouillard recouvrait la vallée. (= un épais brouillard recouvrait la vallée depuis trois jours)
- **Il y aura** / **ça fera** bientôt quatre ans **que** nous n'avons pas vu nos amis Dupont. (= nous n'avons pas vu nos amis Dupont depuis bientôt quatre ans)

11. À partir de

À partir de marque le point de départ d'une durée à venir.

- La nouvelle voiture Peugeot sera mise en vente **à partir du** 1er septembre.
- Un deuxième gymnase sera ouvert dans notre quartier **à partir de** la rentrée des classes.

Préposition + nom ou infinitif

Toutes ces constructions ont pour équivalent une proposition subordonnée.

1. À + nom / lors de + nom

- Je t'attendrai sur le quai **à** l'arrivée du train. (= quand le train arrivera)

Lors de + nom s'emploie surtout à l'écrit.

- **Lors de** sa parution, ce livre a reçu un accueil enthousiaste.
  (= lorsqu'il a paru...)

2. Avant + nom / avant de + infinitif

L'infinitif a le même sujet que le verbe principal.

- J'ai acheté des cadeaux pour toute ma famille
  { **avant** mon retour dans mon pays.
  { **avant de** rentrer dans mon pays.

3. Après + nom / après + infinitif passé

L'infinitif a le même sujet que le verbe principal.

- Les Espagnols aiment bien faire la sieste { **après** le déjeuner.
  { **après** avoir déjeuné.

4. Dès + nom

Dès signifie *tout de suite après*.

- Au printemps, **dès** le lever du jour, les oiseaux chantent.
  (= dès que le jour se lève)
- **Dès** son arrivée à Paris, Paolo s'est inscrit à un cours de langue.
  (= dès qu'il est arrivé)

5. Au moment de + nom / au moment de + infinitif

- **Au moment des** départs en vacances, il y a toujours des embouteillages à la sortie des grandes villes. (= au moment où les gens partent en vacances...)

L'infinitif a le même sujet que le verbe principal.

- Juste **au moment de** payer, elle s'est aperçue que sa carte bancaire était périmée.

6. Au fur et à mesure de + nom

Cette préposition indique la simultanéité et la progression.

- **Au fur et à mesure de** la montée des eaux du fleuve, les riverains doivent quitter leur maison. (= les eaux montent et progressivement les riverains doivent quitter leur maison)

7. Jusqu'à + nom

- Elle a travaillé comme hôtesse de l'air **jusqu'à** son mariage. (= jusqu'à ce qu'elle se marie)
- **Jusqu'à** la découverte de la pénicilline, beaucoup de maladies infectieuses étaient mortelles. (= jusqu'à ce qu'on ait découvert...)

8. En attendant + nom / en attendant de + infinitif

- Les hirondelles migrent vers les pays chauds **en attendant** le retour du printemps. (= en attendant que le printemps revienne)

L'infinitif a le même sujet que le verbe principal.

Ne dites pas
- ...en attendant qu'ils entrent

- Les gens bavardaient dans le hall **en attendant d'**entrer dans la salle de conférences.

9. Le temps de + infinitif

L'infinitif a le même sujet que le verbe principal.

- Reste devant le cinéma. Je te retrouve, **le temps de** garer la voiture. (= le temps nécessaire pour garer la voiture)

10. D'ici (à) + nom

- Le nom du Premier ministre sera connu **d'ici (à)** la fin de la semaine. (= avant que la semaine soit finie)

Participe

1. Gérondif

Il marque la simultanéité entre deux actions. Il a le même sujet que le verbe de la principale.

Il indique un moment précis du temps.

- Mettez des gants **en utilisant** ce produit toxique. (= quand vous utilisez...)

Il insiste sur l'idée de durée. Dans ce cas, il est fréquemment précédé de *tout*.

- Les étudiants criaient et agitaient des pancartes **tout en descendant** le boulevard Saint-Michel. (= pendant qu'ils descendaient...)

2. Participe

Il s'emploie surtout à l'écrit. Il se rapporte à un nom ou à un pronom.

- **Étant** enfant, Ariane passait des heures à dessiner. (= lorsqu'elle était enfant...)
- **Arrivé** à la gare d'Avignon, vous trouverez dans le hall un bureau d'informations. (= quand vous serez arrivé...)
- **Ayant vu** l'autobus arriver, il a couru pour le prendre. (= quand il a vu...)

Ne confondez pas le gérondif et le participe présent.
Comparez :

- J'ai rencontré Sophie **en sortant** de la banque. (gérondif = au moment où **je** sortais de la banque)
- *et* J'ai rencontré Sophie **sortant** de la banque. (participe présent = au moment où **elle** sortait de la banque)

3. Subordonnée participiale

Elle s'emploie surtout à l'écrit. Le participe a son propre sujet.

- La pluie **ayant cessé**, le match de tennis a repris. (= dès que la pluie a cessé,...)
- L'installation électrique **terminée**, nous pourrons commencer les travaux de peinture. (= une fois que l'installation électrique sera terminée...)

↻ *Renvoi*
Pour l'emploi des participes présent et passé, voir pages 153 à 156.

Remarque
Pour insister sur l'antériorité, on peut employer *à peine, aussitôt, une fois* + participe passé.
- **À peine / aussitôt / une fois** parvenus au sommet de la montagne, il ont dû redescendre en raison du mauvais temps.

Remarque
On peut dire aussi :
- **Une fois** l'installation électrique terminée, nous pourrons...

Expression du temps

conjonctions	prépositions		autres moyens
+ indicatif	+ nom	+ infinitif	participe
quand **lorsque** **dès que** **aussitôt que** **une fois que** **après que** **au moment où** **comme** **pendant que** **alors que** **tandis que** **chaque fois que /** **toutes les fois que** **tant que** **aussi longtemps que** **à mesure que** **au fur et à mesure que** **depuis que** **maintenant que** **à présent que** **à peine... que**	**à** **lors de** **dès** **après** **au moment de** **pendant** **au fur et à mesure de** **depuis**	 **après + infinitif passé** **au moment de**	gérondif participe subordonnée participiale
+ subjonctif			
avant que... (ne) **jusqu'à ce que** **en attendant que** **le temps que** **d'ici (à ce) que**	**avant** **jusqu'à** **en attendant** **d'ici (à)**	**avant de** **en attendant de** **le temps de**	

Dans ce tableau, on ne trouve que les prépositions employées pour former les conjonctions de même sens.

L'EXPRESSION DE L'OPPOSITION ET DE LA CONCESSION

Quand on veut exprimer une idée d'opposition ou de concession, on peut distinguer trois types de relation entre deux faits :

- **l'opposition** : c'est le constat d'une différence ;
  → Annie est grande et blonde **tandis que sa sœur est petite et rousse**.

- **la concession** : c'est une cause qui devrait agir mais qui n'agit pas ;
  → **Bien que nous soyons en plein hiver**, la température est très douce.

- **la restriction** : c'est une opposition partielle.
  → Cette dame âgée mène une vie très active, **encore qu'elle ait quelques ennuis de santé**.

Il existe de nombreux moyens qui permettent d'exprimer ces nuances.

I. LES PROPOSITIONS SUBORDONNÉES

On emploie l'indicatif, le subjonctif et le conditionnel pour exprimer les diverses nuances de l'opposition et de la concession.

Propositions subordonnées à l'indicatif

I. Alors que

Opposition / concession
- Cet été a été très chaud, **alors que** l'été dernier a été très froid.
  (= par contre, l'été dernier a été très froid ; opposition)
- Marie n'est pas venue à mon anniversaire **alors qu'**elle m'avait promis de venir. (= bien qu'elle m'ait promis de venir ; concession)

2. Tandis que

Opposition
- Ces tulipes fleurissent dès le mois de mai **tandis que** celles-là fleuriront plutôt en fin de saison. (on oppose deux types de tulipes)

Ne dites pas
- ~~Marianne est blonde pendant que sa sœur est brune~~.
mais → Marianne est blonde **alors que** sa sœur est brune. / **tandis que** sa sœur est brune.

↻ *Renvoi*
Alors que, tandis que peuvent également introduire une subordonnée de temps. Voir page 259.

3. Même si

Même si exprime l'opposition en même temps que l'hypothèse. L'emploi des temps est le même que dans les subordonnées introduites par *si*.

- **Même si** vous arrivez tard, n'hésitez pas à nous rejoindre ! (hypothèse : vous arriverez peut-être en retard ; opposition : mais venez nous rejoindre)

- **Même si** tout le monde était d'accord pour protéger l'environnement, beaucoup de gens ne respecteraient pas la règlementation. (hypothèse : tout le monde serait d'accord pour protéger l'environnement ; opposition : mais beaucoup de gens ne respecteraient pas la règlementation)

4. Sauf que
Si ce n'est que

Restriction

- Notre voyage en Corse s'est très bien passé, **sauf que** j'ai oublié mon portable dans le car. (= il y a un seul problème : j'ai oublié mon portable)

- On ne sait rien de la vie privée de cet acteur, **si ce n'est qu'**il a deux enfants. (= on sait une seule chose : il a deux enfants)

5. Si

Opposition ou concession

Si s'emploie dans la ***langue soutenue***. La subordonnée précède la principale ou est placée en incise.

- **Si** la vie dans les grandes villes attire les jeunes, elle peut être très dure pour les personnes âgées ou démunies. (= la vie dans les grandes villes attire les jeunes mais elle peut être très dure pour les personnes âgées ou démunies)

- Ce médicament, **s'**il est très efficace, a des effets secondaires assez désagréables. (= bien qu'il soit très efficace, ce médicament a des effets secondaires assez désagréables)

33

Propositions subordonnées au subjonctif

A. Subordonnées introduites par une conjonction

1. Bien que
Quoique

Concession
- **Bien que** la police ait fait une longue enquête, elle n'a pas encore trouvé le coupable. (= la police a fait une longue enquête, mais elle n'a pas encore trouvé le coupable)

L'emploi de *quoique* est moins fréquent.
- Ce tableau, **quoiqu'**il soit signé d'un peintre réputé, ne s'est pas vendu à un prix très élevé. (= ce tableau est signé d'un peintre réputé, mais il ne s'est pas vendu à un prix très élévé)

Remarque
Lorsque le sujet est le même dans la principale et dans la subordonnée, *bien que, quoique* peuvent être suivis :
– d'un adjectif ;
- Bien que **très léger**, ce plat est très nourrissant.
– d'un participe.
- Quoique **connaissant** les dangers de la montagne en hiver, ils ont décidé de faire cette ascension.

2. Sans que

Opposition négative.
La subordonnée suit la principale.
- Étienne dormait à poings fermés. Je suis entré dans sa chambre **sans qu'**il m'entende. (= je suis entré mais il ne m'a pas entendu)
- Mon père et moi, nous étions sur le même trottoir. Nous nous sommes croisés **sans qu'**il me voie ! (= nous nous sommes croisés mais il ne m'a pas vu)
- À la gare, un pickpocket m'a volé mon portefeuille **sans que** je m'en aperçoive. (= mais je ne m'en suis pas aperçu)

Remarque
Comme *sans que* a un sens négatif, l'article partitif ou indéfini est modifié comme après une négation.
- Le coupable a été identifié sans qu'il y ait **d'**erreur possible.

Attention
Si la principale et la subordonnée ont le même sujet, l'emploi de l'infinitif est obligatoire.

Ne dites pas
- ~~Il est parti sans qu'il dise au revoir.~~
mais ➞ Il est parti **sans dire** au revoir.

3. À moins que

À *moins que* exprime la restriction en même temps que l'hypothèse.
- Le concert aura lieu en plein air **à moins qu'**il (ne) pleuve. (= sauf s'il pleut)
- La croisière en Norvège aura lieu **à moins qu'**il n'y ait pas assez de participants. (= mais s'il n'y a pas assez de participants, elle sera annulée)

↺ *Renvoi*
L'emploi du *ne* explétif est facultatif.
Voir pages 192-193.

LA PHRASE COMPLEXE

4. Encore que

Encore que introduit une restriction après une déclaration. La subordonnée suit la principale.

■ La mise en scène de cette pièce est excellente, **encore qu'**on puisse critiquer la froideur des décors. (= la mise en scène est excellente, cependant on pourrait critiquer la froideur des décors)

■ Félix va passer un an aux États-Unis, **encore qu'**il soit bien jeune pour un aussi long séjour. (= cependant il est très jeune pour un aussi long séjour)

B. Constructions avec un adjectif ou un nom

1. Si + adjectif + que

Cette construction exprime une concession avec une idée d'appréciation.

■ Le soleil, **si** agréable **qu'**il soit, peut être très dangereux. (= bien que le soleil soit très agréable, il peut être très dangereux)

■ **Si** brutal **qu'**ait été le choc, aucun passager n'a été blessé.

■ **Si** curieux **que** cela paraisse pour un Français, il n'aime ni le vin ni le fromage ! (= il est français et pourtant il n'aime ni le vin ni le fromage)

2. Tout / quelque / pour + adjectif + que

Ces constructions qui expriment la concession s'emploient dans la *langue soutenue*.

■ Cet article sur la vie dans les prisons, **tout** provocant **qu'**il soit, a le mérite de faire réfléchir. (= bien qu'il soit provocant...)

■ Les réformes prévues par le gouvernement, **quelque** difficiles **qu'**elles soient à mettre en œuvre, sont absolument nécessaires. (= bien qu'elles soient difficiles à mettre en œuvre...)

■ Cet homme politique, **pour** brillant **qu'**il soit, n'inspire pas vraiment confiance. (= même s'il est brillant)

3. Quel(le)(s) + que + être + sujet

Quel est un adjectif qui s'accorde avec le sujet du verbe *être*. Cette construction est très fréquente.

- La marche est un sport que vous pouvez pratiquer, **quel que soit votre âge**. (= à n'importe quel âge)
- Une fuite d'eau, des clefs oubliées à l'intérieur de l'appartement. **Quels que soient vos problèmes**, SOS Artisans vous dépanne ! **Quelle que soit l'heure**, appelez le 06 00 00 01 ! (= pour n'importe quel problème, à n'importe quelle heure)

4. Quelque(s) + nom + que

Cette construction s'emploie dans la *langue soutenue*.

- Le lancement d'un satellite, **quelques précautions qu'**on prenne, comporte toujours des risques d'échecs. (= même si on prend des précautions)

> **Attention**
> Dans cette construction, *quelque* est un adjectif : il s'accorde avec le nom qu'il précède.

C. Pronoms relatifs indéfinis

I. Quoi que

Quoi est complément du verbe.

- **Quoi que** je dise, **quoi que** je fasse, tu me critiques. (= peu importe ce que je dis, ce que je fais, tu me critiques)
- **Quoi qu'**il arrive, elle garde son sang-froid. (= peu importe ce qu'il arrive, elle garde son sang-froid)

> **Remarque**
> *Quoi que* est fréquemment employé avec les verbes *faire, dire, penser*.

> **Attention**
> Ne confondez pas *quoi que* avec *quoique*.
> - J'ai raison **quoi que** vous en pensiez. (= peu importe ce que vous en pensez)
> - J'ai raison **quoique** cela paraisse surprenant. (= bien que cela paraisse surprenant)

2. Où que

- À Paris, **où qu'**on aille, il y a toujours un café ! (= peu importe où l'on va...)
- Olivier est très sociable. **Où qu'**il soit, il se fait des copains. (= peu importe où Olivier est...)

3. Qui que

Peu fréquent. *Qui* représente une personne indéterminée.

- **Qui que** vous soyez, vous devez respecter le code de la route. (= peu importe qui vous êtes...)

Proposition subordonnée au conditionnel

Quand bien même

Quand bien même exprime l'opposition en même temps que l'hypothèse. La proposition principale est généralement au conditionnel.

- **Quand bien même** on lui offrirait un travail intéressant à l'étranger, il ne pourrait pas partir pour des raisons familiales. (= même si on lui offrait un travail...)
- **Quand bien même** on l'aurait repeint, cet appartement serait resté triste. (= même si on l'avait repeint, cet appartement...)

Remarque générale sur les propositions subordonnées au subjonctif, à l'indicatif et au conditionnel.

Quand il y a deux subordonnées, la seconde est introduite par *que*.

- **Bien qu'**il soit tard et **que** je prenne l'avion demain à 6 heures, je vous accompagnerai au restaurant.
- Jérôme n'a pas confiance en lui **alors qu'**il est très beau garçon et **qu'**il fait des études brillantes.

II. AUTRES MOYENS D'EXPRIMER L'OPPOSITION

Préposition + nom / pronom

1. Malgré / en dépit de

- **Malgré** un fort vent d'Ouest, nous avons fait une excellente promenade le long de la mer. (= bien qu'il y ait eu un fort vent...)
- En voyant l'enfant se pencher à la fenêtre, j'ai poussé un cri **malgré** moi.

En dépit de s'emploie dans la **langue soutenue**.

- Le tunnel sous la Manche a été construit **en dépit de** nombreuses difficultés techniques et financières. (= bien qu'il y ait eu de nombreuses difficultés...)

2. Contrairement à

- **Contrairement aux** prévisions, l'indice de croissance sera de 2 % et non de 3 %. (= alors qu'on prévoyait 3 %, l'indice...)
- **Contrairement à** toi, j'ai le mal de mer en bateau.

Préposition + infinitif

L'infinitif a le même sujet que le verbe principal.

1. Sans

- Sur la porte, il y a un écriteau qui dit : « Entrez **sans** frapper ».
- Ne quittez pas la Bretagne **sans** avoir mangé de galettes de blé noir ni bu de cidre !

2. Au lieu de

- Cette année, Marie prendra ses vacances en juillet **au lieu de** les prendre en août. (= elle prendra ses vacances en juillet et non pas en août)
- Aide-moi donc, **au lieu de** me donner des conseils. (= ne me donne pas de conseils, mais aide-moi !)

3. Loin de

Cette préposition s'emploie dans la *langue soutenue*.
- Quand Jean a dit la vérité à son père, **loin de** se fâcher, celui-ci a ri. (= il ne s'est pas fâché, au contraire, il a ri)
- Je redoutais le jugement du directeur. Or, **loin de** me critiquer, il m'a félicité. (= il ne m'a pas critiqué, au contraire, il m'a félicité)

4. Quitte à

- **Quitte à** le regretter plus tard, Martine va arrêter ses études. (= même si elle risque de le regretter plus tard)
- Je dis toujours ce que je pense, **quitte à** choquer les gens. (= même si je risque de choquer les gens)

> *Remarque*
> On trouve également *quitte à ce que* + subjonctif.
> - Je dirai toute la vérité **quitte à ce que** beaucoup de gens soient choqués.

Avoir beau + infinitif

Cette expression très employée a le même sens que *bien que*. Elle est toujours **placée en tête de phrase** et séparée de la proposition qui suit par une virgule. On conjugue le verbe *avoir* à tous les temps de l'indicatif.
- Lucie **a beau être** très jeune, elle a un grand sens des responsabilités. (= bien qu'elle soit très jeune, Lucie a...)

- Alain est extrêmement têtu. Tu **auras beau protester**, il ne changera pas d'avis. (= bien que tu protestes, Alain ne changera pas...)

L'antériorité peut être exprimée par le verbe *avoir* ou l'infinitif passé.

Ne dites pas
- J'ai beau faire des efforts mais je ne comprends pas.
mais → J'ai beau faire des efforts, je ne comprends pas.

- Ce journaliste **a eu beau faire** de nombreuses démarches, il n'a pas obtenu de visa pour ce pays en guerre.
ou Ce journaliste **a beau avoir fait** de nombreuses démarches... (= bien que ce journaliste ait fait...)

Mot de liaison

Les mots de liaison permettent d'exprimer la relation d'opposition, de concession ou de restriction entre les deux parties d'une phrase.

1. Mais

Opposition
- *Amener* s'écrit avec un *m*, **mais** *emmener* s'écrit avec deux *m*. (= *amener* s'écrit avec un *m*, alors que *emmener* s'écrit avec deux *m*)

Ne dites pas
- comme même
mais → quand même
- Il pleut, quand même j'ai envie de me promener. Quand même il pleut, j'ai envie de me promener.
mais → Il pleut, **mais** j'ai envie de me promener **quand même**.

2. Quand même / tout de même

Concession. Ces mots sont souvent précédés de *mais* et sont toujours placés après le verbe.
- Il y avait beaucoup de brouillard, (mais) l'avion a pu atterrir **quand même**. (= bien qu'il y ait eu du brouillard...)

On peut aussi dire :
- L'avion **a quand même pu** atterrir.
ou L'avion **a pu quand même** atterrir.

Remarque
Quand même et *tout de même* peuvent aussi avoir une valeur de renforcement.
- Tu ne veux jamais m'aider ! Tu exagères **quand même** !

- Sébastien prépare un concours important, (mais) il sort **tout de même** le samedi soir avec ses copains. (= bien qu'il prépare un concours...)

3. Seulement

Restriction. *Seulement* s'emploie dans la langue familière.
- Tu peux prendre la voiture ; **seulement**, rends-la-moi sans faute samedi ! (= mais il faut me la rendre samedi)
- Vous pouvez jouer du piano le soir, **seulement** mettez-le en sourdine !

4. En fait

Opposition

- Je pensais que Pierre était à Paris, **en fait**, il était en Italie pour son travail. (= mais en réalité)
- On devait nous livrer une pizza aux trois fromages ; **en fait**, c'est une pizza au chorizo qui nous a été livrée.

5. Pourtant

Concession

- Mon gâteau n'est pas bien réussi, **pourtant** j'ai suivi la recette à la lettre. (= bien que j'aie suivi la recette à la lettre)
- Il est souvent en retard au bureau, **pourtant** il habite juste à côté. (= bien qu'il habite juste à côté)

6. Cependant / néanmoins / toutefois

Restriction. Ces mots de liaison s'emploient dans la *langue soutenue*.

- Nous pensons que ce tableau est une simple copie d'un paysage de Monet ; **cependant** il vaudrait mieux consulter un expert. (= encore qu'il vaille mieux consulter un expert)

- La situation économique de ce pays reste difficile, **toutefois** les spécialistes prévoient une reprise de la croissance dans les mois à venir. (= encore que les spécialistes prévoient...)

- Il y avait trois jours qu'on était sans nouvelles du bateau. **Néanmoins**, tout espoir de le retrouver n'était pas perdu. (= encore qu'on n'ait pas perdu tout espoir)

Attention
Ne confondez pas *cependant*
et *pendant que*.

Ne dites pas
- ~~Le voleur a pris les bijoux cependant tout le monde dormait.~~
mais → Le voleur a pris les bijoux **pendant que** tout le monde dormait.

7. Par contre / au contraire / en revanche

Opposition

- Cette plante ne demande pas à être beaucoup arrosée, **par contre** elle a besoin de lumière.
- Paul écrit mal le russe, **en revanche** il le parle bien.
- — Cela vous dérangerait que je m'invite chez vous à la campagne dimanche prochain ?
  — **Au contraire**, cela nous ferait très plaisir !

8. Pour autant

Concession

- Les vêtements de cette boutique sont très chers et ils ne sont pas de bonne qualité **pour autant** ! (= bien que les vêtements soient chers, ils ne sont pas de bonne qualité)
- En ce moment, les médias parlent peu de la violence à l'école, **pour autant** ce problème est loin d'être résolu. (= bien que les médias parlent peu de la violence à l'école...)

9. Or

Or introduit un élément nouveau qui modifie le résultat attendu. Cette nouvelle conséquence est souvent précédée de *donc, alors, par conséquent*, etc.

- Nous voulions prendre l'avion pour aller à Nice ; **or** il n'y avait plus de places, donc nous avons pris le TGV.
- Un promoteur immobilier voulait construire un immeuble face à la mer, **or** le littoral est un site protégé, par conséquent il n'a pas reçu le permis de construire.
- Nous avons eu une réunion importante hier ; **or** le directeur n'a pas pu y assister, alors nous n'avons pris aucune décision.

Gérondif

↺ *Renvoi*
Pour le gérondif,
voir page 154.

Pour exprimer la concession, le gérondif doit être précédé de *tout*.

- J'ai accepté de suivre ce traitement **tout en sachant** que son efficacité n'est pas garantie. (= bien que je sache que son efficacité n'est pas garantie...)
- **Tout en comprenant** les raisons de ton choix, je ne l'approuve pas totalement. (= bien que je comprenne les raisons...)

Propositions juxtaposées au conditionnel

Remarque
On peut dire aussi :
- Il pleuvrait à torrents
qu'il resterait au bord de l'eau
à attendre le poisson !
- Je lui aurais donné la preuve de
son erreur **qu'**il ne m'aurait pas cru.

- Florent adore la pêche. Il **pleuvrait** à torrents, il **resterait** au bord de l'eau à attendre le poisson ! (= même s'il pleuvait à torrents...)
- Je lui **aurais donné** la preuve de son erreur, il ne m'**aurait** pas **cru**. (= même si je lui avais donné la preuve...)

Expression de l'opposition

conjonctions	prépositions		autres constructions
+ subjonctif	**+ nom**	**+ infinitif**	
bien que **quoique**	**malgré** **en dépit de** **contrairement à**		**avoir beau** + infinitif
			mots de liaison
sans que **à moins que** **encore que** **si** **quelque** **pour** **tout** **quel(s)** + **que** + *être* + nom **quelque(s)** + nom + **que** **quoi que** **où que** **qui que**		**sans** **au lieu de** **loin de** **quitte à**	**mais** **quand même** **tout de même** **seulement** **en fait** **pourtant** **cependant** **néanmoins** **toutefois** **en revanche** **par contre** **au contraire** **pour autant**
+ indicatif			
alors que **tandis que** **même si** **si ce n'est que** **sauf que** **si**			gérondif précédé de **tout** propositions juxtaposées au conditionnel
+ conditionnel			
quand bien même			

(Note : « si quelque pour tout » sont regroupés par une accolade suivie de « + adjectif + **que** »)

L'EXPRESSION DE LA CONDITION ET DE L'HYPOTHÈSE

On peut distinguer l'idée de condition et l'idée d'hypothèse.

- **La condition** exprime une circonstance obligatoire pour qu'un fait puisse se réaliser.
  → **Si vous avez moins de 25 ans**, vous pouvez profiter d'une réduction de 30 % sur les vols Paris-Londres.

- **L'hypothèse** exprime une supposition, une possibilité, une éventualité.
  → **S'il pleut**, le pique-nique sera annulé. (= il pleuvra peut-être, dans ce cas on annulera le pique-nique)

Différents moyens permettent d'exprimer l'hypothèse et la condition.

I. LES PROPOSITIONS SUBORDONNÉES À L'INDICATIF

Propositions subordonnées introduites par si

A. Combinaisons de temps les plus courantes

Plusieurs combinaisons permettent d'exprimer la condition et l'hypothèse dans le passé, le présent et le futur.

subordonnée	principale
si + présent	futur

La condition concerne **le futur**, l'action pourra se réaliser.

- **Si** j'**ai** le temps, je **passerai** chez toi ce soir.
- **Si** l'orchestre de Clément **joue** à la fête de la musique vendredi prochain, nous **irons** certainement l'écouter.

Dans la proposition principale, on peut aussi employer le futur proche ou l'impératif.

- Tu **vas** attraper un coup de soleil, **si** tu **restes** trop longtemps sur la plage.
- **Si** vous **êtes** fatigué, **reposez-vous** un moment.

On n'emploie jamais le futur après *si*.
On ne dit pas : ~~S'il fera beau, on ira se promener en forêt.~~
On dit :   S'il **fait** beau, on ira se promener en forêt.

subordonnée	principale
si + imparfait	conditionnel présent

Cette combinaison a deux significations.

a. La condition concerne **le futur**, mais l'action a peu de chances de se réaliser.

- Il **faudrait** consulter le médecin, **si** vous **aviez** encore mal à la gorge demain. (mais vous n'aurez probablement plus mal à la gorge)
- S'il **neigeait** la semaine prochaine, nous **pourrions** faire du ski à Noël.

Comparez :
- Si nous **avons** quelques jours de libres au printemps, nous **partirons** en Sicile. (= c'est probable)
- *et* Si nous **avions** quelques jours de libres au printemps, nous **partirion**s en Sicile. (= c'est peu probable)

b. La condition concerne **le présent**, mais l'action ne peut pas se réaliser.

- Si j'**avais** assez d'argent, j'**achèterais** une nouvelle chaîne hi-fi. (malheureusement, je n'ai pas assez d'argent)
- Si j'**étais** toi, je n'**accepterais** pas cette proposition. (mais je ne suis pas toi)

On n'emploie jamais le conditionnel après *si*.
On ne dit pas : ~~S'il ferait beau, on irait se promener en forêt.~~
On dit : S'il **faisait** beau, on irait se promener en forêt.

subordonnée	principale
si + plus-que-parfait	conditionnel passé

La condition concerne **le passé**, l'action n'a pas pu se réaliser. Cette combinaison exprime souvent un regret.

- Si tu m'**avais téléphoné**, je **serais allé** te chercher à la gare. (mais tu ne m'as pas téléphoné, donc je suis resté chez moi)
- Si tu **avais fermé** la porte, le chat ne se **serait** pas **sauvé**. (mais tu n'as pas fermé la porte, donc le chat s'est sauvé)

Remarque

Si + imparfait / conditionnel passé : l'imparfait indique la permanence de la condition par rapport à une action passée.
- Si je **parlais** allemand, j'**aurais pu** renseigner ce touriste dimanche dernier. (... mais je ne parle pas allemand)
- Si Nathalie **aimait** la musique, nous l'**aurions emmenée** au concert hier soir. (... mais elle n'aime pas la musique)

B. Combinaisons de temps lorsque la subordonnée exprime l'antériorité

Une condition située dans le passé entraîne une conséquence dans le présent ou dans le futur.

— *Si* + passé composé $\left\{ \begin{array}{l} \textbf{présent} \\ \textbf{impératif} \quad \textbf{dans la principale} \\ \textbf{futur} \end{array} \right.$

- **Si** vous **avez** déjà **eu** cette maladie, vous **êtes** maintenant immunisé.
- **Si** tu **as fini** ton travail avant 18 h, **retrouve**-nous au café !
- **Si** vous **avez** déjà **suivi** un cours de niveau 1, vous **serez** automatiquement inscrit en niveau 2.

— *Si* + **plus-que-parfait / conditionnel présent dans la principale**

- Ta plaisanterie m'**amuserait si** je ne l'**avais** pas **entendue** vingt fois ! (= je l'ai entendue vingt fois, donc elle ne m'amuse plus)
- **Si** on **avait entretenu** régulièrement l'immeuble, il ne **serait** pas maintenant en si mauvais état. (= mais on ne l'a pas régulièrement entretenu, donc il est...)

C. Cas particulier

Si = *chaque fois que*
L'emploi du présent ou de l'imparfait dans la principale exprime une habitude.

— *Si* + **présent / présent dans la principale**

- En vacances, **s'**il **pleut**, nous **jouons** aux cartes. (= chaque fois qu'il pleut)

— *Si* + **imparfait / imparfait dans la principale**

- En vacances, **s'**il **pleuvait**, nous **jouions** aux cartes. (= chaque fois qu'il pleuvait)

Remarque générale sur les subordonnées introduites par *si*

Si... et si / si... et que

Quand il y a deux subordonnées, on peut répéter *si* ou employer *que*.

- **Si** tu aimais les histoires d'amour et **si** tu n'avais pas peur de pleurer, nous irions voir ce film.
- **Si** tu as faim et **qu'**il n'y a rien dans le réfrigérateur, va t'acheter un sandwich !

D. Conjonctions formées avec *si*

1. Même si

Cette conjonction exprime l'opposition et l'hypothèse. Les combinaisons de temps sont les mêmes qu'avec *si*.

- La course cycliste **aura** lieu **même s'**il **pleut**.
- Je **refuserais** votre proposition **même si** vous **insistiez**.

↻ *Renvoi*
Voir l'expression de l'opposition,
page 271.

2. Sauf si / excepté si

Ces conjonctions expriment la restriction et l'hypothèse.

- On **pourrait** dîner dans le nouveau restaurant italien, **sauf si** vous **aviez** une meilleure idée.
- Je **rentrerai** vers 19 heures, **excepté si** la réunion **se prolonge**.

3. Comme si

Cette conjonction exprime une comparaison avec un fait irréel. Elle s'emploie seulement avec :
— un imparfait pour exprimer la simultanéité ;
- Tu parles avec une voix bizarre, **comme si** tu **avais** mal à la gorge. (= mais en réalité tu n'as pas mal à la gorge)
— un plus-que-parfait pour exprimer l'antériorité.
- Il a continué à parler **comme s'**il n'**avait** pas **entendu** ma question. (= mais en réalité il avait entendu ma question)

Propositions subordonnées introduites par d'autres conjonctions

1. Dans la mesure où

Cette conjonction exprime une condition en relation avec une idée de proportion.

- Les gens utiliseront moins leur voiture **dans la mesure où** on **améliorera** les transports en commun. (= s'il y a plus de transports en commun, les gens utiliseront moins leur voiture)
- **Dans la mesure où** on en **boit** peu, l'alcool n'est pas dangereux.

2. Selon que... ou / suivant que... ou

- **Suivant que** vous **regardez** ce tableau de face **ou** de côté, vous ne voyez pas la même chose. (= si vous regardez de côté ou si vous regardez de face, vous ne voyez pas la même chose)
- **Selon que** vous **déjeunerez** à l'intérieur **ou** à la terrasse du restaurant, vous ne paierez pas le même prix.

II. LES PROPOSITIONS SUBORDONNÉES AU SUBJONCTIF ET AU CONDITIONNEL

Propositions subordonnées au subjonctif

1. À condition que

Condition indispensable.

- Ce joueur de football participera à ce match **à condition que** sa blessure au genou soit guérie. (= il faut absolument que sa blessure soit guérie)
- Vous pouvez conduire dans ce pays **à condition que** vous preniez une assurance spéciale.

2. Pourvu que

Remarque
Pourvu que sert aussi à exprimer un souhait.
- **Pourvu qu'**il fasse beau dimanche !
(= je souhaite qu'il fasse beau)

Seule condition suffisante.

- **Pourvu qu'**il ait son ours en peluche, mon fils s'endort facilement. (= son ours est la seule chose qu'il demande)
- **Pourvu que** vous suiviez ce régime scrupuleusement, votre taux de cholestérol baissera.

3. À moins que (ne)

↻ *Renvoi*
L'emploi du *ne* explétif est facultatif. Voir pages 192-193.

Ne dites pas
- ~~Nous sortirons à moins qu'il ne pleuve pas~~.
mais → Nous sortirons à moins qu'il (ne) pleuve.

À moins que exprime l'hypothèse avec une idée de restriction.

- Rentrons à pied **à moins que** tu (ne) sois fatigué !
(= sauf si tu es fatigué)
- Pierre est toujours à l'heure. Il va sûrement arriver **à moins qu'**il (n')ait oublié le rendez-vous.

4. Pour peu que

Condition minimale suffisante.

- Cette rue est très bruyante. **Pour peu qu'**on laisse une fenêtre ouverte dans le salon, on ne s'entend plus parler.
(= il suffit qu'on laisse une fenêtre ouverte...)
- **Pour peu que** j'aie cinq minutes de retard, ma mère s'inquiète.
(= il suffit que j'aie cinq minutes de retard pour que ma mère s'inquiète)

5. Soit que... soit que / que... ou que

Deux hypothèses sont envisagées.

- **Soit que** vous désiriez un prêt **soit que** vous vouliez placer votre argent, notre banque est là !
- **Qu'**il fasse beau **ou qu'**il pleuve, Jean fait deux heures de marche le dimanche.

6. En admettant que / en supposant que

L'action a peu de chances de se réaliser.

- **En admettant que** nous travaillions jour et nuit, je doute qu'il soit possible de finir ce projet en temps voulu.
  (= même si nous travaillions jour et nuit, il y a peu de chances que nous arrivions à finir...)
- **En supposant que** je puisse prendre le train de midi, je pourrai assister à la réunion de 16 heures. (mais il y a peu de chances que je puisse prendre le train de midi)

7. Si tant est que

Si tant est que exprime une condition minimale nécessaire mais peu probable.

- Le garagiste réparera ma vieille voiture, **si tant est qu'**il trouve la pièce de rechange nécessaire. (= à condition qu'il puisse trouver... mais c'est peu probable)
- Cet acteur va se marier pour la sixième fois, **si tant est qu'**on puisse croire tout ce que disent les journaux. (mais je doute que les journaux disent toujours la vérité)

Remarque générale sur les propositions subordonnées au subjonctif

Quand il y a deux subordonnées, la seconde est introduite par *que*.

- L'éditeur acceptera mon roman **à condition que** je fasse quelques coupures et **que** je change le titre.

Proposition subordonnée au conditionnel

Au cas où

Cette conjonction est toujours suivie du conditionnel. Elle exprime
une éventualité.

- **Au cas où** les manifestants **iraient** vers l'Élysée, la police a
  bloqué la rue. (= si par hasard, les manifestants allaient vers l'Élysée...)
- **Au cas où** tu **voudrais** passer le week-end avec nous,
  voici l'adresse de notre maison de campagne. (= si par hasard,
  tu voulais passer...)
- **Au cas où** vous **auriez** déjà **payé** votre facture, ne tenez pas
  compte de cette lettre de rappel. (= si par hasard, vous avez déjà
  payé...)

Notez que le conditionnel est très fréquent dans la principale.

- Au cas où la veste ne plairait pas à votre mère, nous vous
  l'**échangerions**.

III. AUTRES MOYENS D'EXPRIMER LA CONDITION ET L'HYPOTHÈSE

Préposition + infinitif

L'infinitif a le même sujet que le verbe principal mais la transformation infinitive n'est pas obligatoire.

1. À condition de

- Vous pouvez entrer dans cette école **à condition d'**avoir
  le bac. (= à condition que vous ayez le bac)
- On supporte bien ce médicament **à condition de** le prendre
  au cours des repas.

2. À moins de

- On ne peut pas prendre de photos dans ce musée **à moins
  d'**avoir une autorisation spéciale. (= à moins qu'on ait
  une autorisation / sauf si on a une autorisation)
- Vous ne pourrez pas transporter le blessé **à moins de** faire
  venir un hélicoptère.

Préposition + nom

1. En cas de

- **En cas de** retard de paiement, vous aurez 10 % de majoration sur votre facture. (= au cas où vous paieriez en retard...)
- **En cas d'**urgence médicale, appelez le 15 !
- On appelle les pompiers **en cas d'**incendie, **d'**inondation, **d'**accident, etc.

Attention
Le nom est employé sans article.

Ne dites pas
- ~~au cas de maladie~~
mais → **en** cas de maladie

2. Avec

- **Avec** un zeste de citron, ce gâteau serait meilleur. (= si on ajoutait un zeste de citron...)
- **Avec** un peu de chance, on trouvera des places pour le match de ce soir.

3. Sans

- Quelle chaleur ! **Sans** parasol, nous ne pourrions pas rester sur la terrasse. (= si nous n'avions pas de parasol...)
- **Sans** ponctuation, un texte est incompréhensible.

↻ *Renvoi*
Pour l'absence d'article, voir page 45.

4. À moins de

L'emploi de *à moins de* avec un nom est moins fréquent qu'avec un infinitif.

- **À moins d'**une difficulté de dernière minute, les travaux seront finis le 15 septembre. (= à moins qu'il y ait une difficulté...)

Remarque
Sauf s'emploie dans des expressions figées : sauf exception, sauf contrordre, sauf avis contraire, etc.
- **Sauf erreur**, Charlie Chaplin est né à Londres en 1889. (= si je ne me trompe pas...)

Gérondif

- Vous obtiendrez sûrement une promotion **en travaillant** davantage. (= si vous travaillez davantage)
- **En roulant** doucement, il n'aurait jamais dérapé sur le verglas. (= s'il avait roulé doucement...)

↻ *Renvoi*
Pour le gérondif, voir page 154.

Adjectif ou participe

La conjonction *si* et le verbe *être* sont sous-entendus.

- **Seul**, il ne pourra pas régler ce problème. (= s'il est seul,…)
- Bien **rénové**, ce vieux bâtiment pourrait devenir un foyer pour étudiants. (= s'il était bien rénové,…)

Juxtaposition

— Les deux propositions sont au conditionnel.

- Le Président **démissionnerait**, il y **aurait** de nouvelles élections. (= si le Président démissionnait,…)
- Tu **serais arrivé** plus tôt, tu **aurais vu** Paola, mais elle vient de partir. (= si tu étais arrivé plus tôt,…)
- Nous **aurions** un fils, nous l'**appellerions** Stanislas. (= si nous avions un fils,…)

— La première proposition est à la forme interrogative, en tête de phrase.

- **Vous voulez changer d'appareil de chauffage ?** Demandez-nous une documentation ! (= si vous voulez changer…)
- **Vous désirez essayer ce pantalon ?** Il faudrait demander à une vendeuse.

Sinon

Remarque
À l'oral : *autrement* et *sans ça* = *sinon*
- Je vais noter votre numéro de téléphone, **sans ça / autrement** je vais l'oublier.

Sinon = *si… ne… pas*
Sinon est toujours placé après la première proposition.

- Si tu ne te dépêches pas, tu vas être en retard !
  → Dépêche-toi, **sinon** tu vas être en retard !
- Baisse le son de la télévision, **sinon** tu vas gêner les voisins !
  (= si tu ne baisses pas le son, tu vas gêner les voisins)

Expression de la condition et de l'hypothèse

conjonctions	prépositions		autres constructions
+ indicatif	+ infinitif	+ nom	
si		**avec**	gérondif
même si		**sans**	participe ou adjectif
sauf si **excepté si**			juxtaposition
comme si			**sinon**
dans la mesure où			
selon que… ou **suivant que… ou**			
+ subjonctif			
à condition que **pourvu que** **à moins que (ne)** **pour peu que**	**à condition de** **à moins de**	**à moins de**	
soit que… soit que **que… ou que**			
en admettant que **en supposant que**			
si tant est que			
+ conditionnel			
au cas où		**en cas de**	

L'EXPRESSION DE LA COMPARAISON

Comparer, c'est établir un rapport entre des personnes, des choses ou des faits :

- rapport de **ressemblance ou de différence**,
  → Mon fils Augustin est **plus grand que** son père. C'est **le plus grand de** mes enfants.

- rapport d'**identité**,
  → Patrick a fait ses études dans **la même** université **que** moi.

- rapport de **proportion**.
  → **Plus** vous lirez, **plus** vous enrichirez votre vocabulaire.

Il existe de nombreux moyens pour exprimer la comparaison.

I. LE COMPARATIF DE SUPÉRIORITÉ, D'ÉGALITÉ, D'INFÉRIORITÉ

Pour indiquer qu'une qualité ou qu'une quantité est supérieure, égale ou inférieure à une autre, on emploie des comparatifs. Le verbe est fréquemment omis après la conjonction *que*.

1. Plus / aussi / moins + adjectif ou adverbe + que

- Gabriel conduit **plus** vite **que** toi. (= que tu conduis)
- Ce documentaire est **plus / moins** intéressant **que** je (ne) le pensais. (le = qu'il était intéressant)
- Cet employé n'est pas **aussi** compétent **qu'**il le dit.

↻ *Renvoi*
L'emploi du *ne* explétif est facultatif. Voir page 299.

Après une négation et après une interrogation, on peut remplacer *aussi* par *si*.

- Cet employé n'est pas **si** compétent qu'il le dit !

Ne dites pas
- ~~Il n'est pas autant grand que moi.~~
mais → Il n'est pas **aussi** grand que moi.

Certains adjectifs comme *magnifique, superbe, excellent, affreux, délicieux, essentiel*, etc. qui ont un sens très fort ne peuvent pas être employés au comparatif.

- ~~Ce tableau est plus magnifique que les autres.~~
  → Ce tableau est **plus beau que** les autres.

2. Comparatifs irréguliers

L'adjectif *bon* et l'adverbe *bien* ont des comparatifs de supériorité irréguliers.

bon(s) / bonne(s) → meilleur(s) / meilleure(s)
bien → mieux

- La baguette de pain d'un artisan-boulanger est **meilleure qu'**une baguette du supermarché.
- Sara comprend **mieux** les maths **que** sa sœur.

Meilleur peut être renforcé par *bien*.
Mieux peut être renforcé par *bien / beaucoup*.

- Cette baguette est **bien meilleure** que l'autre.
- Sara comprend **bien / beaucoup mieux** les maths que sa sœur.

Ne dites pas
- ~~Cette baguette est beaucoup meilleure...~~
- ~~Sara comprend plus mieux...~~

Les adjectifs *petit* et *mauvais* ont deux comparatifs de supériorité.

— petit → plus petit s'emploie pour indiquer la taille, la mesure.
→ moindre s'emploie pour apprécier la valeur, l'importance.

- Ma valise est **plus** petite **que** la tienne.
- Aujourd'hui, dans la vie politique, la radio joue un rôle **moindre que** la télévision. (= moins important)

— mauvais → plus mauvais
→ pire est une forme d'insistance.

- On annonce à la radio que demain, le temps sera **plus mauvais qu'**aujourd'hui.
- Quel mauvais devoir ! Il est **pire que** le précédent.
  (= encore plus mauvais)

Attention
On dit **bien pire**
et non pas ~~beaucoup pire~~.
- Le temps est **bien** pire aujourd'hui qu'hier.

3. Plus de / autant de / moins de + nom + que

- Ce grand magasin d'informatique offre **plus de** choix **que** tous les autres.
- Nous avons fait le trajet Marseille-Toulouse en **moins de** temps **que** nous (ne) le pensions. (le = faire le trajet)
- On dit qu'en France, il y a **autant de** fromages **que de** jours dans l'année.
- Grâce à ce médicament, j'ai **moins de** fièvre et **de** maux de tête **qu'**hier.

↻ *Renvoi*
L'emploi du *ne* explétif est facultatif.
Voir page 299.

Ne dites pas
- ~~Il a plus beaucoup de livres que moi.~~
mais → Il a **beaucoup plus de** livres que moi.
- ~~Il n'a pas autant des livres que moi.~~
mais → Il n'a pas autant **de** livres que moi.

Avec un nombre, on emploie : ... *de plus que*, ... *de moins que*.

- J'ai *deux ans* **de plus que** ma sœur et *trois ans* **de moins que** mon frère aîné.

4. Verbe + plus / autant / moins + que

- Christophe a mûri ; il réfléchit **plus qu'**avant quand il doit prendre une décision.
- À l'époque de l'audiovisuel, est-ce qu'on lit **autant qu'**autrefois ?

Aux temps composés, *plus / autant / moins* sont placés entre l'auxiliaire et le participe passé.

- Il a **moins** neigé **qu'**hier.
- Cette année, mon fils a **mieux** travaillé **que** l'année dernière.

5. De plus en plus / de moins en moins

Ces expressions indiquent une progression :

— avec un verbe,

- Aujourd'hui, la population française vit **de plus en plus** dans les villes.

— avec un nom,

- **De plus en plus de** femmes occupent des postes de responsabilité dans les entreprises.

— avec un adverbe,

- — Tu joues encore du saxophone ?
- — Non, j'en joue **de moins en moins** souvent. Je travaille trop.

— avec un adjectif.

- Dans les pays riches, la durée de la vie humaine est **de plus en plus** longue.

Remarque générale sur la prononciation de *plus* [ply].

— Devant un adjectif ou un adverbe, on ne prononce pas le -*s*.

- plus grand [ply]   plus vite [ply]

— Mais la liaison est obligatoire devant une voyelle.

- plus agréablement [plyzagʀeabləmã]
- plus intéressant [plyzɛ̃teʀesã]

— On prononce le -*s* dans les autres cas.

- Il a plus de travail que moi. [plys]
- Il travaille plus que moi. [plys]
- Il travaille de plus en plus. [plyzãplys]

II. LE SUPERLATIF

Le superlatif exprime le plus haut degré d'une qualité ou d'un défaut.

- Monsieur Dupont, c'est la personne **la plus agréable / la plus désagréable** de notre immeuble.

ɪ. Le / la / les plus
Le / la/ les moins + adjectif

- Le Louvre est **le plus** grand musée de France.
- Les exercices ɪ à 5 sont **les moins** difficiles de ce chapitre.
- Voici l'ordinateur portable **le plus** léger et **le plus** performant que nous ayons.

La place du superlatif dépend de la place de l'adjectif. Mais on peut toujours placer un superlatif après le nom, en répétant l'article.

- Élise est { **la** plus jolie fille de la classe.
  { **la** fille **la** plus jolie de la classe.

○ *Renvois*
Pour l'emploi du subjonctif après un superlatif, voir page 210.
Pour la place des adjectifs, voir page 30.

Ne dites pas
- ~~C'est le pont plus vieux~~.
mais → C'est **le** pont **le** plus vieux.

2. Superlatifs de supériorité irréguliers

L'adjectif *bon* et l'adverbe *bien*.

bon(ne)(s) → le meilleur, la meilleure, les meilleur(e)s
- On a élu **la meilleure** actrice **de** l'année.
- Les plaisanteries les plus courtes sont **les meilleures**.

bien → le mieux
- En cas de grippe, **le mieux**, c'est de rester au chaud et de boire beaucoup.

L'adjectif *petit* a deux superlatifs.

petit → le plus petit : par la taille
→ le moindre : de faible valeur, de faible importance
- C'est **le plus** petit appareil photo qui existe. (= le plus petit par la taille)
- Il fait attention **aux moindres** détails. (= même aux détails sans importance)
- Elle ne dort pas bien, **le moindre** bruit la réveille. (= le plus léger bruit)

À la forme négative, le superlatif *le moindre* renforce la négation.

- On voulait faire du surf, mais il n'y avait pas **la moindre** vague ni **le moindre** vent. (= il n'y avait absolument pas de vagues ni de vent)
- Où sont-ils partis en vacances ? Je n'en ai pas **la moindre** idée.

L'adjectif *mauvais* a deux superlatifs.

mauvais → le plus mauvais
          → le pire : forme d'insistance

- Pour ce spectacle, il ne restait que **les plus mauvaises** places ; je n'ai donc pas pris de billets.
- Mon accident de voiture a été **le pire** moment de ma vie et **mon plus mauvais** souvenir.

3. Le plus / le moins + adverbe

- Prenez ces fleurs ! Ce sont celles qui durent **le plus** longtemps.
- Monsieur Legrand est timide. C'est lui qui prend la parole **le moins** souvent dans les réunions.

4. Verbe + le plus / le moins

Attention
On prononce le *s* : [plys].

- Les prépositions *à* et *de* sont celles qui s'emploient **le plus**.
- En général, le mois d'août est le mois où il pleut **le moins**.

5. Le plus de / le moins de + nom

- C'est le samedi qu'il y a **le plus de** monde dans les magasins.
- Quelles sont les professions dans lesquelles on trouve **le moins de** femmes ?

6. Complément du superlatif

Ne dites pas
- ~~C'est l'étudiant le plus grand dans la classe~~.
mais → C'est l'étudiant le plus grand **de** la classe.

Il est introduit par la préposition *de*.

- La plus jeune **de la famille**, c'est ma fille Charlotte.
- Le Nil est le plus long fleuve **du monde**.
- Ce poème est un des plus connus **de la littérature française**.

III. AUTRES MOYENS D'EXPRIMER LA COMPARAISON

Propositions subordonnées

Le verbe de la subordonnée est à l'indicatif ou au conditionnel, mais il est fréquemment sous-entendu.

1. Comme

- Il veut être pilote **comme** son père. (comme son père est pilote)
- **Comme** je vous l'ai déjà dit, je ne pourrai pas assister à votre conférence.
- — Préférez-vous que je règle par chèque ou en espèces ?
  — Faites **comme** vous voulez !
- Ils ont une maison **comme** j'aimerais en avoir une.

> **Attention**
> Ne pas confondre avec la préposition *comme* suivie d'un nom sans déterminant (= *en tant que*).
> - Mon frère travaille **comme** DJ dans une discothèque.
> - Qu'avez-vous **comme** ordinateur ? Un PC ou un Mac ?

2. Comme si

Cette conjonction permet d'exprimer une comparaison avec un fait irréel. Elle est toujours suivie de **l'imparfait** ou du **plus-que-parfait**.

- Cette vieille dame parle à son chien **comme si** c'**était** un être humain. (= exactement comme à un être humain)
- Il est passé à côté de moi sans me saluer **comme s'**il ne m'**avait** pas **vu**. (= il a fait semblant de ne pas me voir)

> ↻ *Renvoi*
> Pour l'emploi de ces deux temps, voir page 284.

3. Ainsi que

Ainsi que s'emploie dans la ***langue soutenue***.

- À quatre-vingts ans, il se levait à 7 heures du matin, **ainsi qu'**il l'avait toujours fait. (= comme il l'avait toujours fait)
- Georges, **ainsi que** toute sa famille, est très musicien.
  (= comme l'est aussi sa famille)

4. Aussi bien que

Aussi bien que s'emploie dans la ***langue soutenue***.

- Après cet attentat, l'indignation a été générale en France, **aussi bien qu'**à l'étranger. (= comme à l'étranger)

5. De même que — de même que... de même

- Chopin, **de même que** Musset, a partagé la vie de George Sand. (= comme Musset)
- **De même que** le -*s* de *temps* vient du mot latin *tempus*, **de même** le -y de *cycle* s'explique par son origine grecque.

6. Plutôt que

Plutôt que indique une préférence ou une appréciation.

- Vous trouverez ce livre dans une librairie spécialisée **plutôt que** dans une librairie générale. (= plus facilement que dans une librairie générale)

↻ *Renvoi*
L'emploi du *ne* explétif est facultatif.
Voir page 299.

- Je n'aime pas du tout ce chanteur, il crie **plutôt qu'**il (ne) chante. (au lieu de bien chanter)
- Pour marcher longtemps, il vaut mieux porter des chaussures de sport **plutôt que** des chaussures de ville. (= de préférence à des chaussures de ville)

Remarque
Notez le *de* devant l'infinitif.

- **Plutôt que de** t'énerver et **de** pleurer, tu ferais mieux de réfléchir calmement. (= au lieu de t'énerver et de pleurer)

Comparaison et proportion

1. Plus... plus / moins... moins

Ne dites pas
- ~~Le plus je le vois, le plus je le trouve sympathique.~~
mais → **Plus** je le vois, **plus** je le trouve sympathique.

- **Plus** je lis des romans de Balzac, **plus** j'admire son talent.
- **Moins** on roule vite, **moins** on consomme d'essence.

2. Plus... moins / moins... plus

- **Plus** elle se maquille, **moins** elle paraît naturelle.
- **Moins** vous fumerez, **mieux** vous vous porterez.

3. Autant... autant

Autant... autant permet d'exprimer la comparaison et l'opposition.

- **Autant** j'ai aimé ce livre, **autant** j'ai été déçu par son adaptation au cinéma.
- **Autant** il est charmant avec ses amis, **autant** il est désagréable avec sa famille.

4. D'autant plus... que / d'autant moins... que

- On parle **d'autant mieux** une langue étrangère **qu'**on reste plus longtemps dans le pays. (= plus on reste dans le pays, mieux on parle une langue étrangère)
- Votre voyage coûtera **d'autant moins** cher **que** vous réserverez vos places plus longtemps à l'avance. (= plus vous réserverez à l'avance, moins votre voyage coûtera cher)

5. Dans la mesure où

Cette conjonction exprime la condition et la proportion.

- Les immigrés s'intègrent mieux **dans la mesure où** ils parlent la langue du pays d'accueil. (= s'ils parlent bien la langue, ils s'intègrent mieux)

↻ *Renvoi*
Voir l'expression de la condition, page 284.

Identité et différence

1. Le même, la même, les mêmes... (que)

- Descartes a vécu à **la même** époque **que** Galilée.
- Un bistrot ou un café, c'est **la même** chose.
- Ma sœur jumelle ne porte jamais **les mêmes** vêtements **que** moi.

Ne dites pas
- ~~Tu as le même âge comme moi.~~
mais → Tu as le même âge **que** moi.

2. Un autre, une autre, d'autres... (que)

Pour exprimer la différence.

- J'ai **une autre** opinion **que** vous sur ce problème. (= une opinion différente)

Pour exprimer une quantité supplémentaire.

- Tous les tableaux ne sont pas exposés dans la galerie. Il y en a encore **d'autres** dans une réserve.

LA PHRASE COMPLEXE

3. Tel(le)(s) (que) / tel(le)(s)... tel(le)(s)

- Que faire dans **de telles** circonstances ? (= dans des circonstances comme celles-là)
- Elle est généreuse comme sa mère. **Telle** mère, **telle** fille !
- Un homme **tel que** vous, avec vos diplômes et votre expérience, sera le bienvenu dans notre association. (= un homme comme vous)
- N'attendez pas Juliette ! **Telle que** je la connais, elle arrivera en retard.

Notez l'emploi de *tel quel* sans le verbe *être*.
- Cette bibliothèque était abîmée, mais nous l'avons achetée **telle quelle** (= comme elle était)

Remarques générales sur les phrases comparatives
— La proposition principale est fréquemment reprise par **un pronom neutre** dans la proposition subordonnée.
- La réunion a duré moins longtemps que nous ne **le** pensions.
  (le = qu'elle allait durer)
- Le directeur a été plus aimable que je ne m'**y** attendais.
  (y = à ce qu'il soit aimable)
- Comme je m'**en** doutais, ils ont fini par se marier !
  (en = de leur mariage)

— Dans les comparatifs **de supériorité et d'infériorité**, on emploie le *ne* explétif dans la *langue soutenue*.
- **Il y a plus de** monde à la conférence qu'on (**ne**) l'avait prévu.
- Le chiffre d'affaires de cette société a été **moins** bon que la direction (**ne**) l'espérait.

Expression de la comparaison

comparatifs et superlatifs	autres constructions
plus **aussi** } + adjectif / adverbe + **que** **moins**	**plus... plus** **moins... moins**
plus de **autant de** } + nom + **que** **moins de**	**plus... moins** **moins... plus**
verbe { **plus + que** + **autant + que** **moins + que**	**autant... autant**
de plus en plus **de moins en moins**	
le **la** } + **plus / moins** + adjectif **les**	**le même** **la même** } + **que** **les mêmes**
le plus **le moins** } + adverbe	
verbe { + **le plus** **le moins**	**un(e) autre... que** **d'autres... que**
le plus de **le moins de** } + nom	**tel(le)(s) (que)** **tel(le)(s)... tel(le)(s)**

conjonctions
comme
comme si
ainsi que
aussi bien que
de même que **de même que... de même**
plutôt que
d'autant plus... que **d'autant moins... que**
dans la mesure où

LA PHRASE COMPLEXE

ANNEXES

TABLEAUX RÉCAPITULATIFS
COMME, SI, QUE

COMME

1. Exclamation
- **Comme** cet enfant est sage !
- **Comme** tu joues bien du piano !

2. Cause
- **Comme** nous étions en retard, nous avons pris un taxi.

3. Temps *(langue soutenue)*
- **Comme** le président de la République remontait les Champs-Élysées, la pluie se mit à tomber.

4. Comparaison
- Félix veut devenir avocat **comme** son père.

5. = *en tant que*
- Elle travaille **comme** vendeuse dans un supermarché.
- Que prendrez-vous **comme** dessert ?

QUE

1. Pronom relatif
- Comment s'appelle le village **que** nous venons de traverser ?

2. Pronom interrogatif
- **Que** faites-vous ici ?

3. Conjonction de subordination
- J'espère **que** vous avez bien compris mes explications.
- Comme il pleuvait et **que** je me sentais un peu grippé, je suis resté chez moi.

4. Exclamation
- **Qu'**il fait beau !

5. Mise en relief
- C'est demain **que** je pars pour le Brésil.

SI

1. Affirmation

- — Tu n'as pas acheté de pain ?
  — **Si**, j'en ai acheté.

2. Exclamation

- Ne t'inquiète pas, ce n'est pas **si** grave !

3. Interrogation indirecte

- Nos parents nous ont demandé **si** nous les accompagnerions à la montagne.

4. Condition

- Ce soir, **s'**il n'y a pas de nuages, nous verrons les étoiles.

5. Habitude

- **Si** je m'absente, je branche le répondeur téléphonique.

6. Suggestion

- Catherine ! **Si** on allait au cinéma ce soir ?

7. Conséquence

- La route était **si** glissante **qu'**il fallait conduire très prudemment.

8. Opposition

- **Si** jeune **qu'**il soit, on peut lui faire confiance.
- **S'**il a des défauts, il a aussi des qualités.

9. Comparaison

- Georges n'est pas **si** malade **qu'**il le dit.

10. Mise en relief

- **S'**il n'est pas encore arrivé, **c'est qu'**il a manqué le train de 7 heures.

L'ÉLISION

À l'écrit, l'élision est la disparition de la voyelle finale d'un mot (-*e*, -*a* et parfois -*i*) devant un autre mot qui commence **par une voyelle ou un *h* muet**.

Les mots suivants s'élident :

- les pronoms personnels *je, me, te, le, la, se* ;
  - ▪ Attends-moi ! **J'**arrive. / Anne **m'**a téléphoné. / Elle **t'**enverra un cadeau.

    (je)   (me)   (te)
  - ▪ Ma voiture, Je **l'**utilise très peu.

    (la)
  - ▪ Il ne **s'**habitue pas à la vie en ville.

    (se)

- le pronom démonstratif *ce* ;
  - ▪ **C'**est drôle. / **C'**était ennuyeux.

- les articles *le* et *la* ;
  - ▪ **l'**arbre, **l'**espoir, **l'**ouest, **l'**alimentation, **l'**Afrique, **l'**homme, **l'**histoire

    (le)   (le)   (le)   (la)   (la)   (le)   (la)

- le pronom relatif *que* ;
  - ▪ Voici la maison **qu'**il / **qu'**elle / **qu'**on vient d'acheter.

- la conjonction *que* et ses composés (*parce que, lorsque, pour que*, etc.) ;
  - ▪ C'est ici **qu'**on va construire un centre sportif.
  - ▪ J'ai acheté des fleurs **pour qu'**il y ait un joli bouquet sur la table.

- la préposition *de* ;
  - ▪ la chambre **d'**Alice / la vie **d'**une femme / un quart **d'**heure
  - ▪ Beaucoup **d'**oranges viennent **d'**Espagne.

- la négation *ne* ;
  - ▪ Il **n'**y a personne ici. / Je **n'**ai pas compris. / **N'**ouvre pas la porte !

- le mot *si* qui s'écrit sans -*i* devant le pronom -*il(s)*.
  - ▪ Nous sortirons **s'**il fait beau.
  - **Attention :** il n'y a pas d'élision devant le pronom *elle* ni devant le pronom *on* :
    - ▪ elle viendra **si** elle veut / **si** on le lui demande.

Attention :

Devant un certain nombre de mots commençant par un *h* aspiré, on ne fait pas d'élision.

- ▪ la haie, la haine, le hall, les Halles, la halte, le hamac, le hangar, le haricot, la harpe, le hasard, le haut, la hauteur, la hausse, le hautbois, le héros, le hêtre, le hibou, la hiérarchie, le homard, la honte, la housse, harceler, hurler, etc.

Ainsi que devant quelques noms de pays.

- ▪ la Hongrie, le Honduras, la Hollande

LES ACCENTS

Les accents sont des signes écrits placés sur des lettres. Ils permettent d'indiquer la prononciation de ces lettres ou de différencier des mots qui s'écrivent de la même façon.

(Pour l'alphabet phonétique international, voir page 368.)

1. L'accent aigu (')

Il se place uniquement sur la lettre -e qui doit alors se prononcer [e].

■ thé – passé – école – supérieur

Attention :
La voyelle [e] ne s'écrit pas toujours -é.

a. Il n'y a pas d'accent si la lettre -e est suivie d'une double consonne ou d'un -x.

■ erreur – effort – effacer – dessin – essence – exercice

b. Il n'y a pas d'accent sur le -e de la syllabe finale terminée par -r, -z, -d, -f.

■ le boulanger [e] – chanter [e] – premier [e] – le nez [e] – chantez [e] – le pied [e] – la clef [e]

c. Il n'y a pas d'accent sur le -e des articles : les, des
                                            des adjectifs possessifs : mes, tes, ses

2. L'accent grave (')

Il se place sur les lettres -e, -a, -u.

a. Quand il est placé sur la lettre -e, celle-ci se prononce [ɛ].

- C'est le cas devant une syllabe « muette » : consonne + -e muet
    – pour un certain nombre de mots ;
    ■ le père – la mère – l'élève – le piège, etc.
    – pour un certain nombre de verbes du premier groupe ;
    Comparez :
    ■ je lève [ɛ]   mais   nous levons [ə]
    ■ il achète [ɛ]   mais   nous achetons [ə]

    ↺ *Renvoi :* pour ces verbes, voir page 316.

– pour le féminin des noms ou des adjectifs terminés par -*er* [e] ou -*ier* [je].

Comparez :

- le boulang**er** [e]   la boulang**ère** [ɛr]
- l'infirmi**er** [je]   l'infirmi**ère** [jɛr]
- lég**er** [e]   lég**ère** [ɛr]
- premi**er** [je]   premi**ère** [jɛr]

• C'est le cas d'un certain nombre de mots terminés par -*ὸ*.

- apr**ès** – d**ès** – tr**ès** – un exc**ès** – un proc**ès**, etc.

b. Quand il est placé sur la lettre -*a*, il n'y a pas de changement phonétique.

• On l'emploie pour différencier certains mots.

- la (article)   l**à** (adverbe)
- a (verbe)   **à** (préposition)

• On le trouve dans quelques mots.

- déj**à** – voil**à** – au-del**à**

c. Quand il est placé sur la lettre -*u* du mot *où* [u], il permet de différencier le pronom relatif et l'adverbe interrogatif de la conjonction *ou*.

Comparez :

- Voici la maison **où** j'habite. (pronom) / **Où** habitez-vous ? (adverbe)

et Tu veux du thé **ou** du café ? (conjonction)

3. L'accent circonflexe (^)

Il se place sur les cinq voyelles écrites.

• Il marque la disparition d'une lettre dans la langue moderne.

langue ancienne   langue moderne

- hospital   →   h**ô**pital
- teste   →   t**ê**te
- isle   →   **î**le
- aage   →   **â**ge

• Il entraîne une différence de prononciation quand il est placé sur le -*o*.

- notre [ɔ]   le n**ô**tre [o]
- votre [ɔ]   le v**ô**tre [o]

• Quand il est placé sur le -*e*, on prononce [ɛ].

- la fen**ê**tre – la t**ê**te – extr**ê**me

• Il permet de différencier des mots.

- du (article)   d**û** (verbe devoir)
- mur (nom)   m**û**r (adjectif)
- sur (préposition)   s**û**r (adjectif)

4. Le tréma (¨)

Quand il y a deux voyelles, le tréma indique qu'il faut les prononcer séparément.

- le maïs [mais]
- une héroïne [eroin]
- Noël [nɔɛl]

Le tréma, placé sur le -*u* de la syllabe -*güe* de quelques mots, entraîne la prononciation de -*u* [y].
Comparez :

- une blague [blag] – une figue [fig]

et aigüe [egy] – ambigüe [ɑ̃bigy]

5. La cédille (ç)

C'est un petit « c » retourné, placé sous la consonne -*c* suivie de -*a, -o, -u* pour indiquer qu'on doit prononcer [s] et non [k].

- le français – nous commençons – j'ai reçu

LA PONCTUATION

La ponctuation est un ensemble de signes qui aident à lire et comprendre un texte écrit, en séparant des groupes de mots ou des propositions.

Il existe plusieurs types de signes de ponctuation.

1. Les points (.) (?) (!)

Ils terminent une phrase. La phrase suivante doit commencer par une lettre majuscule.

- Le point final
- Le navigateur Jacques Cartier a débarqué au Canada en 1534. Beaucoup de Français s'y sont installés au cours du XVIIᵉ siècle.

- Le point d'interrogation
On l'emploie pour indiquer qu'il s'agit d'une question.
- Est-ce qu'il fera beau demain ?
- Tu as fini ?
- Qui a téléphoné hier soir ?

- Le point d'exclamation
On l'emploie après une phrase ou un mot exclamatif.
- Quel magnifique paysage !
- Pierre a gagné au loto. Incroyable !

2. La virgule (,)

La virgule indique une petite pause qui permet de séparer des mots ou des groupes de mots à l'intérieur d'une phrase.
- Mélanie aime le jazz, la danse, le tennis et les bons petits plats !
- Le petit chat sauta sur la table de l'écrivain, s'installa au milieu des livres et des papiers, puis se mit à ronronner de plaisir.

La virgule permet aussi de mettre en relief un ou plusieurs mots.
- Les enfants dorment. Les parents, eux, regardent la télévision.
- Elle était très intéressante, cette émission !

3. Le point-virgule (;)

Le point-virgule marque une pause plus importante que la simple virgule. Il sépare généralement deux propositions.

- Le chanteur entra sur scène ; tous les spectateurs l'applaudirent bruyamment.
- Il y a des tables qui donnent sur le jardin ; elles sont déjà réservées. C'est dommage !

4. Les deux-points (:)

- Ils annoncent une phrase au discours direct.
- Le policier a demandé au conducteur :
  « Pourquoi ne portez-vous pas votre ceinture de sécurité ? »

- Ils introduisent une énumération.
- Ils avaient tout perdu dans l'incendie : livres, photos, meubles, vêtements, bijoux...

- Ils remplacent un mot de liaison.
- Elle était toute rouge d'émotion : elle avait gagné la finale à Roland Garros. (= car)
- Il pleut à verse : il faut rentrer. (= donc)

5. Les points de suspension (...)

Ils indiquent qu'une phrase peut se prolonger ou ils interrompent un énoncé.

- Avec mes amis, on discute de tout : études, politique, cinéma, vacances...
- Elle est partie... elle ne peut pas me quitter comme cela... elle reviendra un jour...

6. Les guillemets (« ... »)

Ils encadrent une citation, ou indiquent des paroles rapportées au discours direct.

- « Je pense, donc je suis. » (Descartes)
- Elle a demandé : « Qui cherchez-vous ? »

On dit : *ouvrir* ou *fermer les guillemets*.

7. Les parenthèses (...) ou les tirets (— ... —)

Ils encadrent une remarque ou un élément de la phrase qui n'est pas indispensable.

- Lulu (de son vrai nom Lucile) était une jolie petite fille de cinq ans qui obtenait tout ce qu'elle voulait de ses parents.
- Voyager dans le monde entier — c'est le rêve de beaucoup d'adolescents — était devenu une obsession chez le jeune homme.
- Le vieux château — c'est ce que racontaient les gens du village — était hanté par un fantôme.

On dit : *ouvrir* ou *fermer la parenthèse*.

TABLEAUX
DES CONJUGAISONS

On classe les verbes en trois groupes.

1er groupe

Infinitif en -**er**   →   ▪ regard-**er**, ferm-**er**

La conjugaison de ces verbes est régulière, mais certains présentent des modifications orthographiques et phonétiques. Environ 90 % des verbes sont du premier groupe.

2e groupe

Infinitif en -**ir**   →   ▪ fin-**ir**, chois-**ir**

La conjugaison de ces verbes est régulière ; elle est caractérisée par la présence de -*iss* à certains temps. Ces verbes sont peu nombreux (environ 300).

▪ nous fin**iss**-ons, je chois**iss**-ais

3e groupe

Infinitif en -**re**   →   ▪ entend-**re**, éteind-**re**, boi-**re**
Infinitif en -**oir**   →   ▪ sav-**oir**, pouv-**oir**, v-**oir**
Infinitif en -**ir**   →   ▪ ven-**ir**, part-**ir**, ouvr-**ir**

Ces verbes sont irréguliers : ils ont **un**, **deux** ou **trois** radicaux. Ils sont un peu plus nombreux que les verbes du 2e groupe (environ 370) et très usités.

▪ Offrir : j'**offr**-e
  nous **offr**-ons

▪ Voir : je **voi**-s
  nous **voy**-ons

▪ Boire : je **boi**-s
  nous **buv**-ons
  ils **boiv**-ent

VERBE ÊTRE

Indicatif

Temps simples

Présent		Futur		Imparfait		Passé simple	
Je	suis	Je	serai	J'	étais	Je	fus
Tu	es	Tu	seras	Tu	étais	Tu	fus
Il / elle	est	Il / elle	sera	Il / elle	était	Il / elle	fut
Nous	sommes	Nous	serons	Nous	étions	Nous	fûmes
Vous	êtes	Vous	serez	Vous	étiez	Vous	fûtes
Ils / elles	sont	Ils / elles	seront	Ils / elles	étaient	Ils / elles	furent

Temps composés

Passé composé	Futur antérieur	Plus-que-parfait	Passé antérieur
J'ai été	J'aurai été	J'avais été	J'eus été

Conditionnel

Temps simple

Présent	
Je	serais
Tu	serais
Il / elle	serait
Nous	serions
Vous	seriez
Ils / elles	seraient

Temps composé

Passé
J'aurais été

Subjonctif

Temps simples

Présent			Imparfait		
Que je	sois		Que je	fusse	
tu	sois		tu	fusses	
il / elle	soit		il / elle	fût	
nous	soyons		nous	fussions	
vous	soyez		vous	fussiez	
ils / elles	soient		ils / elles	fussent	

Temps composés

Passé	Plus-que-parfait
Que j'aie été	Que j'eusse été

Impératif

Présent
Sois
Soyons
Soyez

Participe

Présent	Passé
Étant	Ayant été
	Été

Infinitif

Présent	Passé
Être	Avoir été

VERBE AVOIR

Indicatif

Temps simples

Présent		Futur		Imparfait		Passé simple	
J'	ai	J'	aurai	J'	avais	J'	eus
Tu	as	Tu	auras	Tu	avais	Tu	eus
Il / elle	a	Il / elle	aura	Il / elle	avait	Il / elle	eut
Nous	avons	Nous	aurons	Nous	avions	Nous	eûmes
Vous	avez	Vous	aurez	Vous	aviez	Vous	eûtes
Ils / elles	ont	Ils / elles	auront	Ils / elles	avaient	Ils / elles	eurent

Temps composés

Passé composé	Futur antérieur	Plus-que-parfait	Passé antérieur
J'ai eu	J'aurai eu	J'avais eu	J'eus eu

Conditionnel

Temps simple

Présent	
J'	aurais
Tu	aurais
Il / elle	aurait
Nous	aurions
Vous	auriez
Ils / elles	auraient

Temps composé

Passé
J'aurais eu

Subjonctif

Temps simples

Présent			Imparfait		
Que j'	aie		Que j'	eusse	
	tu	aies		tu	eusses
	il / elle	ait		il / elle	eût
	nous	ayons		nous	eussions
	vous	ayez		vous	eussiez
	ils / elles	aient		ils / elles	eussent

Temps composés

Passé	Plus-que-parfait
Que j'aie eu	Que j'eusse eu

Impératif

Présent

Aie
Ayons
Ayez

Participe

Présent	Passé
Ayant	Ayant eu
	Eu

Infinitif

Présent	Passé
Avoir	Avoir eu

VERBES DU PREMIER GROUPE

Indicatif

Temps simples

Présent		Futur		Imparfait		Passé simple	
Je	pense	Je	penserai	Je	pensais	Je	pensai
Tu	penses	Tu	penseras	Tu	pensais	Tu	pensas
Il / elle	pense	Il / elle	pensera	Il / elle	pensait	Il / elle	pensa
Nous	pensons	Nous	penserons	Nous	pensions	Nous	pensâmes
Vous	pensez	Vous	penserez	Vous	pensiez	Vous	pensâtes
Ils / elles	pensent	Ils / elles	penseront	Ils / elles	pensaient	Ils / elles	pensèrent

Temps composés

Passé composé	Futur antérieur	Plus-que-parfait	Passé antérieur
J'ai pensé	J'aurai pensé	J'avais pensé	J'eus pensé

Conditionnel

Temps simple

Présent	
Je	penserais
Tu	penserais
Il / elle	penserait
Nous	penserions
Vous	penseriez
Ils / elles	penseraient

Temps composé

Passé
J'aurais pensé

Subjonctif

Temps simples

Présent			Imparfait		
Que je	pense		Que je	pensasse	
tu	penses		tu	pensasses	
il / elle	pense		il / elle	pensât	
nous	pensions		nous	pensassions	
vous	pensiez		vous	pensassiez	
ils / elles	pensent		ils / elles	pensassent	

Temps composés

Passé	Plus-que-parfait
Que j'aie pensé	Que j'eusse pensé

Impératif

Présent
Pense
Pensons
Pensez

Participe

Présent	Passé
Pensant	Ayant pensé
	Pensé

Infinitif

Présent	Passé
Penser	Avoir pensé

PARTICULARITÉS DES VERBES DU PREMIER GROUPE

(Pour l'alphabet phonétique international, voir page 368.)

Attention

Aux verbes comme *étudier, crier, remercier, skier*, etc. Le *-i* fait partie du radical.

- J'étudie, j'étudierai

Donc à l'imparfait et au subjonctif présent, il y a deux *-i* à la 1ʳᵉ et à la 2ᵉ personne du pluriel.

- (que) nous étudiions, (que) vous étudiiez

1. Verbes en *-ger*

- Neiger : il neig**e**ait
- Voyager : nous voyag**e**ons

De même : *bouger, changer, charger, diriger, interroger, loger, manger, mélanger, nager, obliger, partager, protéger, ranger*, etc.

2. Verbes en *-cer*

```
       -a
-ç  <
       -o
```

- Avancer : avan**ç**ant
- Commencer : nous commen**ç**ons

De même : *annoncer, forcer, lancer, placer, renoncer*, etc.

3. Verbes en *-eler* et *-eter*

-ll et *-tt* devant un *-e* muet (*-e* non prononcé)

- **Appeler**

Présent	j'appe**ll**e [pɛl]		nous appelons [plɔ̃]
	tu appe**ll**es [pɛl]	mais	vous appelez [ple]
	il appe**ll**e [pɛl]		
	ils appe**ll**ent [pɛl]		

Imparfait	j'appelais [plɛ]
Passé composé	j'ai appelé [ple]
Futur	j'appe**ll**erai [pɛlʀe]
Conditionnel	j'appe**ll**erais [pɛlʀɛ]

- **Jeter**

Présent	je je**tt**e [ʒɛt]	mais	nous jetons [ʒətɔ̃]
	etc.		vous jetez [ʒəte]

Imparfait	je jetais [ʒətɛ]
Passé composé	j'ai jeté [ʒəte]
Futur	je je**tt**erai [ʒɛtʀe]
Conditionnel	je je**tt**erais [ʒɛtʀɛ]

De même : *épeler, étinceler, ruisseler, renouveler,* etc.
feuilleter, cacheter, etc.

Cas particulier

Verbes comme *acheter, geler* : on ne double pas la consonne, on met un accent grave sur le *-e*.

- **Acheter**   j'ach**è**te [aʃɛt]   mais   nous achetons [aʃtɔ̃]
           etc.   vous achetez [aʃte]

          j'ach**è**terai [aʃɛtʀe]
          j'ach**è**terais [aʃɛtʀɛ]
          j'achetais [aʃtɛ]
          j'ai acheté [aʃte]

- **Geler**   il g**è**le [ʒɛl]   mais   il gelait [ʒəlɛ]

De même *haleter, peler,* etc.

4. Verbes ayant un *-e* ou un *-é* à l'avant-dernière syllabe

-e → *-è*
                 quand la consonne est suivie d'un *-e* muet.
-é → *-è*

- **Peser**   ils p**è**sent [pɛz]   mais   nous pesons [pəzɔ̃]

          il pesait [pəzɛ]
          il p**è**sera [pɛzʀa]
          il a pesé [pəze]

- **Espérer**   j'esp**è**re [pɛʀ]   mais   nous espérons [peʀɔ̃]

De même : *achever, amener, emmener, enlever, mener, lever, promener,* etc.
préférer, posséder, répéter, etc.

5. Verbes en -oyer, -uyer, -ayer

-y ➞ -i devant le -e muet.

- **Nettoyer**   je nettoie [twa]   nous nettoyons [twajɔ̃]
                 tu nettoies [twa]   mais   vous nettoyez [twaje]
                 il nettoie [twa]

                 ils nettoient [twa]
                 je nettoyais [twajɛ]
                 j'ai nettoyé [twaje]
                 je nettoierai [twaʀe]
                 je nettoierais [twaʀɛ]

De même : *employer, envoyer, noyer, tutoyer,* etc.

                 appuyer, ennuyer, essuyer, etc.

                 balayer, effrayer, essayer, payer, etc.

Remarques

1. Pour les verbes en -*ayer*, on peut aussi conserver le -y devant le -e muet.

- je paie ou je paye
     [pɛ]   [pɛj]

- tu essaieras ou tu essayeras
     [esɛʀa]   [esɛjʀa]

2. *Envoyer* a un futur et un conditionnel irréguliers.

- j'env**errai** — j'env**errais**

3. Notez les terminaisons -*yions,* -*yiez* à l'imparfait de l'indicatif et au présent du subjonctif.

- nous pa**yi**ons   Que nous pa**yi**ons
  vous pa**yi**ez   Que vous pa**yi**ez

VERBES DU DEUXIÈME GROUPE

Indicatif

Temps simples

Présent		Futur		Imparfait		Passé simple	
Je	finis	Je	finirai	Je	finissais	Je	finis
Tu	finis	Tu	finiras	Tu	finissais	Tu	finis
Il / elle	finit	Il / elle	finira	Il / elle	finissait	Il / elle	finit
Nous	finissons	Nous	finirons	Nous	finissions	Nous	finîmes
Vous	finissez	Vous	finirez	Vous	finissiez	Vous	finîtes
Ils / elles	finissent	Ils / elles	finiront	Ils / elles	finissaient	Ils / elles	finirent

Temps composés

Passé composé	Futur antérieur	Plus-que-parfait	Passé antérieur
J'ai fini	J'aurai fini	J'avais fini	J'eus fini

Conditionnel

Temps simple

Présent	
Je	finirais
Tu	finirais
Il / elle	finirait
Nous	finirions
Vous	finiriez
Ils / elles	finiraient

Subjonctif

Temps simples

Présent			Imparfait		
Que je		finisse	Que je		finisse
	tu	finisses		tu	finisses
	il / elle	finisse		il / elle	finît
	nous	finissions		nous	finissions
	vous	finissiez		vous	finissiez
	ils / elles	finissent		ils / elles	finissent

Temps composé

Passé
J'aurais fini

Temps composés

Passé	Plus-que-parfait
Que j'aie fini	Que j'eusse fini

Impératif

Présent

Finis
Finissons
Finissez

Participe

Présent	Passé
Finissant	Ayant fini
	Fini

Infinitif

Présent	Passé
Finir	Avoir fini

↻ **Renvoi :** voir la liste des verbes du deuxième groupe pages 326 à 330.

VERBES DU TROISIÈME GROUPE : VERBES IRRÉGULIERS

Dans ce tableau des principaux verbes irréguliers, on ne donne que la 1re personne du singulier. La 1re et la 3e personne du pluriel sont données lorsque les radicaux sont différents.

On ne trouvera pas :

— l'imparfait de l'indicatif parce qu'il est formé sur la 1re personne pluriel de l'indicatif présent ;

— le conditionnel présent parce qu'il est formé sur le radical du futur ;

— le subjonctif imparfait parce qu'il est formé sur le passé simple ;

— l'impératif, sauf lorsqu'il est irrégulier, parce qu'il est formé sur le présent de l'indicatif.

↻ *Renvoi* : voir la liste des verbes irréguliers pages 326 à 330.

INFINITIF	INDICATIF PRÉSENT	FUTUR	PASSÉ SIMPLE	SUBJONCTIF PRÉSENT	PARTICIPE
Acquérir	J'acquiers Nous acquérons Ils acquièrent	J'acquerrai	J'acquis	Que j'acquière Que nous acquérions Qu'ils acquièrent	Acquérant Acquis
de même : *conquérir, requérir, s'enquérir*					
Apercevoir	J'aperçois Nous apercevons Ils aperçoivent	J'apercevrai	J'aperçus	Que j'aperçoive Que nous apercevions Qu'ils aperçoivent	Apercevant Aperçu
de même : *concevoir, décevoir, percevoir, recevoir*					
Asseoir	J'assieds / assois Nous asseyons / assoyons Ils asseyent / assoient	J'assiérai / assoirai	J'assis	Que j'asseye / assoie Que nous asseyions / assoyions Qu'ils asseyent / assoient	Assoyant / asseyant Assis
Battre	Je bats Nous battons	Je battrai	Je battis	Que je batte	Battant Battu
de même : *abattre, combattre, débattre*					
Boire	Je bois Nous buvons Ils boivent	Je boirai	Je bus	Que je boive Que nous buvions Qu'ils boivent	Buvant Bu
Bouillir	Je bous Nous bouillons	Je bouillirai	Je bouillis	Que je bouille	Bouillant Bouilli
Conclure	Je conclus	Je conclurai	Je conclus	Que je conclue	Concluant Conclu
de même : *exclure, inclure* (participe passé : *inclus*)					
Conduire	Je conduis Nous conduisons	Je conduirai	Je conduisis	Que je conduise	Conduisant Conduit
de même : *construire, cuire, déduire, détruire, enduire, induire, instruire, introduire, produire, réduire, séduire, traduire, luire, nuire* (participes passés : *lui, nui*)					

INFINITIF	INDICATIF PRÉSENT	FUTUR	PASSÉ SIMPLE	SUBJONCTIF PRÉSENT	PARTICIPE
Connaître	Je connais Nous connaiss**ons**	Je connaîtr**ai**	Je conn**us**	Que je connaisse	Connaiss**ant** Conn**u**
de même : *apparaître, disparaître, paraître, reconnaître* (accent circonflexe sur *-i* devant *-t : il connaît*)					
Coudre	Je coud**s** Nous cous**ons**	Je coudr**ai**	Je cous**is**	Que je couse	Cous**ant** Cous**u**
Courir	Je cour**s**	Je courr**ai**	Je cour**us**	Que je coure	Cour**ant** Cour**u**
de même : *accourir, concourir, parcourir, recourir, secourir*					
Craindre	Je crain**s** Nous craign**ons**	Je craindr**ai**	Je craign**is**	Que je craigne	Craign**ant** Crain**t**
de même : *contraindre, plaindre*					
Croire	Je crois Nous croy**ons** Ils croi**ent**	Je croir**ai**	Je cr**us**	Que je croie Que nous croy**ions** Qu'ils croi**ent**	Croy**ant** Cr**u**
Croître	Je crois Nous croiss**ons**	Je croîtr**ai**	Je cr**us**	Que je croisse	Croiss**ant** Cr**û**, cr**ue**
de même : *accroître, décroître* (accent circonflexe sur *-i* devant *-t : il croît*)					
Cueillir	Je cueill**e**	Je cueiller**ai**	Je cueill**is**	Que je cueille	Cueill**ant** Cueill**i**
de même : *accueillir, recueillir*					
Devoir	Je doi**s** Nous dev**ons** Ils doiv**ent**	Je devr**ai**	Je d**us**	Que je doive Que nous devions Qu'ils doiv**ent**	Dev**ant** D**û**, d**ue**
Dire	Je di**s** Nous dis**ons**	Je dir**ai**	Je di**s**	Que je dise	Dis**ant** Di**t**
de même : *contredire, se dédire, interdire, médire, prédire* (attention : **dire → vous dites**)					
Dormir	Je dor**s** Nous dorm**ons**	Je dormir**ai**	Je dorm**is**	Que je dorme	Dorm**ant** Dorm**i**
de même : *(s')endormir*					
Écrire	J'écri**s** Nous écriv**ons**	J'écrir**ai**	J'écriv**is**	Que j'écrive	Écriv**ant** Écri**t**
de même : *décrire, inscrire, prescrire, proscrire, souscrire, transcrire*					
Émouvoir	J'émeu**s** Nous émouv**ons** Ils émeuv**ent**	J'émouvr**ai**	J'ém**us**	Que j'émeuve Que nous émouvions Qu'ils émeuv**ent**	Émouv**ant** Ém**u**
de même : *mouvoir* (participe passé : *mû, mue*), *promouvoir*					

INFINITIF	INDICATIF PRÉSENT	FUTUR	PASSÉ SIMPLE	SUBJONCTIF PRÉSENT	PARTICIPE
Extraire	J'extrais Nous extrayons Ils extraient	J'extrairai	Inusité	Que j'extraie Que nous extrayions Qu'ils extraient	Extrayant Extrait
de même : *distraire, soustraire, traire*					
Faillir	Inusité	Je faillirai	Je faillis	Inusité	Inusité Failli
Falloir	Il faut	Il faudra	Il fallut	Qu'il faille	Fallu
Fuir	Je fuis Nous fuyons Ils fuient	Je fuirai	Je fuis	Que je fuie Que nous fuyions Qu'ils fuient	Fuyant Fui
de même : *s'enfuir*					
Joindre	Je joins Nous joignons	Je joindrai	Je joignis	Que je joigne	Joignant Joint
de même : *adjoindre, disjoindre, rejoindre*					
Lire	Je lis Nous lisons	Je lirai	Je lus	Que je lise	Lisant Lu
de même : *élire*					
Mettre	Je mets Nous mettons	Je mettrai	Je mis	Que je mette	Mettant Mis
de même : *admettre, commettre, démettre, émettre, omettre, permettre, promettre, soumettre, transmettre*					
Moudre	Je mouds Nous moulons	Je moudrai	Je moulus	Que je moule	Moulant Moulu
Mordre	Je mords	Je mordrai	Je mordis	Que je morde	Mordant Mordu
de même : *perdre, tordre*					
Mourir	Je meurs Nous mourons Ils meurent	Je mourrai	Je mourus	Que je meure Que nous mourions Qu'ils meurent	Mourant Mort
Naître	Je nais Nous naissons	Je naîtrai	Je naquis	Que je naisse	Naissant Né
(accent circonflexe sur le *-i* devant *-t* : *il naît*)					
Ouvrir	J'ouvre	J'ouvrirai	J'ouvris	Que j'ouvre	Ouvrant Ouvert
de même : *couvrir, découvrir, offrir, souffrir*					
Peindre	Je peins Nous peignons	Je peindrai	Je peignis	Que je peigne	Peignant Peint
de même : *astreindre, atteindre, ceindre, déteindre, enfreindre, éteindre, étreindre, feindre, geindre, restreindre, teindre*					

INFINITIF	INDICATIF PRÉSENT	FUTUR	PASSÉ SIMPLE	SUBJONCTIF PRÉSENT	PARTICIPE
Plaire	Je plai**s** Nous plais**ons**	Je plair**ai**	Je pl**us**	Que je plai**se**	Plais**ant** Pl**u**
de même : *déplaire, se taire* (attention : *plaire → il plaît*)					
Pleuvoir	Il pleu**t**	Il pleuv**ra**	Il pl**ut**	Qu'il pleu**ve**	Pl**u**
Pouvoir	Je peu**x** Nous pouv**ons** Ils peuv**ent**	Je pourr**ai**	Je p**us**	Que je puis**se**	Pouv**ant** P**u**
Prendre	Je prend**s** Nous pren**ons** Ils prenn**ent**	Je prendr**ai**	Je pr**is**	Que je prenn**e** Que nous pren**ions** Qu'ils prenn**ent**	Pren**ant** Pr**is**
de même : *apprendre, comprendre, entreprendre, s'éprendre, se méprendre, surprendre*					
Rendre	Je rend**s**	Je rendr**ai**	Je rend**is**	Que je rend**e**	Rend**ant** Rend**u**
de même : *attendre, défendre, dépendre, descendre, détendre, entendre, étendre, fendre, pendre, prétendre, suspendre, tendre, vendre* et *répandre*					
Répondre	Je répond**s**	Je répondr**ai**	Je répond**is**	Que je répond**e**	Répond**ant** Répond**u**
de même : *confondre, correspondre, fondre, pondre, tondre*					
Résoudre	Je résou**s** Nous résolv**ons**	Je résoudr**ai**	Je résol**us**	Que je résol**ve**	Résolv**ant** Résol**u**
de même : *dissoudre* (participe passé : *dissous, dissoute*)					
Rire	Je ri**s**	Je rir**ai**	Je r**is**	Que je ri**e** Que nous ri**ions**	Ri**ant** R**i**
de même : *sourire*					
Rompre	Je romp**s**	Je rompr**ai**	Je romp**is**	Que je romp**e**	Romp**ant** Romp**u**
de même : *corrompre, interrompre*					
Savoir	Je sai**s** Nous sav**ons**	Je saur**ai**	Je s**us**	Que je sach**e**	Sach**ant** S**u**
Impératif : *sache, sachons, sachez*					
Sentir	Je sen**s** Nous sent**ons**	Je sentir**ai**	Je sent**is**	Que je sent**e**	Sent**ant** Sent**i**
de même : *consentir, démentir, mentir, pressentir, ressentir, se repentir*					
Servir	Je ser**s** Nous serv**ons**	Je servir**ai**	Je serv**is**	Que je serv**e**	Serv**ant** Serv**i**
de même : *resservir, desservir*					
Sortir	Je sor**s** Nous sort**ons**	Je sortir**ai**	Je sort**is**	Que je sort**e**	Sort**ant** Sort**i**
de même : *partir*					

INFINITIF	INDICATIF PRÉSENT	FUTUR	PASSÉ SIMPLE	SUBJONCTIF PRÉSENT	PARTICIPE
Suffire	Je suffi**s** Nous suffis**ons**	Je suffir**ai**	Je suff**is**	Que je suffi**se**	Suffis**ant** Suffi
Suivre	Je sui**s** Nous suiv**ons**	Je suivr**ai**	Je suiv**is**	Que je suiv**e**	Suiv**ant** Suivi
de même : s'ensuivre, poursuivre					
Tenir	Je tien**s** Nous ten**ons** Ils tienn**ent**	Je tiendr**ai**	Je t**ins** Nous t**înmes**	Que je tienn**e** Que nous ten**ions** Qu'ils tienn**ent**	Ten**ant** Tenu
de même : s'abstenir, appartenir, contenir, détenir, entretenir, maintenir, obtenir, retenir, soutenir					
Tressaillir	Je tressaill**e**	Je tressaillir**ai**	Je tressaill**is**	Que je tressaill**e**	Tressaill**ant** Tressailli
de même : assaillir, défaillir					
Vaincre	Je vainc**s** Nous vainqu**ons**	Je vaincr**ai**	Je vainqu**is**	Que je vainqu**e**	Vainqu**ant** Vaincu
de même : convaincre (attention : vaincre → il vainc)					
Valoir	Je vau**x** Nous val**ons**	Je vaudr**ai**	Je val**us**	Que je vaill**e** Que nous val**ions** Qu'ils vaill**ent**	Val**ant** Valu
de même : prévaloir					
Venir	Je vien**s** Nous ven**ons** Ils vienn**ent**	Je viendr**ai**	Je v**ins** Nous v**înmes**	Que je vienn**e** Que nous ven**ions** Qu'ils vienn**ent**	Ven**ant** Venu
de même : contrevenir, convenir, devenir, intervenir, parvenir, prévenir, provenir, se souvenir, subvenir, survenir					
Vêtir	Je vêt**s**	Je vêtir**ai**	Je vêt**is**	Que je vêt**e**	Vêt**ant** Vêtu
de même : dévêtir, revêtir					
Vivre	Je vi**s** Nous viv**ons**	Je vivr**ai**	Je véc**us**	Que je viv**e**	Viv**ant** Vécu
de même : survivre					
Voir	Je voi**s** Nous voy**ons** Ils voi**ent**	Je verr**ai**	Je v**is**	Que je voi**e** Que nous voy**ions** Qu'ils voi**ent**	Voy**ant** Vu
de même : entrevoir, pourvoir (futur : je pourvoirai ; passé simple : je pourvus), prévoir (futur : je prévoirai)					
Vouloir	Je veu**x** Nous voul**ons** Ils veul**ent**	Je voudr**ai**	Je voul**us**	Que je veuill**e** Que nous voul**ions** Qu'ils veuill**ent**	Voul**ant** Voulu
Impératif : veuille, veuillons, veuillez					

VERBE ALLER

Indicatif

Temps simples

Présent		Futur		Imparfait		Passé simple	
Je	vais	J'	irai	J'	allais	J'	allai
Tu	vas	Tu	iras	Tu	allais	Tu	allas
Il / elle	va	Il / elle	ira	Il / elle	allait	Il / elle	alla
Nous	allons	Nous	irons	Nous	allions	Nous	allâmes
Vous	allez	Vous	irez	Vous	alliez	Vous	allâtes
Ils / elles	vont	Ils / elles	iront	Ils / elles	allaient	Ils / elles	allèrent

Temps composés

Passé composé	Futur antérieur	Plus-que-parfait	Passé antérieur
Je suis allé(e)	Je serai allé(e)	J'étais allé(e)	Je fus allé(e)

Conditionnel

Temps simple

Présent	
J'	irais
Tu	irais
Il / elle	irait
Nous	irions
Vous	iriez
Ils / elles	iraient

Temps composé

Passé
Je serais allé(e)

Subjonctif

Temps simples

Présent			Imparfait		
Que	j'	aille	Que	j'	allasse
	tu	ailles		tu	allasses
	il / elle	aille		il / elle	allât
	nous	allions		nous	allassions
	vous	alliez		vous	allassiez
	ils / elles	aillent		ils / elles	allassent

Temps composés

Passé	Plus-que-parfait
Que je sois allé(e)	Que je fusse allé(e)

Impératif

Présent
Va
Allons
Allez

Participe

Présent	Passé
Allant	Étant allé(e)
	Allé(e)

Infinitif

Présent	Passé
Aller	Être allé(e)

VERBE FAIRE

Indicatif

Temps simples

Présent		Futur		Imparfait		Passé simple	
Je	fais	Je	ferai	Je	faisais	Je	fis
Tu	fais	Tu	feras	Tu	faisais	Tu	fis
Il / elle	fait	Il / elle	fera	Il / elle	faisait	Il / elle	fit
Nous	faisons	Nous	ferons	Nous	faisions	Nous	fîmes
Vous	faites	Vous	ferez	Vous	faisiez	Vous	fîtes
Ils / elles	font	Ils / elles	feront	Ils / elles	faisaient	Ils / elles	firent

Temps composés

Passé composé	Futur antérieur	Plus-que-parfait	Passé antérieur
J'ai fait	J'aurai fait	J'avais fait	J'eus fait

Conditionnel

Temps simple

Présent	
Je	ferais
Tu	ferais
Il / elle	ferait
Nous	ferions
Vous	feriez
Ils / elles	feraient

Temps composé

Passé
J'aurais fait

Subjonctif

Temps simples

Présent		Imparfait	
Que je	fasse	Que je	fisse
tu	fasses	tu	fisses
il / elle	fasse	il / elle	fît
nous	fassions	nous	fissions
vous	fassiez	vous	fissiez
ils / elles	fassent	ils / elles	fissent

Temps composés

Passé	Plus-que-parfait
Que j'aie fait	Que j'eusse fait

Impératif

Présent

Fais
Faisons
Faites

Participe

Présent	Passé
Faisant	Ayant fait
	Fait

Infinitif

Présent	Passé
Faire	Avoir fait

LISTE DES PRINCIPAUX VERBES DES DEUXIÈME ET TROISIÈME GROUPES

Les verbes du deuxième groupe sont signalés par le chiffre (2). La conjugaison se trouve p. 318.
Les verbes en caractères gras sont des verbes du troisième groupe (voir pages 319 à 323). Ils servent de modèle pour les autres verbes du 3ᵉ groupe et sont indiqués entre parenthèses après chaque verbe.
Aller et *Faire* se trouvent p. 324 et 325.

A

Abattre (battre)
Abolir (2)
Aboutir (2)
Abrutir (2)
S'abstenir (tenir)
Accomplir (2)
Accourir (courir)
Accroître (croître)
S'accroupir (2)
Accueillir (cueillir)
Acquérir
Adjoindre (joindre)
Admettre (mettre)
Adoucir (2)
Affaiblir (2)
Affermir (2)
Affranchir (2)
Agir (2)
Agrandir (2)
Alourdir (2)
Alunir (2)
Amerrir (2)
Anéantir (2)
Apercevoir
Aplanir (2)
Aplatir (2)
Apparaître (connaître)
Appartenir (tenir)
Appauvrir (2)
Applaudir (2)
Apprendre (prendre)
Approfondir (2)
Arrondir (2)

Assaillir (tressaillir)
Assainir (2)
Asseoir
Assombrir (2)
S'assoupir (2)
Assourdir (2)
Astreindre (peindre)
Atteindre (peindre)
Attendre (rendre)
Attendrir (2)
Atterrir (2)
Avertir (2)

B

Bâtir (2)
Battre
Blanchir (2)
Blêmir (2)
Boire
(re)Bondir (2)
Bouillir
Brandir (2)
Brunir (2)

C

Chérir (2)
Choisir (2)
Combattre (battre)
Commettre (mettre)
Comparaître (paraître)
Compatir (2)
Comprendre (prendre)
Concevoir (apercevoir)
Conclure

Concourir (courir)
Conduire
Confondre (répondre)
Connaître
Conquérir (acquérir)
Consentir (sentir)
Construire (conduire)
Contenir (tenir)
Contraindre (craindre)
Contredire (dire)
Contrevenir (venir)
Convaincre (vaincre)
Convenir (venir) (aux. avoir et être)
Convertir (2)
Correspondre (répondre)
Corrompre (rompre)
Coudre
Courir
Couvrir (ouvrir)
Craindre
Croire
Croître
Cueillir
Cuire (conduire)

D

Débattre (battre)
Décevoir (apercevoir)
Découvrir (ouvrir)
Décrire (écrire)
Décroître (croître)
Se dédire (dire)
Déduire (conduire)
Défaillir (tressaillir)
Défendre (rendre)
Définir (2)
Dégourdir (2)
Démentir (sentir)
Démettre (mettre)
Démolir (2)
Démunir (2)

Dépendre (rendre)
Déplaire (plaire)
Descendre (rendre) (aux. avoir et être)
Desservir (servir)
Désobéir (2)
Déteindre (peindre)
Détendre (rendre)
Détenir (tenir)
Détruire (conduire)
Devenir (venir) (aux. être)
Dévêtir (vêtir)
Devoir
Dire
Disjoindre (joindre)
Disparaître (paraître)
Dissoudre (résoudre)
Distraire (extraire)
Divertir (2)
Dormir
Durcir (2)

E

Éblouir (2)
Éclaircir (2)
Écrire
Élargir (2)
Élire (lire)
Embellir (2)
Émettre (mettre)
Émouvoir
Enduire (conduire)
Endurcir (2)
Enfouir (2)
Enfreindre (peindre)
S'enfuir (fuir)
Engloutir (2)
Engourdir (2)
Enlaidir (2)
S'enquérir (acquérir)
Enrichir (2)
S'ensuivre (suivre)

Entendre (rendre)
Entreprendre (prendre)
Entretenir (tenir)
Entrevoir (voir)
Envahir (2)
Épaissir (2)
Épanouir (2)
S'éprendre (prendre)
Établir (2)
Éteindre (peindre)
Étendre (rendre)
Étourdir (2)
Étreindre (peindre)
S'évanouir (2)
Exclure (conclure)
Extraire

F

Faiblir (2)
Faillir
Falloir
Feindre (peindre)
Fendre (rendre)
Finir (2)
Fleurir (2)
Fondre (répondre)
Fournir (2)
Fraîchir (2)
Franchir (2)
Frémir (2)
Fuir

G

Garantir (2)
Garnir (2)
Geindre (peindre)
Gémir (2)
Grandir (2)
Gravir (2)
Grossir (2)
Guérir (2)

I

Inclure (conclure)
Induire (conduire)
Inscrire (écrire)
Instruire (conduire)
Interdire (dire)
Interrompre (rompre)
Intervenir (venir) (aux. être)
Intervertir (2)
Introduire (conduire)
Investir (2)

J

Jaillir (2)
Jaunir (2)
Joindre

L

Lire
Luire (conduire)

M

Maigrir (2)
Maintenir (tenir)
Médire (dire)
Mentir (sentir)
Se méprendre (prendre)
Mettre
Mincir (2)
Moisir (2)
Mordre
Moudre
Mourir (aux. être)
Mouvoir (émouvoir)
Munir (2)
Mûrir (2)

N

Naître (aux. être)
Noircir (2)
Nourrir (2)
Nuire (conduire)

O

Obéir (2)

Obscurcir (2)

Obtenir (tenir)

Offrir (ouvrir)

Omettre (mettre)

Ouvrir

P

Pâlir (2)

Paraître (connaître)

Parcourir (courir)

(re) Partir (sortir) (aux. être)

Parvenir (venir) (aux. être)

Peindre

Pendre (rendre)

Percevoir (apercevoir)

Perdre (mordre)

Périr (2)

Permettre (mettre)

Plaindre (craindre)

Plaire

Pleuvoir

Pondre (répondre)

Pourrir (2)

Poursuivre (suivre)

Pourvoir (voir)

Pouvoir

Prédire (dire)

Prendre

Prescrire (écrire)

Pressentir (sentir)

Prétendre (rendre)

Prévaloir (valoir)

Prévenir (venir)

Produire (conduire)

Promettre (mettre)

Promouvoir (mouvoir)

Proscrire (écrire)

Provenir (venir) (aux. être)

Punir (2)

R

Raccourcir (2)

Rafraîchir (2)

Raidir (2)

Rajeunir (2)

Ralentir (2)

Réagir (2)

Recevoir (apercevoir)

Reconnaître (connaître)

Recourir (courir)

Recueillir (cueillir)

Réduire (conduire)

Réfléchir (2)

Refroidir (2)

Rejoindre (joindre)

Réjouir (2)

Remplir (2)

Rendre

Répandre (rendre)

Se repentir (sentir)

Répondre

Résoudre

Resplendir (2)

Ressentir (sentir)

Resservir (servir)

Restreindre (peindre)

Rétablir (2)

Retenir (tenir)

Retentir (2)

Rétrécir (2)

Réunir (2)

Réussir (2)

Revenir (venir) (aux. être)

Revêtir (vêtir)

Rire

Rompre

Rougir (2)

S

Saisir (2)

Salir (2)

Savoir

Secourir (courir)

Séduire (conduire)

Sentir

Servir

Sortir

Souffrir (ouvrir)

Soumettre (mettre)

Sourire (rire)

Souscrire (écrire)

Soustraire (extraire)

Soutenir (tenir)

Se souvenir (venir)

Subir (2)

Subvenir (venir) (aux. être)

Suffire

Suivre

Surgir (2)

Surprendre (prendre)

Survenir (venir) (aux. être)

Survivre (vivre)

Suspendre (rendre)

T

Teindre (peindre)

Tendre (rendre)

Tenir

Tondre (répondre)

Tordre (mordre)

Traduire (conduire)

Trahir (2)

Traire (extraire)

Transcrire (écrire)

Transmettre (mettre)

Tressaillir

U

Unir (2)

V

Vaincre

Valoir

Vendre (rendre)

Venir (aux. être)

Verdir (2)

Vernir (2)

Vêtir

Vieillir (2)

Vivre

Voir

Vomir (2)

Vouloir

LA VOIX PASSIVE
VERBE IMITER

Indicatif

Temps simples

Présent	Futur	Imparfait	Passé simple
Je suis imité(e)	Je serai imité(e)	J' étais imité(e)	Je fus imité(e)
Tu es imité(e)	Tu seras imité(e)	Tu étais imité(e)	Tu fus imité(e)
Il / elle est imité(e)	Il / elle sera imité(e)	Il / elle était imité(e)	Il / elle fut imité(e)
Nous sommes imité(e)s	Nous serons imité(e)s	Nous étions imité(e)s	Nous fûmes imité(e)s
Vous êtes imité(e)s	Vous serez imité(e)s	Vous étiez imité(e)s	Vous fûtes imité(e)s
Ils / elles sont imité(e)s	Ils / elles seront imité(e)s	Ils / elles étaient imité(e)s	Ils / elles furent imité(e)s

Temps composés

Passé composé	Futur antérieur	Plus-que-parfait	Passé antérieur
J'ai été imité(e)	J'aurai été imité(e)	J'avais été imité(e)	J'eus été imité(e)

Conditionnel

Temps simple

Présent

Je	serais imité(e)
Tu	serais imité(e)
Il / elle	serait imité(e)
Nous	serions imité(e)s
Vous	seriez imité(e)s
Ils / elles	seraient imité(e)s

Temps composé

Passé

J'aurais été imité(e)

Subjonctif

Temps simples

Présent		Imparfait	
Que je	sois imité(e)	Que je	fusse imité(e)
tu	sois imité(e)	tu	fusses imité(e)
il / elle	soit imité(e)	il / elle	fût imité(e)
nous	soyons imité(e)s	nous	fussions imité(e)s
vous	soyez imité(e)s	vous	fussiez imité(e)s
ils / elles	soient imité(e)s	ils / elles	fussent imité(e)s

Temps composés

Passé	Plus-que-parfait
Que j'aie été imité(e)	Que j'eusse été imité(e)

Impératif

Présent

Sois imité(e)
Soyons imité(e)s
Soyez imité(e)s

Participe

Présent	Passé
Étant imité(e)	Ayant été imité(e)

Infinitif

Présent	Passé
Être imité(e)	Avoir été imité(e)

LA FORME PRONOMINALE
VERBE SE LAVER

Indicatif

Temps simples

Présent		Futur		Imparfait		Passé simple	
Je	me lave	Je	me laverai	Je	me lavais	Je	me lavai
Tu	te laves	Tu	te laveras	Tu	te lavais	Tu	te lavas
Il / elle	se lave	Il / elle	se lavera	Il / elle	se lavait	Il / elle	se lava
Nous	nous lavons	Nous	nous laverons	Nous	nous lavions	Nous	nous lavâmes
Vous	vous lavez	Vous	vous laverez	Vous	vous laviez	Vous	vous lavâtes
Ils / elles	se lavent	Ils / elles	se laveront	Ils / elles	se lavaient	Ils / elles	se lavèrent

Temps composés

Passé composé	Futur antérieur	Plus-que-parfait	Passé antérieur
Je me suis lavé(e)	Je me serai lavé(e)	Je m'étais lavé(e)	Je me fus lavé(e)

Conditionnel

Temps simple

Présent

Je	me laverais
Tu	te laverais
Il / elle	se laverait
Nous	nous laverions
Vous	vous laveriez
Ils / elles	se laveraient

Temps composé

Passé

Je me serais lavé(e)

Subjonctif

Temps simples

Présent			Imparfait		
Que	je	me lave	Que	je	me lavasse
	tu	te laves		tu	te lavasses
	il / elle	se lave		il / elle	se lavât
	nous	nous lavions		nous	nous lavassions
	vous	vous laviez		vous	vous lavassiez
	ils / elles	se lavent		ils / elles	se lavassent

Temps composés

Passé	Plus-que-parfait
Que je me sois lavé(e)	Que je me fusse lavé(e)

Impératif

Présent

Lave-toi
Lavons-nous
Lavez-vous

Participe

Présent	Passé
Se lavant	S'étant lavé(e)

Infinitif

Présent	Passé
Se laver	S'être lavé(e)

LES CONSTRUCTIONS VERBALES

A

Accepter	qqn / qqch	■ Dans cet hôtel, on accepte les chiens.
	de + infinitif	■ Il a accepté de venir dîner dimanche.
	que + subjonctif	■ Je n'accepte pas que vous me parliez sur ce ton !
Accuser	qqn de qqch	■ On accuse cet homme politique de fraude électorale.
	qqn de + infinitif	■ On accuse cet homme d'avoir volé une voiture.
Admettre	qqn / qqch	■ Cette école admet les élèves à partir de six ans.
	que + indicatif	■ Il admet qu'elle a eu raison.
	que + subjonctif	■ Dans ce foyer, le règlement n'admet pas qu'on fasse du bruit après 22 heures.
Adorer	qqn / qqch	■ J'adore cet acteur !
	+ infinitif	■ Quand je peux, j'adore faire la sieste.
	que + subjonctif	■ Les enfants adorent qu'on leur lise des histoires.
Adresser	qqch à qqn	■ Adressez votre candidature à Monsieur Laforêt.
S'adresser	à qqn	■ Pour obtenir ce prêt, adressez-vous au directeur commercial.
Affirmer	que + indicatif	■ Ce journaliste affirme qu'il a écrit cet article en une heure.
	+ infinitif	■ Ce journaliste affirme avoir écrit cet article en une heure.
Agir		■ Ce médicament agit très vite.
Il s'agit de	+ nom	■ Dans ce roman, il s'agit de la vie d'une famille russe dans les années 1920.
	+ infinitif	■ Ce jour-là, il s'agira de prendre des décisions rapides.
Aider	qqn	■ Muriel n'arrive pas à faire son devoir de maths. Je vais l'aider.
	qqn à + infinitif	■ Je vais aider ce vieux monsieur à traverser la rue.
Aimer	qqn / qqch	■ J'ai beaucoup aimé ce livre.
	+ infinitif	■ J'aime me promener très tôt le matin dans la forêt.
	que + subjonctif	■ J'aimerais que tu viennes avec moi à cette soirée.
Aller	+ lieu	■ Pour les vacances, nous irons en Bretagne.
	+ infinitif	■ Va acheter du pain, s'il te plaît !
S'en aller		■ Il est tard. Allons-nous-en !
Amener	qqn	■ Est-ce que je peux amener mon ami chez toi pour le dîner ?
Amuser	qqn	■ Ce dessin animé amuse tous les enfants.
S'amuser		■ Les enfants s'amusent dans le parc.

Annoncer	qqch	▪ On annonce le prochain mariage du roi.
	qqch à qqn	▪ J'annoncerai moi-même la nouvelle à Sophie.
Apercevoir	qqn / qqch	▪ De la fenêtre, on aperçoit des enfants qui jouent dans le jardin.
S'apercevoir	de + qqch	▪ Heureusement, il s'est aperçu de son erreur de calcul et il l'a corrigée.
	que + indicatif	▪ Au moment de payer, elle s'est aperçue qu'elle avait oublié son porte-monnaie.
Appartenir	à qqn	▪ À qui appartient cette belle maison ?
Appeler	qqn	▪ Marie n'est pas chez elle ce soir, je l'appellerai demain.
S'appeler		▪ Je m'appelle Martine Dubrul.
Apporter	qqch	▪ N'apportez pas votre dictionnaire le jour de l'examen !
	qqch à qqn	▪ Je vais dîner chez Julie. Je lui apporterai une bouteille de champagne.
Apprendre	qqch	▪ À l'école, on apprend une ou deux langues étrangères.
	qqch à qqn	▪ J'ai appris la bonne nouvelle à Paul.
	à + infinitif	▪ Les enfants apprennent à lire vers six ans.
	à qqn à + infinitif	▪ C'est son père qui lui a appris à faire du ski.
	(à qqn) que + indicatif	▪ Nos amis nous ont appris qu'ils allaient déménager.
Arrêter		▪ Vous parlez tous ensemble. Je ne comprends rien. Arrêtez !
	qqn	▪ La police a réussi à arrêter l'homme qui avait attaqué la bijouterie.
	qqch	▪ Arrête le moteur ! On n'avance plus ! Quel embouteillage !
S'arrêter		▪ L'ascenseur s'est arrêté entre deux étages. Il faut appeler le dépanneur.
	de + infinitif	▪ Il s'est arrêté de fumer il y a six mois.
Arriver		▪ Nous arriverons à Bordeaux vers 20 heures.
	à + infinitif	▪ Aide-moi ! Je n'arrive pas à ouvrir cette porte.
Il arrive	qqch à qqn	▪ Il est arrivé une drôle d'aventure à Bernard.
	à qqn de + infinitif	▪ Il n'aime pas l'alcool, mais il lui arrive de boire un verre de bon vin.
	que + subjonctif	▪ Il arrive qu'il y ait de la neige à Nice en hiver.
Assister	à qqch	▪ Je n'ai pas pu assister à la conférence de M. Granjean.
Assurer	qqn de qqch	▪ Il m'a assuré de son aide.
	qqn que + indicatif	▪ Il m'a assuré qu'il allait m'aider.
S'assurer		▪ Il faut vous assurer contre le vol.
	que + indicatif	▪ Nous nous sommes assurés qu'il n'y avait aucun danger avant de faire cette excursion.

Attacher	qqch	■ En voiture, on doit attacher sa ceinture.
S'attacher / être attaché à qqn		■ Mon fils s'est attaché à la jeune fille qui le garde.
S'attacher / être attaché à qqch		■ Nous sommes tous très attachés à la maison de notre enfance.
Atteindre	qqch	■ Nous atteindrons le sommet de la montagne avant midi.
Attendre		■ Attends ! Je vais t'aider à porter ces paquets !
	qqn	■ On attend beaucoup de visiteurs à l'exposition sur l'Égypte.
	qqch	■ J'ai attendu le bus une demi-heure.
	de + infinitif	■ J'attends d'aller mieux pour sortir.
	que + subjonctif	■ J'attends que Jean revienne pour lui poser cette question.
S'attendre	à qqch	■ Quelle bonne surprise ! On ne s'attendait pas à votre arrivée si tôt !
S'attendre	à ce que + subjonctif	■ Tout le monde s'attend à ce que le Premier ministre fasse une déclaration à la télévision.
Augmenter		■ Tout le monde se plaint. Le coût de la vie a augmenté de 2 %.
	qqch	■ Le patron a augmenté les salaires des employés.
Autoriser	qqch	■ Dans cette rue, on autorise la circulation dans un seul sens.
	qqn à + infinitif	■ J'ai autorisé mes enfants à faire du parapente.
Avertir	qqn de qqch	■ Il a beaucoup neigé. On a averti les gens des risques d'avalanches.
	qqn que + indicatif	■ On a averti les gens qu'il était dangereux de faire du ski sur certaines pistes.
Avoir	qqch	■ Les Monteil ont une villa au bord du lac.
	qqch à + infinitif	■ J'ai des courses à faire au supermarché.
N'avoir qu'à	+ infinitif	■ J'ai préparé le dîner. Tu n'as qu'à le réchauffer.
Avouer	qqch	■ Le suspect a finalement avoué son crime.
	qqch à qqn	■ Le jeune Marc a fini par avouer sa bêtise à ses parents.
	que + indicatif	■ J'avoue que je ne comprends pas ta décision.

B

Baigner	qqn	■ On a baigné le malade pour faire baisser la fièvre.
Se baigner		■ Je n'aime pas me baigner quand il y a du vent.
Baisser		■ Le soleil se couche. La température baisse.
	qqch	■ Il faut baisser le son de la télévision. Tu empêches les enfants de dormir.

Battre		■ J'ai couru. Mon cœur bat très vite !
	qqn	■ L'équipe de France a battu l'équipe d'Italie trois buts à deux.
Se battre		■ Dans la cour de l'école, les enfants se battent souvent en jouant.
Brûler		■ C'est l'hiver. Le feu brûle dans la cheminée.
	qqch	■ Le jardinier a brûlé les feuilles mortes.
Se brûler		■ Je me suis brûlé la langue avec ce café trop chaud.

C

Cacher	qqch	■ Elle cache ses bijoux dans un tiroir secret.
	qqch à qqn	■ Il a caché la vérité à ses amis.
	à qqn que + indicatif	■ Thomas a caché à ses parents qu'il avait zéro en maths.
Se cacher		■ Le chat s'est caché sous le lit.
	de qqn	■ Ils se cachent de leurs parents pour fumer.
Calmer	qqn	■ La chansonnette a calmé le bébé.
	qqch	■ Ce médicament calme la douleur.
Se calmer		■ Tout cela n'est pas grave. Calme-toi !
Casser	qqch	■ J'ai cassé ma montre.
Se casser		■ Il s'est cassé le bras en jouant au rugby.
Causer	qqch	■ La tempête a causé beaucoup de dommages en Bretagne.
	qqch à qqn	■ Votre attitude risque de causer bien des ennuis à votre famille.
Changer		■ Il y a du vent. Le temps va changer.
	qqch	■ L'ordinateur a changé la façon de travailler.
	de qqch / qqn	■ J'ai changé d'adresse.
Se changer		■ Tes vêtements sont pleins de peinture. Va te changer !
Charger	qqch	■ Les alpinistes ont chargé leurs sacs. Ils sont prêts à partir.
	qqn de	■ Le directeur a chargé l'hôtesse d'accueillir les touristes.
Se charger	de qqn / qqch	■ À l'école, l'assistante maternelle est chargée des tout-petits.
		■ Pour la fête, je me chargerai des boissons.
	de + infinitif	■ Je me charge de vous trouver un hôtel dans un quartier agréable.
Chercher	qqch	■ Je cherche partout mes clés de voiture.
	qqn	■ Va chercher les enfants à l'école, s'il te plaît !
	à + infinitif	■ Je cherche à joindre le docteur Michel mais il est absent.
Choisir	qqn / qqch	■ Les employés ont choisi Pierre comme délégué syndical.
	de + infinitif	■ Ils ont choisi de vivre à la campagne.

Commencer		■ Le cours de français commence à 9 heures.
	qqch	■ J'ai commencé la lecture de ce roman hier.
	à / de + infinitif	■ Adrien a 15 mois et il commence déjà à parler.
	par	■ On commencera la visite du château par le grand salon du roi.
Communiquer	avec qqn	■ Grâce à Internet, on peut communiquer avec ses amis à tout moment.
	avec qqch	■ La chambre des parents communique avec celle des enfants.
	qqch à qqn	■ Veuillez communiquer ce dossier au Directeur.
Comparer	des personnes	■ On compare souvent Corneille et Racine.
	des choses	■ Je compare toujours les prix avant d'acheter.
	qqn / qqch à	■ Apollinaire a comparé la tour Eiffel à une bergère.
Comprendre	qqn	■ Elle est proche de ses enfants et elle les comprend très bien.
	qqch	■ Je ne comprends pas votre question.
		■ Le prix comprend deux nuits d'hôtel et le billet Paris-Rome.
	que + indicatif	■ À ton expression, j'ai très bien compris que tu mentais.
	que + subjonctif	■ Je ne comprends pas que vous gardiez cet ordinateur.
Compter		■ Le petit Georges sait compter jusqu'à dix.
	qqch	■ L'arbitre compte les points des joueurs pendant le match.
	sur qqn / qqch	■ Je compte sur toi pour m'aider à déménager.
	+ infinitif	■ L'explorateur compte écrire un livre sur ses voyages.
Conduire		■ Conduisez lentement par temps de brouillard !
	qqch	■ C'est Romain qui conduira la voiture des mariés.
	qqn + lieu	■ Je vais conduire mon grand-père à l'hôpital.
Se conduire		■ Pendant la guerre, il s'est conduit en héros.
Confier	qqch / qqn à qqn	■ Ma fille m'a confié ses enfants pour le week-end.
Se confier	à qqn	■ Elle a de gros problèmes et elle s'est confiée à moi.
Confondre	qqch et qqch / qqn et qqn	■ En vieillissant, on a tendance à confondre les noms et les dates.
	qqch avec qqch / qqn avec qqn	■ Excusez-moi ! J'ai confondu mon parapluie avec le vôtre.
Connaître	qqn	■ Quand on habite dans un grand immeuble, on ne connaît pas tous ses voisins.
	qqch	■ Elle connaît bien le Maroc parce qu'elle y a vécu dix ans.
S'y connaître	en	■ Lucie adore les fleurs et elle s'y connaît bien en jardinage.

Consacrer	qqch à qqn	■ Il a consacré sa vie aux enfants handicapés.
	qqch à qqch	■ Elle consacre tout son temps libre à l'étude du piano.
Se consacrer	à qqch / qqn	■ Il se consacre à sa famille.
Conseiller	qqn	■ Allez voir Monsieur Dubois ! Il vous conseillera certainement sur ce problème.
	qqch à qqn	■ Le professeur a conseillé aux élèves la lecture du *Premier homme* de A. Camus.
	à qqn de + infinitif	■ Je vous conseille de prendre votre billet d'avion à l'avance.
Considérer	qqn / qqch comme	■ Il faut considérer comme très sérieux les risques de cancer dus au tabagisme.
	que + indicatif	■ Beaucoup de gens considèrent que la vie moderne est trop stressante.
Constater	qqch	■ J'ai constaté plusieurs erreurs de date dans votre récit.
	que + indicatif	■ Le médecin a constaté que le malade avait repris des forces.
Continuer		■ La fête a continué jusqu'à deux heures du matin.
	qqch	■ Continuez la lecture jusqu'à la page 150.
	à / de + infinitif	■ Demain, il continuera à / de pleuvoir sur toute la France.
Convaincre	qqn	■ L'accusé a présenté des arguments qui n'ont pas convaincu le juge.
	qqn de qqch	■ Ces explications ont convaincu tout le monde de l'importance du problème de l'eau aujourd'hui.
	qqn de + infinitif	■ J'ai convaincu Patrick de ne pas arrêter ses études.
Être convaincu	de qqch	■ Je suis convaincu de votre erreur sur ce problème.
	que + indicatif	■ Beaucoup de gens sont convaincus qu'une réforme du système éducatif est nécessaire.
	de + infinitif	■ Tu es toujours convaincu d'avoir raison. C'est énervant !
Courir		■ J'ai couru pour arriver à l'heure à l'école.
	une distance	■ Chaque dimanche, il court dix kilomètres dans la forêt.
	qqch	■ En ne portant pas de casque à moto, on court un sérieux danger.
Craindre	qqn	■ C'est un professeur très sévère. Ses élèves le craignent beaucoup.
	qqch	■ En été, les personnes âgées craignent les fortes chaleurs.
	de + infinitif	■ Je crains de l'avoir dérangé en téléphonant trop tôt.
	que + subjonctif	■ On craint qu'il y ait une récession économique.
	pour qqn / qqch	■ Si vous ne vous soignez pas, je crains pour votre santé.

Croire	qqn	■ Vous avez l'air sincère, je vous crois.
	en qqn	■ Les Chrétiens, les Juifs et les Musulmans croient en un dieu unique.
	à qqch / qqch	■ Est-ce que tu crois à l'astrologie ?
	+ infinitif	■ Il croit avoir réussi son examen, mais il faut attendre les résultats.
	que + indicatif	■ Je crois que je me suis trompé d'adresse. Il n'y a pas de n° 92 dans cette rue.
	qqn / qqch + adjectif	■ Je n'ai pas confiance en Hervé. Je le crois malhonnête.
Se croire	+ adjectif	■ Elle se croit plus intelligente que tout le monde.

D

Décider	de + infinitif	■ J'ai décidé d'apprendre le chinois.
	que + indicatif	■ Il a décidé que sa fille allait jouer de la flûte.
Se décider		■ Tu pars maintenant ou plus tard ? Décide-toi !
	à + infinitif	■ Il s'est enfin décidé à déménager.
Déclarer	qqch	■ Allez déclarer la perte de votre passeport au commissariat !
	qqch à qqn	■ Roméo a déclaré son amour à Juliette.
	que + indicatif	■ L'arbitre a déclaré que le jeu devait se prolonger de dix minutes.
Décourager	qqn	■ Elle voulait sauter en parachute à 80 ans. On l'a découragée !
	qqn de + infinitif	■ Le mauvais temps décourage les gens de se baigner.
Se décourager		■ Ce problème est difficile. Ne te décourage pas !
Défendre	qqn	■ C'est maître Laval qui défendra l'accusé lors de son procès.
	qqch	■ Ce vieux château défendait la vallée contre les ennemis.
	à qqn de + infinitif	■ Le médecin lui a défendu de manger trop de sucre.
Se défendre		■ Dans la vie, il faut savoir se défendre !
Demander	qqch à qqn	■ Je vais demander l'addition au serveur.
	à qqn de + infinitif	■ J'ai demandé au directeur de me recevoir d'urgence.
	que + subjonctif	■ Le directeur a demandé que vous soyez dans son bureau à 14 heures.
Se demander	si / où / quand...	■ Je me demande pourquoi Jean est en retard.
Se dépêcher		■ Je me dépêche pour ne pas être en retard.
	de + infinitif	■ Il est tard. Les gens se dépêchent de rentrer chez eux !

Les constructions verbales

Dépendre	de qqch	■ Que ferez-vous dimanche ? Ça dépendra du temps.
	de qqn	■ Un jeune enfant dépend de ses parents.
Descendre	+ lieu	■ Pour aller au Louvre, descendez à la station Palais-Royal.
	qqch	■ Pouvez-vous m'aider à descendre mes bagages ?
Détester	qqn / qqch	■ Mon fils déteste les épinards.
	+ infinitif	■ Elle déteste faire la cuisine.
	que + subjonctif	■ Je déteste qu'on soit en retard.
Devenir	+ adjectif / nom	■ Il est devenu président de la République à 45 ans.
Devoir	qqch à qqn	■ Je n'oublie pas que je dois 300 euros à ma sœur.
	+ infinitif	■ Vous devez finir ce travail pour demain soir.
Dire	qqch à qqn	■ Écoute ! Je vais te dire un secret.
	à qqn de + infinitif	■ Le chef de service a dit aux employés de partir à 17 heures.
	(à qqn) que + indicatif	■ Guy a dit qu'il ne viendrait pas avec nous.
	(à qqn) que + subjonctif	■ Dites aux enfants qu'ils fassent moins de bruit !
Diminuer	de + une mesure	■ Le prix de l'essence a diminué de 2 centimes le litre.
Discuter		■ Il n'est jamais d'accord. Il discute toujours !
	qqch	■ Dans l'armée, on ne discute pas les ordres d'un supérieur.
	de qqch	■ Avec mes amis, je discute de tout : politique, littérature, cuisine, etc.
Donner	qqch à qqn	■ Je vais donner mon numéro de portable à Daniel ; il ne l'a pas.
	sur	■ C'est très calme ici. La fenêtre donne sur un jardin.
Douter	de qqch	■ Beaucoup de gens doutent de la réussite de cette politique.
	que + subjonctif	■ Je doute qu'il puisse obtenir ce poste.
Se douter	que + indicatif	■ Je me doute bien qu'il y aura beaucoup de monde à ce festival.

E

Échapper	à qqn	■ Le voleur a réussi à échapper au policier en sautant par la fenêtre.
	à qqch	■ Il a échappé à un grave accident en freinant à temps.
S'échapper		■ Un petit lion s'est échappé du zoo. On le cherche partout.
Échouer		■ Il voulait traverser la Manche à la nage mais il a échoué.
	à qqch	■ Malheureusement, Martin a échoué à son bac.

Écrire	qqch	■ Comment écrit-on ce mot ?
	qqch à qqn	■ Madame de Sévigné a écrit de nombreuses lettres à sa fille.
	que + indicatif	■ Il m'a écrit que ses vacances se passaient très bien.

| Éloigner | qqn de qqch | ■ L'émigration éloigne les gens de leur pays et de leur famille. |
| S'éloigner | de | ■ Éloignez-vous du bord du quai ! |

Empêcher	qqch	■ Le gel empêche la circulation des péniches sur le canal.
	qqn de + infinitif	■ Des barrières empêchent les gens de traverser n'importe où.
S'empêcher	de + infinitif	■ J'ai eu très peur. Je n'ai pas pu m'empêcher de crier.

| Emprunter | qqch à qqn | ■ J'ai emprunté sa voiture à Marc, la mienne est en réparation. |

| Encourager | qqn | ■ Pendant le tour de France, les gens encouragent les cyclistes. |
| | qqn à + infinitif | ■ Il est très doué. Il faut l'encourager à passer ce concours de piano. |

Ennuyer	qqn	■ Tais-toi ! Ton histoire ennuie tout le monde.
Ça ennuie	qqn de + infinitif	■ Cela m'ennuie de vous déranger, mais il faut que je vous parle tout de suite.
	qqn que + subjonctif	■ Est-ce que ça t'ennuie que je parte tout de suite ?
S'ennuyer		■ On ne s'ennuie jamais quand on va dîner chez eux !

Enseigner	qqch	■ Elle est professeur de français, mais elle enseigne surtout la littérature.
	qqch à qqn	■ Ce grand violoniste enseigne le violon à de jeunes enfants.
	que + indicatif	■ La religion chrétienne enseigne qu'il faut s'aimer les uns les autres.

| Entendre | qqn / qqch | ■ J'ai déjà entendu cette information. |

Entraîner	qqn	■ C'est Monsieur Dupont qui entraîne notre équipe de football.
	qqch	■ Les pluies violentes ont entraîné des inondations.
S'entraîner		■ La compétition a lieu dans une semaine. Je m'entraîne tous les jours.

| Envisager | qqch | ■ Il envisage l'avenir avec optimisme. |
| | de + infinitif | ■ Elle envisage de faire des études de droit. |

| Envoyer | qqch à qqn | ■ Nous avons envoyé des cartes postales à nos amis. |

Espérer	qqch	■ Tout le monde espère du beau temps pour le week-end.
	+ infinitif	■ Dominique espère bien réussir son examen.
	que + indicatif	■ J'espère que tu pourras venir bientôt nous voir.

Essayer	qqch	▪ Je voudrais essayer ces chaussures bleues, s'il vous plaît.
	de + infinitif	▪ Je vais essayer de faire de la crème Chantilly, mais c'est difficile.
Étonner	qqn	▪ Cette nouvelle m'étonne beaucoup. J'ai du mal à vous croire !
Être étonné	de qqch	▪ Je suis étonné de son comportement brutal.
	que + subjonctif	▪ Je suis étonné qu'il ne m'ait pas encore répondu.
S'étonner	que + subjonctif	▪ Je m'étonne qu'il n'ait pas dit la vérité.
Être	+ adjectif	▪ Julien est suisse.
	+ nom	▪ Maria est photographe.
	à qqn	▪ Cette valise est à moi.
	+ lieu	▪ Allô ! Je suis à Paris. Et toi ?
	en + matière	▪ Cette statue est en marbre blanc.
	de qqn	▪ Cette chanson est de Georges Brassens.
Éviter	qqn	▪ Il a freiné et il a pu éviter le piéton de justesse.
	qqch	▪ Évitez ce mot ! Il est trop familier.
	de + infinitif	▪ Évitez de vous exposer trop au soleil ! C'est mauvais pour la peau.
Excuser	qqn	▪ Il a commis un excès de vitesse. On ne peut pas l'excuser.
	qqn de + infinitif	▪ Excusez-moi de vous déranger !
S'excuser	de qqch	▪ Il faut vous excuser de votre retard.
	de + infinitif	▪ Il faut vous excuser d'être arrivé en retard.
Expliquer	qqch à qqn	▪ Ce professeur explique bien la grammaire aux étudiants.
	(à qqn) que + indicatif	▪ On lui a expliqué qu'il n'y avait pas d'autre solution.

F

Faire	qqch	▪ Qu'est-ce que tu fais ce soir ?
	qqch à qqn	▪ Sophie fait de la natation et ça lui fait beaucoup de bien.
	+ infinitif	▪ C'est une histoire très drôle qui fait rire tout le monde.
	mieux de + infinitif	▪ Tu ferais mieux de ne pas sortir avec 39 °C de fièvre.
Se faire	qqch	▪ C'est elle-même qui s'est fait cette jupe.
	+ infinitif	▪ Je dois me faire vacciner contre l'hépatite B.
Falloir	qqch	▪ Il faut un visa pour aller dans ce pays.
	+ infinitif	▪ Il faut faire attention. Il y a beaucoup de brouillard sur la route.
	que + subjonctif	▪ Il faut que vous ayez le bac pour entrer dans cette école.

Féliciter	qqn	■ Vous avez réussi votre examen. Je vous félicite !
	qqn de qqch	■ Tout le monde a félicité le nouveau maire de son élection.
	qqn de + infinitif	■ Je te félicite d'avoir réussi ce concours du premier coup !
Se fier	à qqn	■ Vous pouvez vous fier à lui ; il a beaucoup d'expérience.
Finir		■ Le spectacle finit à 23 heures.
	qqch	■ J'ai fini ma thèse le mois dernier.
	de + infinitif	■ On a fini de construire ce pont en 1995.
	par + un nom	■ Le repas de mariage a fini par une superbe pièce montée.
	par + infinitif	■ J'ai répété trois fois la phrase et il a fini par comprendre !
Forcer	qqn à + infinitif	■ Une chute a forcé le coureur cycliste à abandonner la course.
Être forcé	de + infinitif	■ J'ai une réunion importante. Je suis forcé de partir maintenant.
Se forcer	à + infinitif	■ Parfois, il faut se forcer à se lever le matin !
Fuir	qqch	■ Après le tremblement de terre, les habitants ont fui la ville.
S'enfuir		■ En entendant du bruit, le petit chat s'est enfui.

G

Gagner	qqch	■ C'est notre équipe qui a gagné le match.
	de l'argent	■ Il gagne environ 3 000 euros par mois.
Garantir	qqn / qqch	■ Ce contrat d'assurance garantit votre voiture contre les risques d'accident.
	que + indicatif	■ Je te garantis que tout va bien se passer.
Garder	qqn	■ Sophie garde un enfant tous les mercredis après-midi.
	qqch	■ Magali a toujours gardé l'accent du Midi.
Gêner	qqn	■ Ce bruit de voitures me gêne pour me concentrer.
	qqch	■ Ne pas gêner la fermeture des portes.
Grandir		■ Cet enfant a beaucoup grandi.
	de	■ Il a grandi de 10 cm en une année !
Grossir		■ David a grossi.
	de	■ Il a grossi de 5 kg.
Guérir		■ Sa blessure a guéri très rapidement.
	qqn de qqch	■ On a enfin réussi à guérir Sabine de cette allergie.

H

Habiter	un lieu	▪ Nous habitons cette maison / Paris depuis dix ans.
	à, en, dans...	▪ Nous habitons à la campagne / dans le huitième arrondissement.
Habituer	qqn à qqch	▪ Il faut habituer les enfants à ranger leurs affaires.
S'habituer	à + infinitif	▪ Elle s'est assez vite habituée à manger sans sel.
	à + nom	▪ Elle s'est assez vite habituée à la cuisine sans sel.
Hériter	qqch de qqn	▪ Ils ont hérité cette maison de leurs parents.
	de qqch	▪ Elle a hérité des dons musicaux de sa mère.
Hésiter		▪ Quelle décision prendre ? J'hésite.
	à + infinitif	▪ J'hésite à changer de travail. Je suis mal payé mais ce que je fais m'intéresse.

I

Ignorer	qqch	▪ J'ignore son nom.
	que + indicatif	▪ J'ignorais qu'il avait réussi le concours d'entrée au ministère des Affaires étrangères.
	pourquoi, quand, ...	▪ J'ignore s'il viendra.
Imaginer	qqch	▪ Les garçons ont imaginé de merveilleuses histoires de chevalerie.
	que + indicatif	▪ Lui, épouser Marie ! J'imagine que vous plaisantez !
Imposer	qqch à qqn	▪ Il veut toujours imposer ses idées aux autres.
	à qqn de faire qqch	▪ On impose aux élèves de cette école de commerce de faire un stage chaque année.
Inciter	à qqch	▪ La publicité incite à la consommation.
	qqn à + infinitif	▪ La publicité incite les gens à consommer davantage.
Indigner	qqn	▪ Les propos maladroits du ministre ont indigné les partis de l'opposition.
S'indigner	de qqch	▪ Beaucoup de gens se sont indignés des récentes mesures de restriction au droit d'asile.
Indiquer	qqch	▪ Ce panneau indique les trains à l'arrivée.
	qqch à qqn	▪ Le médecin a indiqué le nom d'un spécialiste à son patient.
	que + indicatif	▪ Ce panneau indique que le train en provenance de Lille aura du retard.

Informer	qqn de qqch	■ Un panneau informe les conducteurs du danger de la route.
	que + indicatif	■ Nous informons les voyageurs que la circulation des trains est interrompue sur la ligne Paris-Dijon.
S'informer	de qqch	■ Elle s'est informée de l'état de santé de sa belle-mère.
Inquiéter	qqn	■ Son état de santé inquiète ses parents.
S'inquiéter		■ Je serai prudent. Ne t'inquiète pas !
	de qqch	■ La population s'inquiète des risques de pollution de l'usine chimique.
	que + subjonctif	■ Je m'inquiète qu'elle ne réponde pas. Qu'est-ce qui se passe ?
Ça inquiète	qqn que + subjonctif	■ Ça m'inquiète que David ne soit pas encore rentré.
	qqn de + infinitif	■ Ça inquiète beaucoup Mathilde de passer cet examen.
Inscrire	qqch	■ Inscrivez votre numéro de compte au dos de ce chèque.
	qqn à qqch	■ J'ai inscrit mon fils à un club de judo.
S'inscrire		■ Il faut s'inscrire sur les listes électorales pour pouvoir voter.
Insister		■ S'il refuse de me recevoir, je n'insisterai pas.
	sur qqch	■ Le professeur a insisté sur la nécessité de travailler avec méthode.
	pour + infinitif	■ J'ai insisté pour obtenir un rendez-vous rapidement.
	pour que + subjonctif	■ J'ai dû insister pour qu'on me reçoive tout de suite.
Interdire	qqch à qqn	■ On interdit aux jeunes de moins de 16 ans l'entrée dans cette salle de jeux.
	à qqn de + infinitif	■ On interdit aux visiteurs du musée de prendre des photos.
Intéresser	qqn	■ Les documentaires sur la vie des animaux intéressent un large public.
S'intéresser	à qqch / qqn	■ Cet enfant est très curieux, il s'intéresse à tout.
Interroger	qqn sur qqn / qqch	■ Il faudrait interroger un spécialiste sur cette question.
S'interroger	sur qqn / qqch	■ On s'interroge toujours sur les causes de l'accident.
Inviter	qqn	■ Marie a invité des amis samedi soir.
	qqn à + infinitif	■ Marie a invité des amis à passer le week-end chez ses parents.
	qqn à qqch	■ Nous avons invité les Dubois à la fête.

J

Jeter	qqch	■ Il faut jeter les papiers dans la poubelle jaune et les verres dans la bleue.
Se jeter	contre, sur, dans...	■ Le chien s'est jeté sur sa pâtée.

Jouer		■ Les enfants aiment jouer.
	qqch	■ À la fête de l'école, la petite Bérénice joue le rôle d'une princesse.
	à un jeu	■ Dans le midi de la France, on aime jouer à la pétanque.
	d'un instrument de musique	■ Sébastien joue de la guitare.
Jurer	(à qqn) de + infinitif	■ L'accusé a juré de dire toute la vérité.
	(à qqn) que + indicatif	■ Il a juré à ses parents qu'il n'avait pas menti.

L

Laisser	qqch	■ Ce paquet est trop lourd. Je le laisse ici. Je passerai le prendre tout à l'heure.
	qqch à qqn	■ Ce gâteau est délicieux. Laissez-en un peu aux autres !
	qqn + infinitif	■ Laissez-moi faire ce que je veux !
	qqn + adjectif	■ Julie travaille. Laisse-la tranquille !
Se laisser	+ infinitif	■ L'enfant s'est laissé soigner sans pleurer.
Lire	qqch (à qqn)	■ Je vais lire une histoire aux enfants avant qu'ils se couchent.
	que + indicatif	■ J'ai lu dans une revue que cette actrice allait se remarier pour la cinquième fois !
Louer	qqch	■ Ils vont louer un appartement sur la Côte d'Azur.
	qqch à qqn	■ Nous avons loué notre studio à des amis.

M

Manquer		■ Marie manque aujourd'hui, elle est malade.
	qqn / qqch	■ À cause des embouteillages, il a manqué son avion.
	de qqch	■ Ce plat manque de sel. Rajoutes-en !
	à qqn	■ Pablo est à Paris depuis trois mois, sa famille lui manque beaucoup.
Il manque	qqn / qqch	■ Il manque trois cartes dans ce jeu.
Marier	qqn	■ Les Dupont viennent de marier leur dernière fille.
Se marier		■ Mon vieil oncle Henri n'a jamais voulu se marier.
	avec qqn	■ Elle va se marier avec un ami d'enfance.
Se méfier		■ Méfiez-vous, il y a du verglas !
	de qqn / qqch	■ Je me méfie de lui et de ses promesses : il ment sans arrêt.

Menacer	qqn	■ Le voleur a menacé le bijoutier.
	qqn de + infinitif	■ Les terroristes ont menacé le gouvernement de tuer les otages.
Mentir	à qqn	■ François est furieux. Son fils lui a menti.
Mériter	qqch	■ Il a beaucoup travaillé, il mérite des vacances.
	de + infinitif	■ Après de tels résultats, il mérite d'être récompensé.
	que + subjonctif	■ Il mérite qu'on lui fasse des compliments.
Mesurer	+ quantité	■ Cette pièce mesure trois mètres sur cinq.
	qqch	■ Il mesure la surface du garage.
Mettre	qqch	■ Mets une écharpe ! Il fait froid.
	qqch + lieu	■ J'ai mis mes clefs dans ma poche.
	du temps pour	■ On met environ dix minutes pour aller à pied de la Sorbonne à Notre-Dame.
Se mettre	à qqch	■ Il s'est mis au travail dès 7 heures du matin.
	à + infinitif	■ Je vais me mettre à apprendre le chinois.
Montrer	qqch à qqn	■ Le guide montre la ville aux touristes.
	que + indicatif	■ Ces évènements montrent que la situation politique est grave.
	où / comment + indicatif	■ Tu peux me montrer comment on fait ce gâteau aux noix ?
	où / comment + infinitif	■ Tu peux me montrer comment faire ce gâteau aux noix ?
Se montrer	+ adjectif	■ Il s'est montré très aimable avec nous.
Se moquer	de qqn / qqch	■ Le petit Nicolas a dit une bêtise et tous les enfants se sont moqués de lui.
Mourir		■ Cet écrivain célèbre vient de mourir.
	de qqch	■ Je n'ai pas déjeuné. Je meurs de faim.

N

Nier	qqch	■ Il nie toute responsabilité dans l'accident.
	+ infinitif	■ Il nie avoir brûlé le feu rouge.
Nuire	à qqn	■ Cette affaire financière lui a beaucoup nui.
	à qqch	■ Le tabac nuit gravement à la santé.

O

Obéir	à qqn	■ Les enfants doivent obéir à leurs parents !

Obliger	qqn à + infinitif	■ Le règlement du foyer oblige les résidents à rentrer avant minuit.
Être obligé	de + infinitif	■ Excusez-moi. Je suis obligé de partir.
Obtenir	qqch	■ Ils ont obtenu un prêt pour acheter leur appartement.
	de + infinitif	■ Ils ont obtenu de rembourser leur prêt en dix ans.
	que + subjonctif	■ Ils ont obtenu que leur fille puisse commencer son école avec trois jours de retard.
Occuper	qqch	■ Cette grande entreprise occupe tout l'immeuble.
	qqn	■ Ce retraité fait de l'aquarelle. Ça l'occupe beaucoup.
S'occuper	de qqch	■ C'est Madame Level qui s'occupe des cartes de crédit dans cette banque.
	de qqn	■ Mathilde s'occupe beaucoup de ses petits-enfants.
Offrir	qqch à qqn	■ Il a offert une très jolie bague à son amie.
	à qqn de + infinitif	■ Il lui a offert de partir en voyage de noces à Venise.
S'opposer	à qqn / qqch	■ Je m'oppose à cette solution, ce n'est pas la bonne.
	à ce que + subjonctif	■ Ses parents se sont opposés à ce qu'elle parte seule dans ce pays.
Ordonner	qqch à qqn	■ Le médecin lui a ordonné une semaine de repos.
	à qqn de + infinitif	■ Le médecin lui a ordonné de rester une semaine chez lui.
Oser	+ infinitif	■ Je n'ai pas osé lui dire la vérité.
Oublier	qqn / qqch	■ La vieille dame a oublié son porte-monnaie dans le magasin.
	de + infinitif	■ J'ai oublié de lui téléphoner. Il faut absolument que je le fasse demain.
	que + indicatif	■ On va au restaurant. Je n'ai pas oublié que c'était ton anniversaire.
Ouvrir		■ La banque ouvre à 9 heures.
	qqch	■ Ouvre la fenêtre ! Il fait chaud.
	qqch à qqn	■ On sonne ! C'est sûrement Martin. Je vais lui ouvrir la porte.

P

Paraître		■ Cette revue paraît le jeudi.
	+ adjectif	■ Elle paraît triste. Elle a des problèmes en ce moment ?
Il paraît	que + indicatif	■ Il paraît que les impôts vont baisser !
Pardonner	qqch à qqn	■ Il s'est excusé. Il faut lui pardonner cette erreur.
	à qqn de + infinitif	■ Il n'a pas pardonné à son amie de l'avoir quitté.

Parler		■ Mon fils a commencé à parler à 18 mois.
	une langue	■ Beaucoup de gens parlent anglais dans le monde.
	à qqn	■ Bonjour. Pourrais-je parler à Marc ?
	avec qqn	■ J'ai parlé longuement avec le directeur de l'école.
	(à qqn) de qqn / qqch	■ Il m'a beaucoup parlé de ses problèmes.
	de + infinitif	■ Il parle de partir travailler au Canada.

Partager	qqch avec qqn	■ Elle partage sa chambre avec sa sœur.
	qqch en + nombre	■ Il a partagé le gâteau en huit.

Participer	à qqch	■ Le Premier ministre participera à ce débat télévisé.

Partir		■ Il est tard. Je pars. Au revoir !
	pour / à + lieu	■ Nous partirons pour Londres la semaine prochaine.
	de + lieu	■ Cet avion part de l'aéroport d'Orly.

Parvenir	+ lieu	■ Les alpinistes sont parvenus au sommet de la montagne avant la nuit.

Passer		■ C'est déjà la fin des vacances. Comme le temps passe vite !
	une durée	■ J'ai passé une très bonne soirée chez mes amis.
	qqch	■ Il faut passer un examen pour entrer dans cette école.
	qqch à qqn	■ Passe-moi le pain, s'il te plaît !
	par + lieu	■ Cette petite route passe par un très joli village.
	pour + nom	■ Cet artiste passait pour un fou, pourtant il était génial.
Se passer		■ Cette histoire s'est passée au XIXe siècle.
	de + infinitif	■ Il ne peut pas se passer de boire.
	de + qqch	■ Il ne peut pas se passer d'alcool.

Penser	à qqn / qqch	■ J'ai bien pensé à ma grand-mère ; c'était ses 90 ans hier.
	à + infinitif	■ Pensez à vous inscrire avant le 1er octobre !
	+ infinitif	■ Nous pensons partir à l'étranger l'année prochaine.
	de + qqn / qqch	■ Que pensez-vous de cet acteur ?
	que + indicatif	■ Je pense que cette réforme est indispensable.

Permettre	qqch à qqn	■ Son médecin lui permet un peu de vin.
	à qqn de + infinitif	■ Son médecin lui permet de boire un peu de vin.
	que + subjonctif	■ Le règlement ne permet pas qu'on fume dans les salles de classe.

Persuader	qqn de + infinitif	■ Je l'ai persuadé de ne pas abandonner ses études.
Être persuadé	que + indicatif	■ Je suis persuadé qu'il a raison.

Plaindre	qqn	■ Il est très malade. Je le plains beaucoup.
Se plaindre		■ Quel caractère ! Il se plaint sans arrêt !
	de qqch	■ Il se plaint du bruit que font ses voisins.
	que + subjonctif	■ Il se plaint qu'on l'ait mal reçu dans ce bureau.
Plaire	à qqn	■ Est-ce que ce restaurant a plu à vos amis étrangers ?
Porter	qqch	■ Je ne peux pas porter cette valise. Elle est trop lourde.
Se porter	bien / mal	■ Comment se porte votre grand-père ? Bien merci, malgré ses 95 ans !
Poser	qqch (sur, dans, etc.)	■ J'ai posé mes clés sur la table de l'entrée.
Se poser		■ L'avion en provenance de Tahiti se posera sur la piste n° 3.
Pousser		■ L'herbe a bien poussé depuis notre départ. Il faudrait la couper.
	qqch	■ Pousse tes affaires ! Je voudrais poser mon sac.
Pouvoir	+ infinitif	■ Tu peux venir dîner samedi soir ?
Il se peut	que + subjonctif	■ Il se peut que le Président fasse une déclaration à la télévision ce soir.
Préférer	qqch	■ Qu'est-ce que tu préfères comme vin ?
	qqch à qqch	■ Je préfère le théâtre au cinéma.
	+ infinitif	■ Je préfère aller à la montagne en été !
	que + subjonctif	■ Je préfère qu'on fasse cette excursion plus tard.
Prendre	qqch	■ Tu as pris mon stylo. Rends-le-moi !
		■ Je prends le métro pour aller à mon bureau.
	+ temps	■ Aller de Paris à Londres en Eurostar, ça prend deux heures et demie.
	qqn pour qqn d'autre	■ Ils sont jumeaux. Je prends toujours l'un pour l'autre.
Se prendre	pour	■ Cet homme est fou. Il se prend pour Napoléon.
Préparer	qqch	■ Il est déjà 19 heures ! Je vais préparer le dîner.
Se préparer		■ Le match commence dans une demi-heure. Les joueurs se préparent.
	à + infinitif	■ C'est bientôt les vacances. Les gens se préparent à partir.
Présenter	qqch	■ Ce grand couturier a présenté sa collection d'hiver.
	qqn à qqn	■ Je vais présenter mon fiancé à mes parents.
Se présenter	à qqn	■ Pour ce poste, présentez-vous au directeur !
	à qqch	■ M. Dupont va sûrement se présenter aux élections législatives.
Prêter	qqch à qqn	■ Il a prêté des DVD à son ami.

Prévenir		▪ Préviens si tu es en retard !
	qqn de qqch	▪ Je te préviendrai de l'heure de mon arrivée.
	qqn que + indicatif	▪ Il m'a prévenu qu'il ne pourrait pas venir me voir.
Prévoir	qqch	▪ La météo a prévu du beau temps pour le week-end.
	de + infinitif	▪ Les Smith prévoient de venir en France cet été.
	que + indicatif	▪ Ils prévoient qu'il y aura environ deux cents personnes à leur mariage.
Produire	qqch	▪ Cette région produit beaucoup de fruits et de légumes.
Se produire		▪ Un léger tremblement de terre s'est produit dans le sud de la France.
Profiter	de qqch	▪ J'ai profité des soldes. J'ai acheté plein de choses !
Promettre	qqch à qqn	▪ Ses parents lui ont promis un vélo pour Noël.
	(à qqn) de + infinitif	▪ Il m'a promis d'être prudent sur les routes.
	(à qqn) que + indicatif	▪ Je te promets que je serai très prudent.
Proposer	qqch (à qqn)	▪ Cette agence propose un week-end à Venise pour 200 euros.
	à qqn de + infinitif	▪ Je lui ai proposé de l'aider mais il a refusé.
	(à qqn) que + subjonctif	▪ Il propose qu'on aille le retrouver en Bretagne.
Protéger	qqn / qqch	▪ Il faut protéger votre peau. Il y a beaucoup de soleil.
	qqn / qqch contre / de	▪ Ces gros gants protégeront bien vos mains du froid / contre le froid.
Protester		▪ « Je ne suis pas d'accord. Je proteste ! » a déclaré un député à l'Assemblée.
	contre qqch	▪ Des manifestants ont protesté contre cette réforme.
Provenir	de + lieu	▪ Ces oranges proviennent d'Espagne.

Q

Questionner	qqn sur qqch / qqn	▪ Cette actrice n'aime pas qu'on la questionne sur sa vie privée.
Quitter		▪ Allô ! Vous voulez parler à Christine ? Ne quittez pas !
	qqn	▪ Julia a quitté sa famille ; elle vit dans un foyer d'étudiantes.
	+ lieu	▪ Je quitterai Paris dans un an pour m'installer à Toulouse.

R

Raconter	qqch (à qqn)	▪ Cette grand-mère raconte souvent des histoires à ses petits-enfants.
	que + indicatif	▪ On raconte qu'il y a des fantômes dans ce château.

Rappeler	qqn	▪ Marie n'est pas là ! Bon, je la rappellerai plus tard.
	qqch à qqn	▪ Rappelez-moi votre numéro de téléphone, je l'ai oublié.
	(à qqn) que + indicatif	▪ Je te rappelle que nous devons partir avant midi.
Se rappeler	qqn / qqch	▪ Je n'arrive pas à me rappeler le nom de ce chanteur.
	que + indicatif	▪ Je me rappelle vaguement que ma famille a déménagé quand j'avais cinq ans.
Rapporter	qqch à qqn	▪ Vous devez rapporter ces livres à la bibliothécaire.
Rapprocher	qqch	▪ Rapprochez la lampe ! On verra mieux.
Se rapprocher		▪ Rapproche-toi ! Je ne t'entends pas bien.
	de qqn / qqch	▪ J'ai froid, je vais me rapprocher du radiateur.
Rater	qqch	▪ Il y avait des embouteillages terribles et j'ai raté mon avion.
		▪ Il a raté son bac en juin, il va le repasser en septembre.
Recevoir	qqn	▪ Ils ont reçu cinquante personnes pour le réveillon du 1er janvier.
	qqch	▪ Je n'ai pas encore reçu ma convocation.
Être reçu	à un examen	▪ Elle a été reçue à son bac à 16 ans. Bravo !
Réclamer	qqn	▪ Le petit malade réclamait souvent sa mère.
	qqch à qqn	▪ Après cet accident, je vais réclamer une indemnité à la compagnie d'assurance.
Recommander		
	qqch / qqn à qqn	▪ Je te recommande ce restaurant, il est très bon et pas cher.
	à qqn de + infinitif	▪ On recommande aux personnes âgées de se faire vacciner contre la grippe.
Reconnaître	qqn / qqch	▪ Je n'avais pas vu le petit Pierre depuis deux ans. Je ne l'ai pas reconnu.
	que + indicatif	▪ Je reconnais que j'ai parlé trop vite. On peut discuter.
Redouter	qqch	▪ Il a beaucoup plu. On redoute une inondation.
	que + subjonctif	▪ Je redoute qu'il apprenne la vérité.
Réfléchir		▪ Réfléchissez bien avant de répondre.
	à qqch	▪ Je n'ai pas encore réfléchi à ce problème.
Refuser		▪ Éric voulait sortir avec moi, mais j'ai refusé.
	qqch	▪ Il ne refusera sûrement pas cette promotion !
	de + infinitif	▪ Je refuse de répondre à une question aussi indiscrète.
	que + subjonctif	▪ Les parents de Marie refusent qu'elle sorte le soir.
Regarder	qqn / qqch	▪ Les passants aiment regarder les vitrines des magasins.
	qqn	▪ Ma vie privée ne vous regarde pas !

Regretter	qqch	▪ Je regrette mes paroles. J'ai été très désagréable.
	de + infinitif	▪ Je regrette de lui avoir dit ça.
	que + subjonctif	▪ Nous regrettons beaucoup que vous ne puissiez pas venir avec nous.
Réjouir	qqn	▪ La naissance d'une petite fille a réjoui toute la famille.
Se réjouir	de qqch	▪ Tous leurs amis se réjouissent de leur prochain mariage.
Remarquer	qqn / qqch	▪ J'ai remarqué l'absence de Théo. Vous savez où il est ?
	que + indicatif	▪ Tu as remarqué que le professeur a changé de coiffure ?
Remercier	qqn	▪ Votre bouquet est superbe. Je vous remercie.
	qqn de qqch	▪ Je vous remercie de votre aide.
	qqn de + infinitif	▪ Je vous remercie d'avoir déposé mon courrier à la poste.
Remplacer	qqn / qqch	▪ C'est madame Dupont qui remplacera votre professeur absent.
	qqn / par qqn	▪ « Remplacez ce mot par un mot plus précis », demande
	qqch / par qqch	le professeur.
Remplir	qqch	▪ J'ai fait le marché. J'ai rempli le réfrigérateur.
		▪ Pour obtenir un visa, il faut remplir beaucoup de papiers.
Rencontrer	qqn	▪ Après la projection du film, les spectateurs pourront rencontrer le réalisateur.
Se rencontrer		▪ Nous nous sommes rencontrés à une soirée chez des amis communs.
Rendre	qqch à qqn	▪ Je dois rendre à mon frère la caméra qu'il m'avait prêtée pour ce voyage.
	qqn + adjectif	▪ Son divorce l'a rendu très malheureux.
Se rendre	+ lieu	▪ Le Président de la République se rendra en Italie le mois prochain.
Se rendre		
compte	de qqch	▪ Il ne s'est pas rendu compte de son erreur.
	que + indicatif	▪ Il ne s'est pas rendu compte qu'il s'était trompé.
Renoncer	à qqch	▪ Après son accident, il a dû renoncer au ski.
	à + infinitif	▪ Après son accident, il a dû renoncer à faire du ski.
Renseigner	qqn sur qqch	▪ La secrétaire a renseigné l'étudiante sur l'organisation des cours.
Se renseigner		▪ Je vais me renseigner sur Internet pour la location d'un appartement.

Répéter	qqch	▪ Vous n'avez pas compris. Je vais répéter mes explications.
	à qqn que + indicatif	▪ Je lui ai encore répété qu'il devait chercher un stage de fin d'études.
Répondre	à qqn / à qqch	▪ Je dois absolument répondre à cette lettre.
	que + indicatif	▪ J'ai répondu que tout allait très bien.
Reprocher	qqch à qqn	▪ Le directeur a reproché ses absences à son secrétaire.
	à qqn de + infinitif	▪ Le directeur a reproché à son secrétaire d'être trop souvent absent.
Résister	à qqch	▪ Je ne résiste jamais à un gâteau au chocolat !
		▪ Cette plante n'a pas résisté au froid.
Ressembler	à qqn	▪ Caroline ressemble beaucoup à sa mère.
Se ressembler		▪ Caroline et sa mère se ressemblent beaucoup.
Rester		▪ Est-ce que je peux rester encore un peu avec vous ?
	+ lieu	▪ Nathalie restera à Paris jusqu'en mai.
Il reste	qqn / qqch	▪ Il est 2 heures du matin. Il ne reste plus que trois invités.
Retourner	qqch	▪ Retourne ta carte pour voir si c'est le roi ou la dame de cœur !
	+ lieu	▪ Il n'est jamais retourné dans le village où il est né.
Se retourner		▪ Je me suis retourné pour voir ce qui avait fait ce bruit.
Retrouver	qqn	▪ Je dois retrouver Paul place de la République ce soir à 20 heures.
	qqch	▪ Je n'ai toujours pas retrouvé mes clés. Où sont-elles donc ?
Se retrouver		▪ On se retrouve place de l'Opéra à midi, d'accord ?
Réussir	qqch	▪ Quel bon photographe ! Il réussit toutes ses photos !
	à + infinitif	▪ Je n'ai pas réussi à le faire changer d'avis.
Revenir		▪ Attends-moi ! Je reviens dans cinq minutes.
Rêver		▪ Regarde Anne ! Elle rêve au lieu de travailler.
	à qqch	▪ Ce parfum me fait rêver aux pays exotiques.
	de qqn / de qqch	▪ C'est drôle ! J'ai rêvé de toi cette nuit.
	de + infinitif	▪ Je rêve de faire le tour du monde en bateau.
	que + indicatif	▪ J'ai rêvé que je volais comme un oiseau !
Rire		▪ Ce film est très drôle. On a bien ri.
	de qqch	▪ Nous avons bien ri des plaisanteries de Jacques.
Risquer	qqch	▪ Il roule trop vite. Il risque sa vie et celle des autres.
	de + infinitif	▪ Attention ! Tu risques de tomber.

S

Sauver	qqn	▪ Les pompiers ont sauvé le vieil homme dans son appartement en feu.
Se sauver		▪ Sauvez-vous vite ! L'incendie se rapproche !
Savoir	qqch	▪ Je ne sais pas le nom de cet homme.
	+ infinitif	▪ Est-ce que vous savez faire les crêpes ?
	que + indicatif	▪ Je ne savais pas que tu jouais de la guitare.
	comment, si quand, etc.	▪ Pardon Madame, savez-vous où se trouve la rue Notre-Dame ?
Sembler	+ adjectif	▪ Vous semblez inquiet. Qu'y a-t-il ?
	+ infinitif	▪ Juliette semble aimer beaucoup son nouveau travail.
Il semble	que + subjonctif	▪ Il semble que cette information soit fausse.
Il me, te, lui,... semble	que + indicatif	▪ Il me semble que tu as mal compris ce que j'ai dit.
Sentir	qqch	▪ Je sens une bonne odeur de pain grillé.
	bon / mauvais	▪ Ça sent bon !
	que + indicatif	▪ J'ai senti qu'elle avait des soucis et qu'elle ne voulait pas en parler.
Se sentir	bien / mal	▪ Il fait vraiment trop chaud. Je me sens mal.
Servir	qqn	▪ Le garçon de café sert les clients le plus vite possible.
	qqch à qqn	▪ Je vais servir un bon vin à mes amis.
	à + infinitif	▪ Ce couteau sert à couper le pain.
	de qqch	▪ Ce canapé peut servir de lit.
Se servir	de qqch	▪ Ne te sers pas de ce télécopieur. Il marche mal.
Sortir		▪ Désolé ! Michel n'est pas là, il est sorti.
	de + lieu	▪ Les employés sortent du bureau vers 18 heures.
	qqch (de + lieu)	▪ Il faut que je sorte la voiture du garage.
Souffrir		▪ Cette maladie fait beaucoup souffrir.
	de qqch	▪ En ce moment, tout le monde souffre de la forte chaleur.
Souhaiter	qqch	▪ Bonjour Monsieur ! Je souhaite une chambre avec vue sur la mer.
	qqch à qqn	▪ Je lui ai souhaité un bon voyage en Italie.
	à qqn de + infinitif	▪ L'entraîneur souhaite à ses joueurs de gagner le match.
	+ infinitif	▪ Il souhaite changer de travail.
	que + subjonctif	▪ Je souhaite que votre livre ait beaucoup de succès.
Sourire		▪ Sur cette photo, les gens sourient tous.
	à qqn	▪ Dans son métier, elle doit sourire à tout le monde.

Soutenir	qqn	■ La majorité des députés ont soutenu le Premier Ministre.
	qqch	■ Les colonnes soutiennent la voûte du temple.
	que + indicatif	■ Je soutiens que j'ai raison.
Se souvenir	de qqn / qqch	■ Te souviens-tu de ces vacances d'été en 2000 ?
	que + indicatif	■ Je me souviens très bien que j'ai parlé à cet homme.
	de + infinitif	■ Je ne me souviens pas d'avoir vu ce film.
Succéder	à qqn	■ Le Président Chirac a succédé au Président Mitterrand.
Se succéder		■ En France, les rois se sont succédé pendant mille ans.
Suffire		■ Quinze minutes suffisent pour faire ce gâteau.
	à qqn	■ Un kilo de pommes, ça me suffit, merci !
Il suffit	à qqn de + infinitif	■ Il a de la chance. Il lui suffit de dormir cinq heures par nuit.
	que + subjonctif	■ Pour ce vol, il suffit que vous réserviez vos places 48 heures à l'avance.
Suggérer	qqch à qqn	■ Je lui ai suggéré un autre titre pour son article.
	à qqn de + infinitif	■ Je lui ai suggéré de servir un vin blanc avec le poisson.
	que + subjonctif	■ Il suggère que nous allions au cinéma. Tu es d'accord ?
Supporter	qqn / qqch	■ On n'a pas le choix ! Il faut supporter cette canicule.
	de + infinitif	■ Je ne supporte pas d'être assis à côté d'un fumeur de cigare.
	que + subjonctif	■ Il ne supporte pas qu'on le contredise.
Supposer	que + indicatif	■ Je suppose que vous avez tous compris. Je continue ?
	qqch	■ Cet exploit suppose un grand courage et une grande résistance.
	impératif + que + subjonctif	■ Suppose que tu aies une maladie grave. Tu as une bonne assurance ?
Surprendre	qqn	■ Sa réaction a surpris tout le monde.
Être surpris	de qqch	■ Je suis surpris de sa réponse.
	de + infinitif	■ Il a été surpris de recevoir cette lettre.
	que + subjonctif	■ Je suis surpris qu'elle ne t'ait pas encore répondu.

T

Tarder	à + infinitif	■ Il est 19 heures. Pierre ne va pas tarder à rentrer.
Il tarde	à qqn de + infinitif	■ Il me tarde d'avoir le résultat de mon examen.
	à qqn que + subjonctif	■ Ma grand-mère déteste le froid. Il lui tarde que l'hiver finisse.
Téléphoner	à qqn	■ J'ai téléphoné à Paul pour son anniversaire.

Tendre	qqch	■ En France, on tend la main pour dire bonjour.
	qqch à qqn	■ Je lui ai tendu un verre de vin qu'il a accepté avec plaisir.
Tenir	qqch	■ Il est gaucher ; il tient son stylo de la main gauche.
	qqn	■ Le père tient son fils par la main.
	à qqn	■ On tient beaucoup à ses amis.
	à + infinitif	■ Je tiens à vous remercier de votre aide.
Se tenir		■ Des clients se tenaient devant le bar, avant d'aller s'asseoir pour dîner.
	à qqch	■ L'escalier est raide. Tenez-vous à la rampe !
Tenter	qqn	■ Cet appartement nous tente, mais il est vraiment cher.
	qqch	■ Il va tenter la traversée de la Manche à la nage.
	de + infinitif	■ J'ai tenté de réparer l'aspirateur, mais il ne marche toujours pas !
Terminer	qqch	■ Quelle fête ! On a terminé la soirée à 3 heures du matin.
	par qqch	■ On terminera le dîner par une salade de fruits.
Se terminer		■ La Seconde Guerre mondiale s'est terminée en 1945.
Tirer	qqch	■ Autrefois, les chevaux tiraient les calèches.
Tomber		■ C'est l'hiver, la neige tombe.
	sur qqn	■ En me promenant le long de la Seine, je suis tombé sur un ami d'enfance.
Toucher	qqn	■ Cette triste histoire nous a beaucoup touchés.
	qqch	■ Ne touche pas la tasse ! Elle est très chaude.
	à qqch	■ Ne touche pas à mes affaires !
Tourner		■ Cette route de montagne tourne beaucoup.
	qqch	■ François Truffaut a tourné plus de vingt films, dont *Jules et Jim* en 1961.
Traduire	qqch en + langue	■ On m'a demandé de traduire cet article en espagnol.
Traîner		■ Range tes affaires qui traînent dans le salon !
	qqch	■ Elle traînait une lourde valise derrière elle.
Traiter	qqch	■ Le conférencier a très bien traité le sujet.
	qqn de + adjectif	■ Je l'ai traité d'idiot, alors il n'était pas content.
Travailler		■ Julien travaille au ministère de l'Environnement.
	qqch	■ Un forgeron travaille le fer.
Trembler		■ La terre a tremblé hier dans cette région.
	de qqch	■ Il est malade. Il tremble de fièvre.

Tromper	qqn	▪ C'est un menteur. Il trompe souvent les gens.
Se tromper	de qqch	▪ Je me suis trompée d'autobus. Il fallait prendre le 63 et non le 68.
Trouver	qqn / qqch	▪ On trouve beaucoup de champignons dans cette forêt.
	qqn + adjectif	▪ Je trouve cette actrice excellente dans le rôle de Carmen.
	que + indicatif	▪ Je trouve qu'il y a trop de voitures à Paris.
Se trouver		▪ Le musée d'Orsay se trouve au centre de Paris, sur la rive gauche de la Seine.

V

Valoir		▪ En ce moment, un euro vaut à peu près un dollar.
Il vaut mieux	+ infinitif	▪ Il vaut mieux réserver longtemps à l'avance pour dîner dans ce restaurant.
	+ subjonctif	▪ Il vaut mieux que nous réservions nos billets à l'avance.
Vendre	qqch	▪ Certains cafés vendent aussi des timbres et des cigarettes.
	qqch à qqn	▪ En France, le 1er Mai, on vend du muguet aux passants dans la rue.
Venir		▪ Pour mon anniversaire, tous mes amis sont venus.
	de + nom	▪ Ma famille vient du nord de la France.
	de + infinitif	▪ Ce film vient de sortir sur les écrans parisiens.
Vivre		▪ Ma grand-mère a vécu 102 ans.
	de qqch	▪ Les habitants de ce petit port vivent de la pêche.
Voir	qqn / qqch	▪ Hier, j'ai vu des gens qui manifestaient dans la rue.
	que + indicatif	▪ Je vois que vous ne comprenez pas. Je vais répéter.
Vouloir	qqch	▪ Je voudrais un four à micro-ondes. C'est tellement pratique !
	+ infinitif	▪ Tu veux passer le week-end au bord de la mer ?
	que + subjonctif	▪ Tu veux qu'on aille passer le week-end au bord de la mer ?

INDEX

Mode de classement de l'index

« la plupart de » est classé à : **L**a plupart de

« il s'agit de » à : **I**l s'agit de

mais « Le / la / les même(s) » est classé à : **M**ême(s) (le, la, les)

« Le / la / les mien(s), mienne(s) » à : **M**ien(s) (le, la, les).

ALPHABET PHONÉTIQUE INTERNATIONAL

Voyelles		
orales		**nasales**
[i] fini	[o] dos	
[e] été	[u] vous	[ɛ̃] fin
[ɛ] père	[y] du	[œ̃] brun
[a] chat	[ø] deux	[ɑ̃] temps
[ɑ] pâte	[ə] le	[ɔ̃] bon
[ɔ] porte	[œ] peur	
Consonnes		
[p] **p**as	[t] **t**erre	[k] **c**ourant
[b] **b**on	[d] **d**os	[g] **g**are
[f] **f**ort	[s] **s**on	[ʃ] **ch**at
[v] **v**ent	[z] ro**s**e	[ʒ] **j**oli
[m] **m**er	[n] **n**u	[ɲ] li**gn**e
	[l] **l**ampe	[r] **r**ouge
Semi-voyelles		
[j] fi**ll**e	[ɥ] s**u**is	[w] **ou**i

Achevé d'imprimer en février 2021 en Italie par L.E.G.O. S.p.A.
Dépôt légal : octobre 2004
Édition n° 19
15/5271/0